本当にわかる
精神科の薬
はじめの一歩

改訂 第3版

具体的な処方例で経過に応じた
薬物療法の考え方が身につく！

稲田 健／編

羊土社
YODOSHA

謹告

本書に記載されている診断法・治療法に関しては，発行時点における最新の情報に基づき，正確を期するよう，著者ならびに出版社はそれぞれ最善の努力を払っております．しかし，医学，医療の進歩により，記載された内容が正確かつ完全ではなくなる場合もございます．

したがって，実際の診断法・治療法で，熟知していない，あるいは汎用されていない新薬をはじめとする医薬品の使用，検査の実施および判読にあたっては，まず医薬品添付文書や機器および試薬の説明書で確認され，また診療技術に関しては十分考慮されたうえで，常に細心の注意を払われるようお願いいたします．

本書記載の診断法・治療法・医薬品・検査法・疾患への適応などが，その後の医学研究ならびに医療の進歩により本書発行後に変更された場合，その診断法・治療法・医薬品・検査法・疾患への適応などによる不測の事故に対して，著者ならびに出版社はその責を負いかねますのでご了承ください．

❖ **本書関連情報のメール通知サービスをご利用ください**

ご登録はこちらから

メール通知サービスにご登録いただいた方には，本書に関する下記情報をメールにてお知らせいたしますので，ご登録ください．

・本書発行後の更新情報や修正情報（正誤表情報）
・本書の改訂情報
・本書に関連した書籍やコンテンツ，セミナーなどに関する情報

※ご登録の際は，羊土社会員のログイン／新規登録が必要です

改訂第3版の序

　2013年に発行した本書は，医学生や初期研修医の皆さんが，精神科の薬物療法を理解する"はじめの一歩"となることを目指しました．精神科の実習や研修に来るとき，精神科の薬の処方を考えるときの入口となるような内容をコンパクトにまとめることを目指したところ，幸いにもご好評をいただき，増刷と改訂を重ね，この度，改訂第3版を発行することになりました．

　初版から10年の間に精神科薬物療法は大きく進歩し，読者の皆様からも多くのご意見を賜りました．この改訂第3版では，引き続き多くの図表を用いて，精神科の薬の基本的な考え方や，豊富な処方例により処方のコツをわかりやすく解説しています．さらに最新の情報にアップデートし，皆様のご意見も参考にしながら内容を充実させています．

　近年の薬物療法の進歩としては，新薬の開発，適応症の拡大，診療ガイドラインの整備と社会実装などを挙げることができます．依存症治療薬や神経発達症（発達障害）治療薬を中心に新薬が開発され，適応拡大がありました．そこで本書では，依存症治療薬の項目を新たに追加しました．また，統合失調症，うつ病，双極性障害などの診療ガイドラインが整備され，社会で広く用いられるようになってきました．本書でもガイドラインやエビデンスを踏まえて，情報をアップデートしています．

　本書を"はじめの一歩"として，精神科薬物療法への理解が進み，患者さんのためになることを願っています．

2023年2月

北里大学医学部精神科学
稲田　健

はじめに（初版の序）

　この本は，医学生や初期研修医，またプライマリ・ケアに携わる医師の皆さんが，精神科の薬物療法を理解する"はじめの一歩"となることを目指しました．精神科の実習や研修に来るとき，精神科の薬の処方を考えるときの入口となるような内容となっています．

　この本は，各項目について，Point! となる図表を多く載せました．大学の講義やクルズス，患者さんに説明するときによく使う図やスライドをまとめたものです．図表をみながら読み進めていくことで，薬物療法の大枠がつかめることを目指しました．また，コラムでは，医局で先輩医師が後輩に話すような内容を少しずつまとめました．

　具体的には，第1部で基本的なことに触れたあと，第2部から第4部で数多くある向精神薬の説明と疾患ごとの使い方，注意すべき副作用についてまとめてあります．疾患ごとの使い方では，薬の話と疾患のアセスメントのポイントが多くなりました．これは，薬物療法の前には，疾患と患者さんを上手にアセスメントすることが大切であるという考えが反映された結果です．

　この本を読んだだけで，すべてをわかったなどとは思わないでください．もっともっと奥の深い世界があります．疑問にぶつかったら，上級医，指導医に相談してください．より詳しい教科書を読んでください．疑問をもって，周りの人とディスカッションし，教科書を読むと，ぐっと世界が広がります．先生の臨床能力は上がり，患者さんのためになります．

　この本を入り口にして，精神科薬物療法への理解が進み，患者さんのためになることを願っています．

2013年9月

東京女子医科大学医学部精神医学講座

稲田　健

本当にわかる 精神科の薬 はじめの一歩
改訂第3版

Contents

- 改訂第3版の序 .... 稲田 健　3
- はじめに（初版の序）..................................... 稲田 健　5

第1部　精神科の薬の基本的な考え方　　稲田 健

1. 薬物療法の考え方 14
2. 薬物療法をうまく行えるようになるために 16
3. 向精神薬の分類と適応〜5つのカテゴリーを押さえる〜 19
4. 薬物相互作用の基本 21
   1. 薬物相互作用の2つのかたち 21
   2. 薬物の体内動態 22
   3. P糖タンパク質阻害 23
   4. 肝における代謝〜チトクロームP450（CYP）による代謝 ... 24
   5. 肝臓，腎臓における排泄阻害 27
   6. タンパク結合能 29
   7. 薬力学的相互作用の例 31

第2部　各薬剤の特徴と使い方

1. 抗精神病薬　　河野仁彦

1. 抗精神病薬とは？ 34

Contents

2	抗精神病薬の作用機序	35
3	抗精神病薬の効果	37
4	抗精神病薬の副作用	39
5	各抗精神病薬の特徴と使い方	43

- ・総論 … 44
  - **1** 第一世代抗精神病薬（FGA） … 46
    ハロペリドール／クロルプロマジン／ゾテピン
  - **2** 第二世代抗精神病薬（SGA） … 48
    リスペリドン／パリペリドン／ペロスピロン／ブロナンセリン／ルラシドン／オランザピン／クエチアピン／アセナピン／クロザピン／アリピプラゾール／ブレクスピプラゾール

2. 抗うつ薬

村岡寛之

1	抗うつ薬とは？	56
2	抗うつ薬の作用機序	57
3	抗うつ薬の効果	59
4	抗うつ薬の標的症状，適応疾患	61
5	抗うつ薬の副作用	62
6	各抗うつ薬の特徴と使い方	69

- **1** 選択的セロトニン再取り込み阻害薬（SSRI） … 69
  パロキセチン／フルボキサミン／セルトラリン／エスシタロプラム
- **2** セロトニン・ノルアドレナリン再取り込み阻害薬（SNRI） … 73
  ミルナシプラン／デュロキセチン／ベンラファキシン
- **3** セロトニン再取り込み阻害・セロトニン受容体調節薬（S-RIM） … 77
  ボルチオキセチン
- **4** ノルアドレナリン作動性・特異的セロトニン作動性抗うつ薬（NaSSA） … 79
  ミルタザピン
- **5** 三環系抗うつ薬（TCA） … 81
  イミプラミン／アミトリプチリン／ノルトリプチリン／クロミプラミン
- **6** 四環系抗うつ薬 … 84
  ミアンセリン
- **7** その他の抗うつ薬 … 85
  トラゾドン／スルピリド

3. 抗不安薬
稲田 健，松井健太郎

1 抗不安薬とは？ ……………………………………………… 87
2 抗不安薬の作用機序 ………………………………………… 88
3 抗不安薬の効果 ……………………………………………… 90
4 抗不安薬の標的症状，適応疾患 …………………………… 91
5 抗不安薬の副作用 …………………………………………… 94
6 各抗不安薬の特徴と使い方 ………………………………… 96
　エチゾラム／クロチアゼパム／フルタゾラム／ロラゼパム／アルプラゾラム／ブロマゼパム／メキサゾラム／ジアゼパム／クロナゼパム／クロキサゾラム／クロルジアゼポキシド／メダゼパム／オキサゾラム／ロフラゼプ酸エチル
7 抗不安薬の依存と対策 ……………………………………… 102
8 ベンゾジアゼピン（BZ）系以外の抗不安薬 ……………… 105

4. 睡眠薬
稲田 健，松井健太郎

1 睡眠薬とは？ ………………………………………………… 106
2 睡眠薬の作用機序 …………………………………………… 107
3 睡眠薬の効果と使い分け …………………………………… 110
　コラム● 睡眠・覚醒相後退障害　　　　　　松井健太郎 112
4 睡眠薬の副作用 ……………………………………………… 113
5 各睡眠薬の特徴と使い方 …………………………………… 117
　❶ ベンゾジアゼピン（BZ）受容体作動薬（BZ 系・非 BZ 系睡眠薬）117
　　トリアゾラム／ゾピクロン／ゾルピデム／エスゾピクロン／エチゾラム／ブロチゾラム／リルマザホン／ロルメタゼパム／フルニトラゼパム／エスタゾラム／ニトラゼパム／クアゼパム／フルラゼパム
　❷ メラトニン受容体作動薬 ……………………………… 122
　　ラメルテオン
　❸ オレキシン受容体拮抗薬 ……………………………… 122
　　スボレキサント／レンボレキサント

5. 気分安定薬
松井健太郎

1 気分安定薬とは？ …………………………………………… 124
2 気分安定薬の作用機序 ……………………………………… 128
3 気分安定薬の効果 …………………………………………… 130
4 気分安定薬の適応疾患，標的症状 ………………………… 132

Contents

　　5 気分安定薬の副作用 ……………………………………… 135
　　6 各気分安定薬の特徴と使い方 …………………………… 136
　　　　• 総論 ……………………………………………………… 136
　　　　• 薬剤ごとの特徴と使い方 ……………………………… 139
　　　　　炭酸リチウム／バルプロ酸ナトリウム／カルバマゼピン／ラモトリギン

6. 抗認知症薬　　　　　　　　　　　　　　　　　　　　　押淵英弘

　　1 抗認知症薬とは？ ………………………………………… 141
　　　　コラム● 抗認知症薬の今後の期待 …………………… 稲田　健 142
　　2 抗認知症薬の作用機序 …………………………………… 143
　　3 抗認知症薬の効果 ………………………………………… 145
　　4 抗認知症薬の適応疾患，標的症状 ……………………… 147
　　5 抗認知症薬の副作用 ……………………………………… 149
　　6 各抗認知症薬の特徴と使い方 …………………………… 150
　　　　• 総論 ……………………………………………………… 150
　　　　• 薬剤ごとの特徴と使い方 ……………………………… 151
　　　　　ドネペジル／ガランタミン／リバスチグミン／メマンチン

7. 発達障害治療薬　　　　　　　　　　　　　　　　　　　河野美帆

　　1 発達障害治療薬とは？ …………………………………… 154
　　2 発達障害治療薬の作用機序 ……………………………… 158
　　3 発達障害治療薬の標的症状，適応疾患 ………………… 161
　　4 発達障害治療薬の副作用 ………………………………… 162
　　　　1 ADHD治療薬 …………………………………………… 163
　　　　2 自閉スペクトラム症に伴う易刺激性への治療薬 …… 165
　　5 各発達障害治療薬の特徴と使い方 ……………………… 166
　　　　• 総論 ……………………………………………………… 166
　　　　• 薬剤ごとの特徴と使い方 ……………………………… 169
　　　　1 注意欠如・多動性障害（ADHD）治療薬 …………… 169
　　　　　メチルフェニデート徐放錠／リスデキサンフェタミン／アトモキセチン／グアンファシン
　　　　2 自閉スペクトラム症に伴う易刺激性への治療薬 …… 172
　　　　　リスペリドン／アリピプラゾール／メラトニン

8. 依存症治療薬　　　　　　　　　　　　　鈴木　匠，河野仁彦

- 1　依存症治療薬とは？ …………………………………… 174
- 2　依存症治療薬の作用機序と効果 ……………………… 175
- 3　依存症治療薬の副作用 ………………………………… 177
- 4　各依存症治療薬の特徴と使い方 ……………………… 180
  - ・総論 ………………………………………………… 180
  - **1** アルコール依存症治療薬 ……………………… 181
    ナルメフェン／アカンプロサート／ジスルフィラム／シアナミド
  - **2** アルコール離脱への薬物療法 ………………… 183
  - **3** ニコチン依存症治療薬 ………………………… 184
    バレニクリン／ニコチン

第3部　疾患別　処方の実際

1. 基本的な考え方　　　　　　　　　　　　　　　　稲田　健

- 1　合理的な薬物療法をしましょう ……………………… 188
- 2　適切な説明をしましょう ……………………………… 190
- 3　十分な観察をしましょう ……………………………… 191
- 4　単剤で少量から開始し漸増する ……………………… 193
  - **コラム** ● 血中濃度の話 ………………………………… 194
- 5　十分な量，十分な期間用いる ………………………… 195
- 6　薬剤は単剤で使用し，併用はせず切り替える ……… 196
- 7　各カテゴリーの薬を1つか2つだけ選んで使いこなそう ……… 197
- 8　専門医へ紹介するタイミング ………………………… 199

2. 処方の実際

- 1　統合失調症 ………………………………… 河野仁彦　200
  - 症例①：初発で精神科に入院となった症例
  - 症例②：治療中断により再発が疑われた症例
- 2　不安症 ……………………………………… 稲田　健　209
  - **1** パニック症 ……………………………………… 213
    症例：多忙をきっかけに発症した女性
  - **2** 社交不安症 ……………………………………… 220
    症例：友人に笑われたことをきっかけに発症した例

Contents

- **3** 強迫症 .... 稲田 健　224
  - 症例：人間関係をきっかけに，"洗浄強迫"が顕著になった例
- **4** うつ病とうつ状態 .... 村岡寛之　229
  - 症例：うつ病の典型例
- **5** 躁状態と双極性障害 .... 村岡寛之　238
  - 症例：過去に入院歴のある双極性障害の患者
- **6** 認知症 .... 押淵英弘　244
  - 症例：物忘れが目立ってきた高齢女性の例
- **7** せん妄 .... 押淵英弘　252
  - 症例：術後に意識障害，興奮が出現した例
- **8** 不眠 .... 松井健太郎　261
  - 症例①：大学院入学をきっかけに睡眠リズムが崩れた例
  - 症例②：不眠により長期間服薬を続けている高齢男性
  - **コラム** 睡眠薬を飲んでいるとボケる？ 273
- **9** 摂食障害 .... 押淵英弘　274
  - 症例：過去に数回入院歴のある女性
- **10** アルコール依存症（使用障害） .... 鈴木 匠，河野仁彦　282
- **11** 注意欠如・多動性障害（ADHD） .... 河野美帆　290
  - 症例：仕事を辞めさせられたことを機に受診となった20代男性

第4部　注意すべき副作用と症候群　河野仁彦

- **1** 悪性症候群 302
- **2** 糖尿病性昏睡 304
- **3** 皮膚症状
  - 向精神薬による重症薬疹：SJS，TEN，DIHS 306
- **4** 薬物誘発性不整脈
  - 薬剤性QT延長症候群と心室頻拍 308
- **5** 向精神薬によって引き起こされる精神と行動の障害（行動毒性） ... 310
- **6** リチウム中毒 312

- ● 索引 314

執筆者一覧

● 編集・執筆

　稲田　健　　北里大学医学部精神科学

● 執筆者（執筆順）

　河野仁彦　　医療法人一誠会 都城新生病院
　村岡寛之　　北里大学医学部精神科学
　松井健太郎　国立精神・神経医療研究センター病院
　押淵英弘　　東京女子医科大学医学部精神医学講座
　河野美帆　　医療法人一誠会 都城新生病院
　鈴木　匠　　医療法人一誠会 都城新生病院

第 1 部

精神科の薬の基本的な考え方

1 薬物療法の考え方────────────14
2 薬物療法をうまく行えるようになるために────16
3 向精神薬の分類と適応
　〜5つのカテゴリーを押さえる〜────────19
4 薬物相互作用の基本─────────────21

1 薬物療法の考え方

POINT ストレス脆弱性仮説とレジリアンスモデル

一定以上の雨（ストレス）がたまるとダムが決壊する（症状を生じる）

対策 → ①雨を減らす
　　　　　（ストレスを減らす）
　　　②水門を開く
　　　　　（ストレスを受け流す）
　　　③堤防を高くする
　　　　　（ストレスへの対応力を増す）

　精神科治療学の重要な考え方に，ストレス脆弱性仮説とレジリアンスモデルがある．これは，患者さんはストレスへの対応力や回復力（レジリアンス）をもっているが，外界からのストレスがある一定以上となると，精神疾患を発症し，治療として，ストレス対応力やレジリアンスを高めることが有用となるというモデルである．

　POINTは，このモデルをダムに例えたものである．一定以上の雨（ストレス）がたまると，ダムが決壊する（症状を生じる）．このため，対策としては，①雨を減らす（ストレスを減らす），②水門を開く（ストレスを受け流す），③堤防を高くする（ストレスへの対応力を増す）ということが考えられる．

　精神科治療は，1) 身体医学的治療，2) 心理療法・精神療法，3) 社会療法の3つを組合わせて行う（表）．薬物療法は身体医学的治療に含まれ，主に③ストレスへの対応力を増すことによって症状を緩和し，再発を防ぐ．心理療法は，主に②ストレスを受け流すこと，休養や環境調整，リハビリテーションを含む社会療法は，主に①ストレスを減らす，③ストレスへの対応力を増すといったことに相当する．

表　精神疾患の治療はいろいろ組合わせてこそ

1) **身体医学的（生物学的）治療**
   - 脳に直接働きかけ，脳神経系の機能を調整し回復を促す
   - 薬物療法，電気けいれん療法（ECT）など
2) **心理療法・精神療法**
   - おもに言葉でのやりとりを通じて，考えや感情，行動の変化を支援する
   - 認知行動療法，生活技能訓練（SST）など
3) **社会療法**
   - 全身に働きかけ，心身の相互作用を通じて心身の状態を整える
   - 環境調整，休養，睡眠・食事・運動といった生活リズム調整，精神科リハビリテーション

精神疾患は多様で，単独の治療法で解決できる疾患ではない．非薬物療法を組合わせる必要のある患者さんや，薬物を用いない治療を望む患者さんも多い．薬物療法と非薬物療法を組合わせることで，解決に近づく可能性がある．
ECT：electro convulsive therapy
SST：social skills training

　精神科治療においては，いずれの治療法も，ストレスへの対応力を増し，患者さん自身の回復力（レジリエンス）を高め，本来の自分を取り戻すことを目指す．その結果は，人間的成長をうまく進めるための手助けにもなる．

　　　　　　　　　　　　　　　　　　　　　　　　　　　　＜稲田　健＞

2 薬物療法をうまく行えるようになるために

> **POINT　薬物療法がうまくなるための7か条**
>
> ①治療の目標を考える
> ②まずは標準的治療を知る，行う
> ③薬剤の効果を客観的に評価する
> ④エビデンスと経験を吟味する
> ⑤ "薬が何か悪さをしているのではないか" という視点を忘れない
> ⑥患者さんを安心させる説明技術も身につける
> ⑦主剤単剤で治療する経験を積む

薬物療法がうまく行えるようになるためには，次のようなことを心がけるとよい．

1 治療の目標を考える

治療の目標を考えることは常に重要である．治療の目標は，**現在の症状をとることなのか，症状をとり去った後の本来の機能，社会での機能をとり戻すことであるのか**を考える．その治療の目標に向けて，薬物療法が有用であるかを考える必要がある．症状をとり去ることができても，副作用のために，真の目標である社会機能の回復が妨げられてはいけない．薬物療法で生じる副作用を最小化し，効果を最大限に引き出すことにより，再発を防止し，徐々に回復に導く．薬物療法は**最少の用量で最大の効果を引き出すこと**を目標としたい．

2 まずは標準的治療を知る，行う

精神障害の治療は，社会のなかでの個人を対象とする．個人の要因に注意するほか，個人が置かれた社会環境との関係を吟味する必要がある．すると，個人差が大きくなり，標準的な治療の枠組みをつくることはときに

難しくなるため，エビデンスを伴った標準的治療のガイドラインを策定することは実は難しい．そのような状況のなか，薬物療法は比較的エビデンスが蓄積され，標準化されている．まずは，エビデンスに基づいた標準的な治療を行うべきである．

3 薬剤の効果を客観的に評価する

治療目標に向かって，標準的な治療を行い，次にその効果を評価することを忘れない．ある薬剤を処方し，患者さんが"よくなった"ようにみえたときにこそ，どこがよくなったのか，どのようによくなったのかを評価するようにしたい．同時に，副作用を生じていないかにも注意を払う．精神医療においては，客観的指標が少なく，治療の効果を見出し難いことが少なくない．

4 エビデンスと経験を吟味する

標準的な治療だけで，治療が成功することは実は多くない．標準的な治療でうまくいかないときに，臨床医は多くの経験をもとに工夫し，治療を進める．一人の医師が経験できる症例数には限りがあり，先輩や同僚の経験談は非常に貴重である．一方で，貴重な意見であってもあくまで個人の一意見である．精神科医療は，バリエーションに富んでいる．薬剤の効果も，薬剤特性以上に患者さんの個体差が大きい．このことから，医師の裁量が広く認められる領域であると考えられるが，これは何をしてもよいということとは全く異なる．

エビデンスと個人の経験とは区別しながら吟味する必要がある．エビデンスは日々，更新されている．例えば，抗うつ薬の効果，抗うつ薬使用の是非などエビデンスが更新されることにより治療のコンセンサスも日々変化している．

5 "薬が何か悪さをしているのではないか"という視点を忘れない

副作用は目立つものと目立たないものがある．副作用であるのか，病状であるのか鑑別の難しいものもある．副作用があらわれても，治療目標を考えて多少我慢して内服を続けてもらうこともある．しかし，常に"薬が

何か悪さをしているのではないか"との視点をもつことを忘れないようにしよう．

6 患者さんを安心させる説明技術も身につける

治療の効果や副作用について，患者さんが安心できるような説明技術は重要である．患者さんが薬を服用するか否かは，医師を信頼しているかどうかが問われていると考えるべきである．

7 主剤単剤で治療する経験を積む

以上を踏まえながら，薬物療法を学び，実践するには，**薬物療法は中心となる1つの薬で治療する**という経験を積み重ねる必要がある．複数の薬を使えば早くよくなるものではない．1つの使い慣れた薬を用いて，十分な期間をかけ，丁寧に用量を調節し，治療目標を考え，話し合うことが結局は患者さんのためになる．また，これは治療者のスキルアップにもつながる．

<稲田　健>

3 向精神薬の分類と適応
～5つのカテゴリーを押さえる～

POINT 向精神薬の分類

	適応症（病名）	標的症状
抗精神病薬（メジャートランキライザー）	統合失調症	精神病症状 幻覚・妄想
抗不安薬　ベンゾジアゼピン（マイナートランキライザー）	不安症 神経症	不安 強迫, イライラ
睡眠薬	不眠症	不眠
抗うつ薬	うつ病 不安症	抑うつ
気分安定薬	双極性障害	躁状態 衝動性, イライラ
抗認知症薬	認知症	認知機能障害 記憶障害
発達障害治療薬	注意欠如・多動性障害	不注意, 多動

　向精神薬は7つのカテゴリーに分類される．このほかにも，睡眠障害の治療薬，てんかんの治療薬などがある．

　それぞれのカテゴリーの薬剤が，どのような疾患のどのような症状を改善するのかを把握しておく．例えば，抗精神病薬は統合失調症の治療薬として適応承認されており，その標的症状は幻覚や妄想といった精神病症状である．実際の臨床では，各種の精神障害には他の障害の症状も併存していることがあり，その際には複数カテゴリーの薬剤が併用されることもある．例えば，妄想と不眠を伴う重症のうつ病においては，抗うつ薬を基本

として,不眠に対して睡眠薬,不安に対して抗不安薬,妄想に対して抗精神病薬が併用されることがある.

しかし,初診患者さんの薬歴をみたときに,"抗精神病薬を服用しているから統合失調症である"と短絡的に考えないように注意する.

前述のような併用療法は精神障害の診断体系上必要ではあるが,結果的に適応外処方となる.処方する医師は"なぜこの薬剤が必要であるのか"をいつでも説明できるように症状を見極め,薬の効果と副作用を熟知する必要がある.

<稲田　健>

4 薬物相互作用の基本

1 薬物相互作用の2つのかたち

POINT 薬物相互作用の2つのかたち

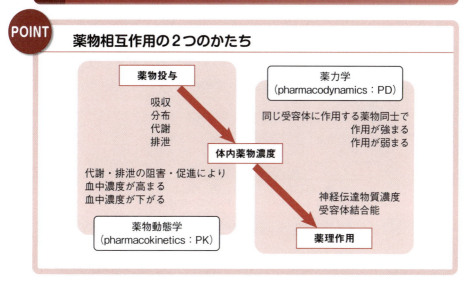

　薬が人体に投与されると，体内に薬物が入り，作用点において薬理作用を生じる．

　複数の薬物を併用すると，相互作用を生じるが，相互作用には，薬物代謝が変化する薬物動態学的（pharmacokinetics：PK）相互作用と，薬物の作用点における作用が変化する薬力学的（pharmacodynamics：PD）相互作用がある．PK相互作用は，吸収→分布→代謝→排泄という薬物動態のなかの，特に代謝・排泄の阻害・促進により，主に血中濃度の上昇もしくは低下が問題となる．PD相互作用は，作用点（向精神薬であれば神経伝達物質の受容体）に作用する薬物同士の競合や阻害が問題となる．

　薬物相互作用を完全に把握することは困難で，薬を併用しないことが望ましいが，相互作用を理解することで，薬物相互作用による問題を軽減できる可能性がある．

2 薬物の体内動態

POINT 薬物の体内動態

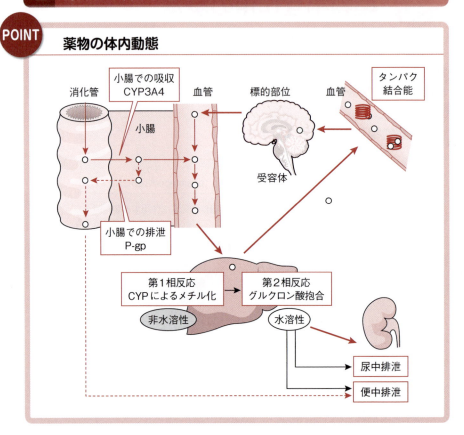

　経口投与された薬は，消化管を経て主に小腸で吸収される．吸収にはCYP3A4などの酵素を要し，血管内（門脈内）に至るが，一部はP糖タンパク質（P-gp）により消化管内へ排泄される．門脈内に入った薬物は肝臓において代謝される．肝臓での代謝はCYPによるメチル化である第1相反応（p24）と，グルクロン酸抱合による第2相反応がある（p27）．この過程により，非水溶性の薬物は水溶性となり，一部は尿中，一部は胆汁を経て糞便中に排泄される．肝臓で代謝されなかった薬物は，血管内において，タンパク質に結合して運搬され，標的部位に到達する（上記図では標的部位を脳としている）．薬物は標的部位の伝達物質受容体に作用した後に，静脈系から門脈を経て再び肝臓に至る．

3 P糖タンパク質阻害

POINT P糖タンパク質を阻害する向精神薬

バルプロ酸	
SSRI・SNRI	セルトラリン，パロキセチン，デスメチルセルトラリン（セルトラリンの代謝産物）＞フルボキサミン，fluoxetine＊＞citalopram＊
三環系抗うつ薬・トラゾドン	
抗精神病薬	クロザピン＞パリペリドン＞クエチアピン＞ハロペリドール＞リスペリドン＞オランザピン，ペロスピロン，フェノチアジン系

＊：日本では未承認　※不等号は阻害の強さを示す
（文献1を参考に作成）

　P糖タンパク質（P-gp）とは，排泄にかかわるトランスポータータンパク質である．小腸・肝臓・腎臓，血液脳関門，胎盤・乳腺に多く分布する．P糖タンパク質を阻害する薬物を併用すると，排泄トランスポーターの阻害となるため，血中濃度や脳内濃度が上昇する（図）．P糖タンパク質を阻害する向精神薬としては，**POINT**のようなものがある．

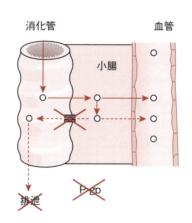

図　P糖タンパク質阻害

4 肝における代謝 〜チトクロームP450（CYP）による代謝

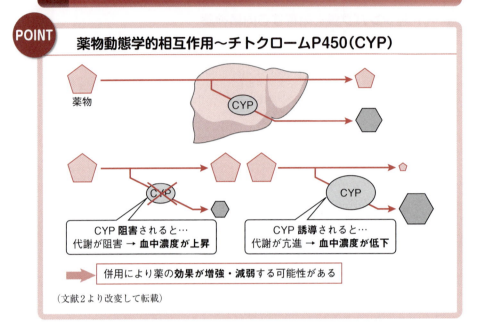

POINT 薬物動態学的相互作用〜チトクロームP450（CYP）

CYP 阻害されると…
代謝が阻害 → **血中濃度が上昇**

CYP 誘導されると…
代謝が亢進 → **血中濃度が低下**

併用により薬の**効果が増強・減弱**する可能性がある

（文献2より改変して転載）

　薬物は肝臓での第1相反応として，チトクロームP450によって代謝される．CYPを阻害されると代謝が阻害され，血中濃度は上昇し，CYPが誘導されると代謝が亢進し，血中濃度は低下する（POINT）．

　例えば，抗うつ薬であるセロトニン・ノルアドレナリン再取り込み阻害薬（SNRI）のデュロキセチンはCYP1A2で代謝され，同じく抗うつ薬で選択的セロトニン再取り込み阻害薬（SSRI）のフルボキサミンはCYP1A2を阻害する．このため両剤を併用すると，デュロキセチンの血中濃度は単剤投与と比べ，約4倍になる（図1）．

　CYP1A2は喫煙（ベンゾピレン：タバコに含まれる化学物質）によっても誘導される．このため，CYP1A2で代謝されるオランザピンの血中濃度は，非喫煙者の場合，喫煙者の約4倍となる（図2）．

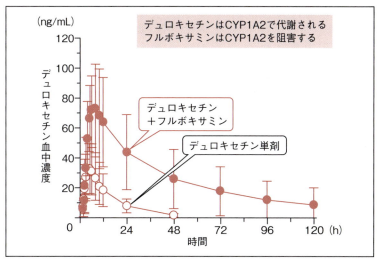

図1 CYPに関与する薬物動態学的相互作用の例①
フルボキサミンを併用すると，デュロキセチンの血中濃度が上昇する．
（文献3より引用）

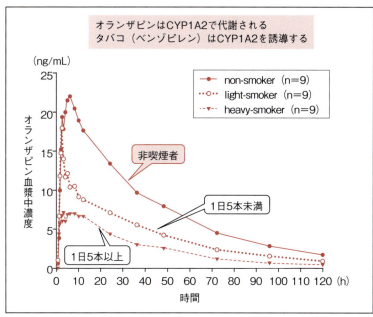

図2 CYPに関与する薬物動態学的相互作用の例②
タバコを吸うとオランザピンの血中濃度が低下する．
（文献4より引用）

●**文　献**●

1）「向精神薬の薬物動態学 − 基礎から臨床まで − 」（鈴木映二／著，加藤隆一／監），星和書店，2013
2）「薬の相互作用としくみ　第9版」（杉山正康／編著），医歯薬出版，2010
3）Paulzen M, et al：Augmentative effects of fluvoxamine on duloxetine plasma levels in depressed patients. Pharmacopsychiatry, 44：317-323, 2011
4）Wu TH, et al：Pharmacokinetics of olanzapine in Chinese male schizophrenic patients with various smoking behaviors. Prog Neuropsychopharmacol Biol Psychiatry, 32：1889-1893, 2008

5 肝臓，腎臓における排泄阻害

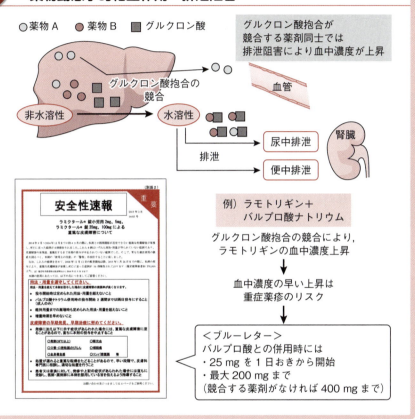

1 肝臓における排泄阻害

　肝臓での代謝の第2相反応は，グルクロン酸抱合による非水溶性から水溶性への代謝である．水溶性となった薬は腎臓より尿中に排泄される．

　グルクロン酸抱合が競合する薬剤同士の併用では，排泄阻害により血中濃度が上昇する．

　競合の例として，ラモトリギンとバルプロ酸ナトリウムを併用すると，グルクロン酸抱合の競合により，ラモトリギンの血中濃度が上昇する．ラ

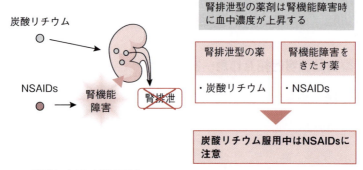

図　腎臓における排泄阻害

モトリギンにおいては，血中濃度の早急な上昇は，重篤な皮膚障害のリスクとなるため，バルプロ酸ナトリウムとの併用時には，「25 mgを1日おきから開始し，最大200 mgまでとすること」（競合する薬剤を併用していなければ400 mgまで処方可能）と規定されている（POINT）．

2 腎臓における排泄阻害

　腎排泄型の薬剤は，腎障害時に血中濃度が上昇する．腎障害をきたす薬剤として，非ステロイド性抗炎症薬（NSAIDs）があり，腎排泄型の薬剤として炭酸リチウムがある．両者を併用すると，NSAIDsにより腎機能障害をきたし，リチウムの血中濃度が上昇する可能性があるため，併用は注意が必要である（図）．

6 タンパク結合能

POINT タンパク質と結合しない薬物が薬効を示す

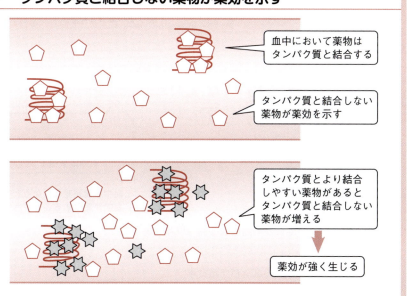

血液中において，多くの薬物はタンパク質と結合している．薬効を示すのはタンパク質と結合しない遊離型の薬物である．タンパク質とより結合しやすい薬物が存在すると，相対的に遊離型の薬物が増加し，薬効が強く生じる（POINT）．

例えば，ワルファリンは97％がタンパク質と結合しており，遊離型はわずか3％で，これが薬効を生じている．ここに，ワルファリンよりもタンパク結合能の高い薬剤が存在すると，タンパク結合型のワルファリンは減少し，遊離型のワルファリンが増える．血中濃度が変化していなくても，遊離型が3％から6％に増加すると，薬効は2倍となる（図）．

多くの向精神薬はタンパク結合率が70％以上と高いため，タンパク結合による相互作用を生じやすいことに注意が必要である（表）．

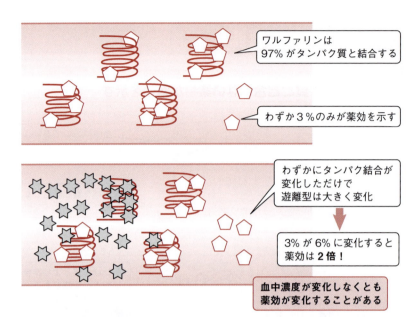

図　タンパク結合が問題となる例〜ワルファリン

表　主な向精神薬のタンパク結合率

タンパク結合率（％）	抗うつ薬
90％以上	セルトラリン トリミプラミン クロミプラミン デュロキセチン パロキセチン アミトリプチリン ノルトリプチリン
70〜90％	ミルタザピン フルボキサミン マプロチリン イミプラミン
70％以下	エスシタロプラム ミルナシプラン

タンパク結合率（％）	抗精神病薬
90％以上	アリピプラゾール ブロナンセリン オランザピン クロザピン リスペリドン
70〜90％	クエチアピン パリペリドン

多くの向精神薬は
タンパク結合率が高い

（文献1より引用）

● 文　献 ●
1）「向精神薬の薬物動態学」（加藤隆一／監，鈴木映二／著），星和書店，2013

7 薬力学的相互作用の例

POINT アドレナリンと抗精神病薬の例

アドレナリン

- α_1受容体作動作用　→　血圧上昇↑
- β_2受容体作動作用　→　血圧下降↓
- α作用＞β作用　→　血圧上昇↑

抗精神病薬

- α作用を遮断

両者併用すると…
アドレナリンの作用はβのみ出現　→　血圧下降

抗精神病薬とアドレナリンは併用禁忌

　薬力学的相互作用とは，薬物の作用点における作用促進や阻害を意味する．ドパミン遮断薬である抗精神病薬と，ドパミン作動薬であるパーキンソン病治療薬を併用することにより，互いの作用が相殺されてしまうことなどが例としてあげられる．

　薬力学的相互作用のもう1つの例として，アドレナリンと抗精神病薬の相互作用がある（**POINT**）．アドレナリンは，α_1受容体作動作用による血圧上昇作用と，β_2受容体作動作用による血圧下降作用を併せもつが，α作用はβ作用よりも強いため総体として血圧上昇作用を発揮する．一部の抗精神病薬は，α受容体遮断作用を有する．アドレナリンと抗精神病薬を併用すると，アドレナリンのα作用が抗精神病薬によって遮断されるため，β作用のみが生じ，血圧が下降することになる．この相互作用のために，抗精神病薬とアドレナリンは併用禁忌とされている．

<稲田　健>

第 2 部

各薬剤の特徴と使い方

1. 抗精神病薬 — 34
2. 抗うつ薬 — 56
3. 抗不安薬 — 87
4. 睡眠薬 — 106
5. 気分安定薬 — 124
6. 抗認知症薬 — 141
7. 発達障害治療薬 — 154
8. 依存症治療薬 — 174

1. 抗精神病薬

1 抗精神病薬とは？

POINT　抗精神病薬とは？

- 睡眠には至らないものの，幻覚妄想，興奮を鎮静する薬剤
- ドパミンD_2受容体遮断作用
- 適応となる疾患・状態
  〈疾患〉
  ・統合失調症 → 抗精神病薬が保険適用
  ・双極性障害 → 一部の抗精神病薬が保険適用
  ・大うつ病性障害 → 抗うつ薬の投与で効果不十分な場合に，一部の抗精神病薬が保険適用
  〈状態〉
  ・幻覚妄想状態
  ・妄想を伴うようなうつ病
  ・鎮静が必要な場合
  ・躁状態
  ・せん妄

　抗精神病薬の歴史は，1980年代にクロルプロマジンの臨床導入から始まった．当時からの定義は，「睡眠には至らないものの，幻覚妄想，興奮を鎮静する薬剤」である．抗精神病薬は麻酔薬ではないので，投与しても眠らせることはないが，興奮状態を鎮静する薬剤である．

　近年まで多種の抗精神病薬が開発されてきたが，すべて共通してドパミンD_2受容体遮断作用を有する薬剤である（p35参照）．ドパミンの過剰により引き起こされた幻覚や妄想などの精神症状を，抗精神病薬が整えることにより改善させる作用がある．

　適応疾患は統合失調症である．一部の抗精神病薬は，双極性障害にも保険適用を有しており，近年は双極性障害やせん妄などにも使用される．

〈河野仁彦〉

2 抗精神病薬の作用機序

POINT 抗精神病薬の作用機序

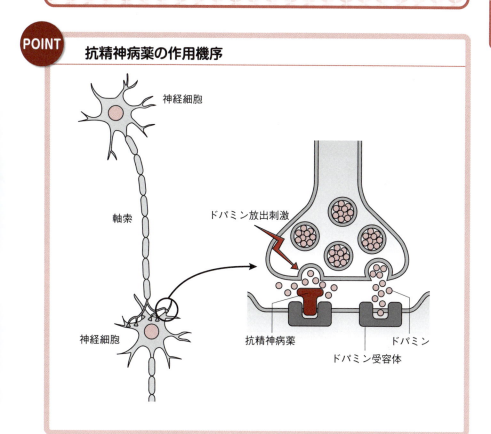

　すべての抗精神病薬は，ドパミン神経系の神経伝達を調節する作用を有する．脳内には主に4つのドパミン神経系が存在するが，これらをバランスよく制御することが抗精神病効果につながる．抗精神病効果は，ドパミンD_2受容体と特に関連が深く，ドパミンD_2受容体の遮断作用が強い（高力価）薬剤ほど低用量で治療できるという相関関係がある．

　表1には，4つのドパミン神経系におけるドパミンの過剰と欠乏により生じる症状を示した．このなかでも脳幹（中脳）から辺縁系に投射する"中

表1　抗精神病薬の作用機序① ドパミン受容体への作用

ドパミン神経系	過剰	欠乏	遮断＝抗精神病薬の作用
中脳−辺縁系	陽性症状		陽性症状の軽減
中脳−皮質系		陰性症状	陰性症状の悪化
黒質−線条体系		錐体外路症状	錐体外路症状の発現
漏斗−下垂体系		高プロラクチン血症	高プロラクチン血症の出現

陽性症状：幻覚，妄想，興奮といった症状
陰性症状：無為，自閉，抑うつといった症状

表2　抗精神病薬の作用機序② ドパミン受容体以外の受容体への作用

神経伝達系		生体における作用	遮断＝抗精神病薬の作用
セロトニン2A		感情調節や意欲	錐体外路症状の軽減
セロトニン			睡眠覚醒リズムの調整 深睡眠の増加 意欲面への効果
ノルアドレナリン系	中枢	緊張・興奮・覚醒	鎮静
	末梢		起立性低血圧
ヒスタミン系	中枢	覚醒水準の維持，食欲の制御	鎮静，不安・不眠の改善，認知機能低下，せん妄，食欲亢進
	末梢	かゆみや痛覚の伝達，胃酸分泌，代謝・内分泌	
アセチルコリン系	中枢	覚醒水準の維持，錐体外路の調整	錐体外路症状の軽減
	末梢	呼吸器系分泌，気管支の収縮，循環器の調節，腸運動の亢進	便秘，眼圧の上昇，口腔内の乾燥

脳辺縁系"におけるドパミンが過剰になると，幻覚や妄想などの精神症状が引き起こされるが，抗精神病薬によって過剰なドパミン伝達を抑制すると，精神症状が軽減されると考えられている（**POINT**）．

さらに，抗精神病薬は，ドパミン受容体以外の神経伝達物質受容体にも作用する．治療的効果を発揮することもあるが，副作用とも関連することには注意が必要である（表2）．

＜河野仁彦＞

3 抗精神病薬の効果

> **POINT** 抗精神病薬の4つの効果
>
> 1：陽性症状（幻覚，妄想）に対する効果
>   → 急性期治療の場面で重要
> 2：陰性症状（無為，自閉，抑うつ）に対する効果
>   → 回復期から維持期への効果
> 3：再発予防
>   → 急性期以降（特に回復期から維持期にかけて重要）
> 4：認知機能障害の改善効果
>   → 第二世代抗精神病薬が力を発揮する

　抗精神病薬は，幻覚，妄想などの陽性症状を改善させ，興奮の緩和にも力を発揮する．また，治療継続により無為，自閉といった陰性症状にも効果を発揮する．すなわち，抗精神病薬は単純に興奮を和らげるだけの薬剤ではなく，**幻覚や妄想を緩和し，興奮が強い場合は鎮静効果を，意欲面が減弱している場合は賦活効果を発揮する薬剤**といえる．

　かつては大量投与により，より効果が得られると考えられた時代もあったが，臨床経験の積み重ねにより，ある一定量が最適であり，それ以上であっても以下であっても治療効果は劣ると報告された．さらに，画像研究の発展により，ある一定の投与量でドパミンD_2受容体を占拠するのに十分であることが示され，大量投与の効果は否定されるようになった（p44「抗精神病薬の至適用量」を参照）．**抗精神病薬の多剤，大量投与はほとんどの場合で無意味であり，抗精神病薬による副作用は生活の質を低下させるため**，むやみに多剤大量投与をするべきではない．

■ 抗精神病薬の標的症状

▶ 抗精神病薬は幻覚や妄想をとる薬である？

　統合失調症の病状経過は，急性期（幻覚や妄想が活発であり薬物治療の介入を最も必要とする時期），維持期（急性期を過ぎ，再発予防やリハビリを行う時期）とに分けられ，それぞれ薬物療法が標的とする症状も異なる．

　抗精神病薬は幻覚や妄想を消し去る薬であると考えている医療者は多いように思われる．抗精神病薬により結果として幻覚や妄想が軽減するために，そのように考えがちであるが，その結果に至るまでの過程をよく考慮する必要がある．例えば急性期に"誰かに狙われている，盗聴されている"と訴えていた患者さんは，症状の改善に伴い"あれは私の誤解でした"というのではなく，"最近は狙われなくなった，盗聴も減ってなんだかもう気にならなくなりました"と述べる場合が多い．つまり，周囲に対する過敏さが軽減する形をとって症状が改善する場合が多い．統合失調症の治療場面では，ストレスにより，この過敏さが悪化することをよく経験する．**抗精神病薬はこの過敏さの軽減に関与しており，急性期を過ぎた後も過敏さの軽減を維持していくことが再発予防につながっていくと考えられている**（表）．

表　抗精神病薬の効果

	投与前	抗精神病薬の作用	投与後
陽性症状	幻覚，妄想，苛立ち，興奮，易怒性	過敏さの軽減	穏やかになり，病識の獲得にもつながる．結果として社会機能は向上する
陰性症状	無為，自閉，意欲低下	無為の軽減 一部，意欲面の改善	興味関心が出る，外出できるようになる，人付き合いができるようになる　など
認知機能の障害	集中困難，不注意，自身の考えのまとまらなさなどの自覚	認知機能の改善	注意集中の改善，生活上のいろいろな困りごとへ対処する能力の向上，結果として生活機能が改善する
再発予防効果	再発の危険性が高い	抗精神病薬の継続投与による維持療法	未投与時と比べ，明らかな再発予防効果を有する

＜河野仁彦＞

4 抗精神病薬の副作用

POINT 抗精神病薬の副作用

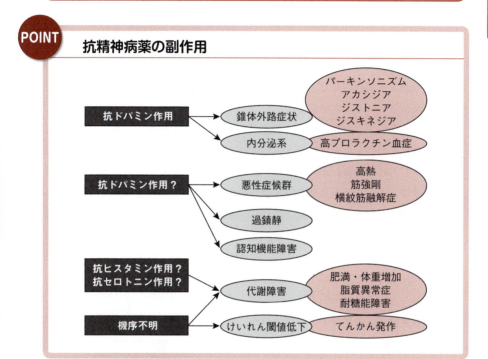

　抗精神病薬による副作用は，ドパミンD_2受容体，ムスカリン性アセチルコリン受容体，アドレナリンα_1受容体，ヒスタミンH_1受容体などに対する神経伝達物質の働きを遮断してしまうことによって引き起こされる（POINT）．

　そのなかでも注意すべき副作用について紹介する．

　抗精神病薬は共通して，ドパミンD_2受容体遮断作用を有する．このため，少なくともドパミンD_2受容体遮断に関連する副作用を生ずる．

　対策の基本は，抗精神病薬の減量もしくは変更であるが，減薬による精神症状の悪化や再発には十分に注意する．

1 錐体外路症状

黒質-線条体系のドパミン神経伝達の抑制によって生じる．

- **パーキンソニズム**：筋固縮，無動，振戦などの症状を引き起こし，注意すべき副作用である．症状が重篤化すると，振戦のみならず歩行障害や嚥下障害，それに伴う転倒や誤嚥性肺炎などさまざまな弊害が生じる．錐体外路症状の出現はADLの低下につながりやすいため，抗精神病薬の減量や他の薬剤への変更，抗コリン薬の併用が対策となる．ただし抗コリン薬の併用は，便秘や口渇などの新たな副作用を生じることになるため，必要最低限にとどめるべきである．
- **アカシジア**：内的な不穏焦燥感により静坐不能となる．「体がそわそわしてじっとしていられない」と表現されることが多い．投与開始後や増量後に生じることが多いが，減量や中止後に生じることもある．
  対策として，抗精神病薬の減量や抗コリン薬の併用を行う．抗精神病薬の減量は，精神症状の悪化に注意し，減量できなければ他の抗精神病薬へ変更する．抗コリン薬の併用は，必要最小限にとどめる．
- **急性ジストニア**：四肢，体幹，頭頸部の筋群に間欠性あるいは持続性の筋固縮を生じる．眼球上転，眼瞼けいれん，舌突出，痙性斜頸の形態で生じることが多い．
- **遅発性ジスキネジア**：長期使用後に生じる不規則な不随意運動であり，抗精神病薬の漸減を考慮する．2022年よりバルベナジンが治療薬として承認を取得した．

2 内分泌系

漏斗-下垂体系ドパミン神経伝達遮断により高プロラクチン血症を生じ，乳汁分泌，無月経といった症状が認められる．

3 悪性症候群

悪性症候群は向精神薬（特に抗精神病薬）による治療中に発熱，錐体外路症状，自律神経症状，意識障害などを生じる最も重篤な合併症である．発症率は，抗精神病薬による治療を行っている患者さんの約0.1〜0.2％と報告されており，高力価の抗精神病薬の投与開始時や，薬剤増量時，また

抗精神病薬以外にもパーキンソン病治療薬の中止，漸減時にも引き起こされると報告されている．悪性症候群は身体的疲労や脱水，低栄養状態などが重なった際に発症することが多いため，高齢者というだけでも発症のリスクにはなるかもしれない．少なくとも38℃後半の発熱がある際には抗精神病薬の投与は控えるべきと思われる（p302参照）．

4 過鎮静

ドパミン受容体遮断作用，ヒスタミン受容体遮断作用，ノルアドレナリンα_1受容体遮断作用などと関連する．

鎮静の感じ方は，個人差や精神症状の程度による差が大きい．急性期と安定期では必要とされる鎮静の程度も異なり，必要とされる薬剤の量も異なる．鎮静がすべて副作用とはいい切れず，必要な鎮静もあるが，その程度は時期により異なるので，症状と治療の目標を常に考える必要がある．

5 認知機能障害

過鎮静と類似した機序により，認知機能障害を生じることがある．

認知機能障害は，症状とは独立して統合失調症の社会復帰に影響する．

6 代謝障害

ヒスタミンH_1受容体遮断作用，セロトニン5-HT_{2C}受容体遮断作用などにより，肥満・体重増加と脂質異常症，耐糖能障害などの代謝障害を生じる．

第二世代抗精神病薬の台頭によって注目されるようになったが，第一世代の抗精神病薬でもみられていた副作用である．

多くの受容体に作用する低力価の抗精神病薬（例：クロザピン，オランザピン，クエチアピン，クロルプロマジン，レボメプロマジン）において生じやすく，ドパミン受容体への作用が中心である薬（例：ブロナンセリン，ルラシドン，アセナピン，アリピプラゾール，ブレクスピプラゾール）では比較的少ない．食欲との関連では，食欲が亢進した結果，体重が増加する場合と，食欲は変わらないままに体重が増加する場合がある．

長期的には脳血管障害や虚血性心疾患の発症リスクとなるため，脂質代謝とともに注意すべきである．

また，耐糖能障害は，糖尿病の誘発や，急激な高血糖により糖尿病性ケトアシドーシス（diabetic ketoacidosis：DKA）を引き起こし，死亡に至るケースもあるため十分な注意が必要である（p304参照）．

7 てんかん誘発

　けいれん／てんかん閾値を低下させるため，けいれん／てんかん発作を誘発することがある．

<河野仁彦>

1. 抗精神病薬

5 各抗精神病薬の特徴と使い方

 POINT

抗精神病薬の分類

	副作用	定型抗精神病薬(TAP), 第一世代抗精神病薬(FGA)		非定型抗精神病薬(AAP), 第二世代抗精神病薬(SGA)					
特徴		急性期の興奮, 幻覚, 妄想など陽性症状の改善に有効であるが, 高頻度で錐体外路症状が発現する		・陽性症状だけでなく, 陰性症状に対する改善効果が高い ・錐体外路系副作用の発現は少ない					
系統		高力価	低力価	5-HT$_2$・D$_2$受容体拮抗薬(SDA)*1		D$_2$・5-HT$_2$受容体拮抗薬(DSA)*1	多元受容体作用抗精神病薬(MARTA)		D$_2$受容体部分作動薬(DPA)
主な薬剤		ハロペリドール	クロルプロマジン	・ペロスピロン ・リスペリドン	パリペリドン	ブロナンセリン	ルラシドン	・オランザピン ・クエチアピン	アセナピン	クロザピン*2	アリピプラゾール	ブレクスピプラゾール
	錐体外路症状	++++	+++	++	+	+	+	+	−	+	+
	高プロラクチン血症	+++	++	++	++	+	+	−	−	−	−
	体重増加	+	++	++	+	−	−	+++	−	++	−	−

TAP：typical antipsychotic（定型抗精神病薬），FGA：first generation antipsychotic（第一世代抗精神病薬），AAP：atypical antipsychotic（非定型抗精神病薬），SGA：second generation antipsychotic（第二世代抗精神病薬），SDA：serotonin-dopamine antagonist（セロトニン5-HT$_2$・ドパミンD$_2$受容体拮抗薬），DSA：dopamine-serotonin antagonist（ドパミンD$_2$・セロトニン5-HT$_2$受容体拮抗薬），MARTA：multi-acting receptor targeted antipsychotics（多元受容体作用抗精神病薬），DPA：dopamine partial agonist（ドパミンD$_2$受容体部分作動薬）
*1 SDA, DSAは受容体の親和性で区分される：SDA（5-HT$_2$>D$_2$），DSA（D$_2$>5-HT$_2$）
*2 クロザピン：本邦では登録された医療施設でしか使用できない
（文献1を参考に筆者の経験を踏まえて作成）

総論

1 抗精神病薬の分類

　抗精神病薬は，初期の第一世代抗精神病薬と新規の第二世代抗精神病薬に分類される．第一世代と第二世代の最大の違いは，**第二世代は錐体外路症状の副作用が少ないという点である**．

　第二世代抗精神病薬もドパミン D_2 受容体遮断作用を有していることに変わりはなく，錐体外路症状を生じないということではない．また，第一世代抗精神病薬と比べ抗精神病効果がないということでもない．

　錐体外路症状を生じやすい薬剤はドパミン D_2 受容体への遮断作用が強く，逆に錐体外路症状を生じにくい薬剤はドパミン D_2 受容体遮断作用が弱い．同時にドパミン D_2 受容体遮断作用の弱い薬は，他の受容体への作用が強い傾向があり，眠気や体重増加などの副作用を伴いやすい．

2 抗精神病薬の至適用量

　図はPET研究から導かれた，抗精神病薬の至適用量とドパミン D_2 受容体遮断率の関係を示したグラフである．破線の曲線（……）は第一世代抗精神病薬（first generation antipsychotic：FGA）の，実線の曲線（──）は第二世代抗精神病薬（second generation antipsychotic：SGA）の「投与量と D_2 受容体遮断率との関係」を示している．

　ドパミン D_2 受容体遮断率が65％以下では効果発現が不十分であり，75％以上では錐体外路症状が発現する．そこで，十分な効果を発揮し，かつ錐体外路症状を生じないためには，65〜75％のドパミン D_2 受容体遮断率となるように投与量を設定することが最も重要な基本方針であり，それが至適用量とよばれている用量となる．

　第一世代では，65〜75％のドパミン D_2 受容体遮断率が得られる至適用量幅が非常に狭くなるが，第二世代では錐体外路症状を生じにくくなっているため，至適用量幅が広く，至適用量を見出しやすくなっている．

1. 抗精神病薬

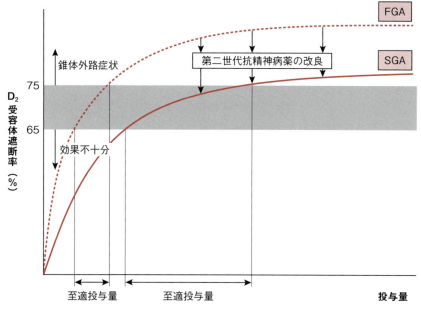

図 抗精神病薬の至適投与量とドパミンD_2受容体遮断率の関係
(文献2より引用)

3 抗精神病薬の使い方の基本的な考え方

抗精神病薬は単剤で,適正用量を使用する.これが基本である.

　抗精神病薬の多剤,大量投与はほとんどの場合で無意味であり,副作用は生活の質を低下させ,治療の妨げとなる.適正用量についての理論的背景は前述のとおりである.実際の臨床では,少量から投与を開始し,徐々に漸増し,副作用(特に錐体外路症状)の発現に注意しながら,標的症状が抑制される至適用量を探索する.

● 文　献 ●
1) 稲垣　中,他：わが国で実施された臨床試験と使用成績調査の結果から見た抗精神病薬による統合失調症薬物治療の安全性.臨床精神薬理,24：1153-1169,2021
2) Kapur S & Seeman P：Does fast dissociation from the dopamine d(2) receptor explain the action of atypical antipsychotics?: A new hypothesis. Am J Psychiatry, 158：360-369, 2001

<河野仁彦>

1 第一世代抗精神病薬（FGA）

POINT 臨床で使用される第一世代抗精神病薬

> **第一世代抗精神病薬**
> 錐体外路症状の副作用が多い
> - ハロペリドール
> - クロルプロマジン
> - レボメプロマジン
> - ゾテピン

　第一世代抗精神病薬は，第二世代抗精神病薬に比べ錐体外路症状が出現しやすい！

▶ ハロペリドール

適応症	統合失調症，躁病
商品名	セレネース®，ハロマンス®注
剤形	細粒，錠剤，内服液剤，注射剤（5 mg/mL），持効性注射剤（筋注）
用法用量	【経口剤】0.75〜2.25 mg/日から始め漸増．維持量3〜6 mg/日 【注射剤】1回5 mgを1日1〜2回筋肉内または静脈内注射 【持効性注射剤】1回50〜150 mgを4週間隔で筋肉内投与
代謝	CYP2D6，CYP3A4
作用機序	ドパミンD_2受容体遮断．特に黒質-線条体ドパミンD_2受容体の遮断はTourette障害のチックおよびその他の症状を改善する
特徴	古くから使用される基本の抗精神病薬．抗精神病薬の研究開発はハロペリドールと比較することで行われてきた．剤形が豊富で，静脈内投与で使用できる．抗幻覚妄想作用は強いが錐体外路症状も生じやすい．術後せん妄の治療にも用いるが，錐体外路症状の出現に注意が必要．双極性障害の躁状態にも用いる

1. 抗精神病薬

▶ クロルプロマジン

適応症	統合失調症，躁病，神経症による不安・緊張・抑うつ，悪心・嘔吐，吃逆，破傷風に伴うけいれん，麻酔前投薬，人工冬眠，催眠・鎮静，鎮痛薬の効力増強
商品名	ウインタミン®，コントミン®
剤形	細粒，錠剤，注射剤（コントミン®筋注）
用法用量	50〜450 mg/日を分服．注射剤は10〜50 mg/回（筋注）
代謝	CYP2D6
作用機序	ドパミンD_2受容体遮断
特徴	古くから使用されてきた抗精神病薬であり，幅広い適応症が承認されている．統合失調症に対する主剤として用いられることは減ってきている．抗ヒスタミン作用をもち，催眠効果を期待して併用することもある

▶ ゾテピン

適応症	統合失調症，躁病，他の精神病性障害（適応外）
商品名	ロドピン®
剤形	細粒，錠剤
用法用量	75〜150 mg/日を分服．450 mg/日まで
代謝	CYP3A4，その他（CYP1A2など）
作用機序	ドパミンD_2受容体遮断，セロトニン5-HT_{2A}受容体遮断，ノルアドレナリン再取り込み阻害
その他	FGAに分類されるが，海外ではSGAに分類されることもある．比較的鎮静効果が強い．用量依存的にQTc間隔の延長，けいれんの誘発を生じるため，増量時には注意深い観察を要する

<河野仁彦>

2 第二世代抗精神病薬（SGA）

POINT 臨床で使用される第二世代抗精神病薬

> 第二世代抗精神病薬
> 錐体外路症状の副作用が少ない
> - リスペリドン
> - パリペリドン
> - ペロスピロン
> - ブロナンセリン
> - ルラシドン
> - オランザピン
> - クエチアピン
> - アセナピン
> - クロザピン
> - アリピプラゾール
> - ブレクスピプラゾール

第二世代＝統合失調症薬物療法の中心的存在．

▶ リスペリドン

適応症	統合失調症
商品名	リスパダール®
剤形	細粒，錠剤，口腔内崩壊錠（OD錠），内用液，持効性注射剤（筋注）
用法用量	【経口剤】1回1 mg，1日2回より開始，維持量2〜6 mg/日を2回に分服，12 mg/日が最大量であるが通常8 mg/日まで【持効性注射剤】1回25 mgを2週間隔で臀部に筋注．1回量50 mgを超えない
代謝	CYP2D6，一部CYP3A4
作用機序	ドパミンD_2受容体遮断，セロトニン5-HT_{2A}受容体遮断

特徴	第二世代抗精神病薬の基本．液剤，持効性注射剤など剤形が豊富でもあり，統合失調症急性期においても使用しやすい．抗精神病作用に優れるが，SGAのなかでは錐体外路症状，高プロラクチン血症を生じやすい．頓服薬として選択することも多く，せん妄の患者さんに用いることも多い

▶ パリペリドン

適応症	統合失調症
商品名	インヴェガ®，ゼプリオン®，ゼプリオンTRI®
剤形	錠剤，注射剤（筋注）
用法用量	【経口剤】1回6 mg，1日1回より開始，維持量6～12 mg/日を1日1回．12 mg/日まで 【持効性注射剤】4週に1度筋肉内投与．経口剤からの切り替えでは初回150 mgで切り替えを開始，維持量25～150 mgの範囲で調整，増量は1回50 mgを超えない 【持効性注射剤：TRI】4週間隔筋注製剤を4カ月以上継続してから切り替え，最終投与量の3.5倍量を12週に1回筋肉内投与
代謝	CYPによる影響が少ない腎排泄型の薬剤
作用機序	ドパミンD_2受容体遮断，セロトニン5-HT_{2A}受容体遮断
特徴	リスペリドンの活性代謝物であり，CYPによる代謝が少ない腎排泄型の薬剤．腎障害がある場合には投与量に注意が必要．リスペリドンと比べ錐体外路症状のリスクは低い．服薬アドヒアランスを考慮した持効性注射剤の投与も可能だが開始する際は専門医による投薬が望ましい

▶ ペロスピロン

適応症	統合失調症
商品名	ルーラン®
剤形	錠剤
用法用量	1回4 mg，1日3回より開始，維持量12～48 mg/日を3回に分服．48 mg/日まで
代謝	CYP3A4
作用機序	ドパミンD_2受容体遮断，セロトニン5-HT_{2A}受容体遮断
その他	増強療法に対する系統的な研究はないが，バルプロ酸，カルバマゼピン，ラモトリギンの追加が有効なことがある

▶ ブロナンセリン

適応症	統合失調症
商品名	ロナセン®
剤形	散剤，錠剤，テープ剤
用法用量	【経口剤】1回4 mg，1日2回より開始，維持量8〜16 mg/日を2回に分服．24 mg/日まで 【テープ剤】1回40 mgを1日1回貼付．80 mg/日まで
代謝	CYP3A4
作用機序	ドパミンD_2受容体遮断，セロトニン5-HT_{2A}受容体遮断
特徴	体重増加の副作用が少なく，脂質異常症や糖尿病を併発している場合に選択しやすい薬剤．食事の影響を受けやすく，食後に内服する．幻覚妄想に対する効果は高いが，鎮静効果は弱く，眠気などの問題が少ない．中等量以上の使用でアカシジアの出現に注意する

▶ ルラシドン

適応症	統合失調症，双極性障害におけるうつ症状
商品名	ラツーダ®
剤形	錠剤
用法用量	**【統合失調症】** 1回40 mg，1日1回．80 mg/日まで **【双極性障害におけるうつ症状】** 1回20 mg，1日1回より開始，増量幅は20 mg/日とし，維持量20〜60 mg/日を1日1回．60 mg/日まで
代謝	CYP3A4
作用機序	ドパミンD_2受容体遮断，セロトニン5-HT_{2A}受容体遮断 その他，セロトニン5-HT_7，5-HT_{1A}へも作用する
特徴	本邦では最も新しい抗精神病薬．統合失調症だけでなく双極性障害のうつ症状の改善のための適応を有しているが，投与方法や投与量に違いがあるため注意する．主にCYP3A4にて代謝されるため，CYP3A4を強く阻害する薬剤（一部の抗真菌薬やマクロライド系抗菌薬）との併用は禁忌．

1. 抗精神病薬

▶ オランザピン

適応症	統合失調症，双極性障害（急性期躁病相，急性期うつ病相）
商品名	ジプレキサ®
剤形	細粒，錠剤，口腔内崩壊錠（OD錠，ザイディス®錠），注射剤（筋注）
用法用量	【経口剤】1回5〜10 mg，1日1回より開始，維持量1回10 mgを1日1回，20 mg/日まで 【注射剤】1回10 mgを筋注．効果不十分な場合は前回投与から2時間以上あけて1回10 mgまで，追加投与を含め1日2回まで
代謝	CYP1A2，一部CYP2D6，グルクロン酸抱合，フラビン含有モノオキシゲナーゼ
作用機序	ドパミンD_2受容体遮断，セロトニン5-HT_{2A}受容体遮断
特徴	抗幻覚妄想作用，鎮静作用に優れ，情動を安定化させる効果が高い印象がある．双極性障害における両病相（躁状態とうつ状態）に適応となっている薬剤 糖尿病の患者さんに禁忌．使用前にHbA1c，血糖値，糖尿病の家族歴を確認する．ステロイド使用中の場合にも注意．また食欲増進，体重増加といった副作用があるため，定期的な血液検査が必要．SGAのなかでは鎮静作用に優れる 作用時間が長いので1日1回投与でも可．ザイディス®錠なら水が不要で内服しやすい

▶ クエチアピン

適応症	統合失調症，双極性障害（徐放錠のみ）
商品名	セロクエル®，ビプレッソ®
剤形	細粒，錠剤，徐放錠
用法用量	【細粒，錠剤】1回25 mg，1日2〜3回より開始，維持量150〜600 mg/日を1日2〜3回に分服，750 mg/日まで 【徐放錠】1回50 mg，1日1回より開始，2日以上あけて1回150 mgへ増量．さらに2日以上あけて1回300 mgへ増量．いずれも1日1回就寝前，食後2時間以上あけて内服
代謝	CYP3A4
作用機序	ドパミンD_2受容体遮断，セロトニン5-HT_{2A}受容体遮断

特徴	糖尿病の患者さんに禁忌．使用前にHbA1c，血糖値，糖尿病の家族歴を確認．ステロイド使用中の場合にも注意．また食欲増進，体重増加といった副作用があるため，定期的な血液検査が必要 抗幻覚妄想作用は薄い印象だが，鎮静作用に優れる．気分安定効果をもちあわせ，海外では双極性障害にも使われる．日本では徐放錠のみ双極性障害のうつ症状に適応あり 半減期が短いため，1日2〜3回に分服の必要があるが，50〜750 mgまでと用量に幅があり，少量で不眠症やせん妄に対する治療に用いることも多い 錐体外路症状，高プロラクチン血症の出現が少ない

▶ アセナピン

適応症	統合失調症
商品名	シクレスト®
剤形	舌下錠
用法用量	1回5 mg，1日2回より開始，維持量10 mg/日を2回に分服．20 mg/日まで
代謝	UGT1A4によるグルクロン酸抱合とCYP1A2による代謝，一部はCYP2D6およびCYP3A4
作用機序	ドパミンD_2受容体遮断，セロトニン5-HT_{2A}受容体遮断，アドレナリン受容体遮断
特徴	舌下錠であり内服の必要なく，すみやかに吸収されるため効果発現が早い．投与後10分間は飲食を避ける必要がある．MARTAでありながら体重や脂質系への影響が少なく，脂質異常症や糖尿病を併発している場合に選択しやすい薬剤．海外では躁病にも適応となっている．

▶ クロザピン

適応症	治療抵抗性統合失調症
商品名	クロザリル®
剤形	錠剤

用法用量	初日は1回12.5 mg（25 mg錠の半分），2日目は1回25 mgを1日1回経口投与．3日目以降は症状に応じて25 mg/日ずつ増量し，原則3週間かけて200 mg/日まで増量．1日量が50 mgを超える場合には，1日2〜3回に分服．維持量200〜400 mg/日を1日2〜3回に分服．症状に応じて適宜増減する．1回の増量は4日以上の間隔をあけ，増量幅としては100 mg/日を超えない．600 mg/日まで
代謝	CYP1A2，CYP3A4
作用機序	不明．ドパミンD_2受容体に依存しないドパミン神経選択的抑制が考えられている
特徴	治療抵抗性統合失調症の治療薬であり，錐体外路症状のリスクが少ない薬剤．他の抗精神病薬とは一線を画す優れた効果がある薬剤だが，顆粒球減少症などの重篤な副作用があり，限られた登録施設でのみ使用可能

▶ アリピプラゾール

適応症	統合失調症，双極性障害における躁状態の改善，うつ病の増強療法
商品名	エビリファイ®
剤形	散剤，錠剤，OD錠，内用液，持続性注射剤（筋注）
用法用量	【経口剤】6〜12 mg/日を1日1〜2回より開始，維持量6〜24 mg/日を1〜2回に分服．30 mg/日まで 【持続性注射剤】1回400 mgを4週に1回筋肉内に投与する．症状や忍容性に応じて1回量300 mgに減量する
代謝	CYP3A4，CYP2D6
作用機序	ドパミンD_2受容体部分作動（パーシャルアゴニスト）
特徴	日本で開発されたドパミン受容体部分作動薬．体重増加や錐体外路症状などのリスクは低い．鎮静効果は目立たない一方で，少量の投与でもアカシジアが出現することがあり，注意を要する．うつ病や強迫性障害の増強療法として用いられることもある．経口薬での忍容性を確認したうえで，服薬アドヒアランスを考慮した持続性注射剤の投与も可能

▶ ブレクスピプラゾール

適応症	統合失調症
商品名	レキサルティ®

剤形	錠剤，OD錠
用法用量	1回1 mg，1日1回より開始，4日以上の間隔をあけて増量し，維持量は2 mg/日
代謝	CYP3A4およびCYP2D6による代謝
作用機序	ドパミンD_2受容体遮断および部分作動（パーシャルアゴニスト），セロトニン5-HT_{2A}受容体遮断，セロトニン5-HT_{1A}受容体遮断および部分作動
特徴	ドパミンを過剰に遮断しない特性に加え，セロトニン受容体にも高い親和性を示すことからSDAM（セロトニン-ドパミンアクティビティモジュレーター）とよばれ，ドパミン系とセロトニン系の両神経に作用する アリピプラゾールに比べ，ドパミンD_2受容体に対する固有活性が低いことで，ドパミンD_2受容体刺激作用に起因する興奮・易刺激性の軽減が期待できる．食事の影響を受けにくい

表　抗精神病薬の等価換算表（経口）

アリピプラゾール	4	スルピリド	200
アセナピン	2.5	ゾテピン	66
オランザピン	2.5	チアプリド	100
クエチアピン	66	チミペロン	1.3
クロザピン	50	ネモナプリド	4.5
パリペリドン	1.5	ハロペリドール	2
ブレクスピプラゾール	0.5	ピパンペロン	200
ルラシドン	10	ピモジド	4
ブロナンセリン	4	フルフェナジン	2
ペロスピロン	8	プロクロルペラジン	15
リスペリドン	1	プロペリシアジン	20
オキシペルチン	80	ブロムペリドール	2
クロカプラミン	40	ペルフェナジン	10
クロルプロマジン	100	モサプラミン	33
スピペロン	1	レセルピン	0.15
スルトプリド	200	レボメプロマジン	100

リスペリドン（リスパダール®）を基準に，抗精神病薬の等価換算用量を示した．リスペリドン1 mgをオランザピンに置き換えるなら，おおむね2.5 mgと考える．赤枠で囲ったものが第二世代抗精神病薬である．
（文献1より転載）

●文 献●

1）稲垣 中，稲田俊也：向精神薬の等価換算（第28回）新規抗精神病薬の等価換算（その8）Brexpiprazole．臨床精神薬理，25：97，表3，2022

＜河野仁彦＞

2. 抗うつ薬

1 抗うつ薬とは？

> **POINT　抗うつ薬の特徴**
>
> - うつ病およびうつ状態を改善する薬剤
> - 抑うつ気分，悲哀感，意欲低下，不安焦燥感などの症状を改善する効果
> - 健常者が服用しても副作用を生じるのみで，気分に変化を生じることはない

　抗うつ薬とは，**うつ病およびうつ状態を改善する**薬剤である．一部の抗うつ薬は，**不安症に対しても有効**である．

　抗うつ薬は，うつ病にみられる，抑うつ気分，悲哀感，意欲低下，不安焦燥感などの症状を改善し，患者さんの本来の状態をとり戻すことを手助けする．

　健常者が服用しても副作用を生じるのみで，気分に変化を生じる（ハッピーになる）といったことはない．また，もともとの性格を変えることができるものでもない．

<村岡寛之>

2 抗うつ薬の作用機序

POINT **抗うつ薬の薬理作用**

抗うつ薬は，脳内のセロトニン，ノルアドレナリン，ドパミンの**再取り込みを阻害**し，シナプス間隙におけるこれらの伝達物質の濃度を増加させることにより，神経伝達を強化し，抗うつ効果を発揮する．セロトニン，ノルアドレナリン，ドパミンといった神経伝達物質は，モノアミンとよばれ，この基本原理は**モノアミン仮説**とよばれる．

抗うつ薬が抗うつ作用を発揮するには，2～4週間を要する．これは，モノアミンの再取り込み阻害作用が数時間～数日で発揮されることに比べ，長い時間を要していることとなる．このため，神経伝達の強化のみならず，その後の受容体感受性の変化，抗うつ薬によって誘導される神経新生などが抗うつ作用の本質である可能性が指摘されている．

神経伝達物質の再取り込み阻害において，セロトニンとノルアドレナリンに特化したものがセロトニン・ノルアドレナリン再取り込み阻害薬（serotonin noradrenaline reuptake inhibitor：SNRI），さらにセロトニンに特化したものが，選択的セロトニン再取り込み阻害薬（selective serotonin reuptake inhibitor：SSRI）である．また，a_2受容体を阻害することにより，セロトニンとノルアドレナリンの遊離を増強するのが，ノルアドレナリン作動性・特異的セロトニン作動性抗うつ薬（noradrenergic and specific serotonergic antidepressant：NaSSA）である．セロトニン再取り込み阻害作用とセロトニン受容体調節作用を併せもつことで，セロトニンの他，ノルアドレナリンやドパミン系にも作用するとされるものがセロトニン再取り込み阻害・セロトニン受容体調節薬（serotonin reuptake inhibitor and modulator：S-RIM）である．

<村岡寛之>

3 抗うつ薬の効果

(文献1より引用)

うつ病患者さんを対象とした抗うつ薬の臨床試験においては，おおむね70％程度の被験者において，有効性が認められている．

日常臨床に近い形の大規模臨床試験としては，STAR*D研究[2]が有名である．約4,000人のうつ病患者さんを対象として，日常臨床に近い方法で1つの治療を行い，寛解に至らなければ次の段階に進むということをくり返した試験である．ここでの寛解率は，Step1＝36.8％，Step2＝30.6％，Step3＝13.7％，Step4＝13.0％となっていた．このように4段階目までの治療手段を尽くすと67％が寛解に至るということが示された（**POINT**）．

薬剤の中断は，改善を妨げる大きな要因である．そのため，忍容性の高い薬剤の使用が望まれる．21種の抗うつ薬（わが国では使用できない抗うつ薬も含め）を比較検討した論文においては，有効性，忍容性ともに優れている薬剤として，エスシタロプラム，セルトラリン，パロキセチン，ミ

ルタザピンをあげている[3]．

　抗うつ薬が処方した患者さんにとって有用か否かについては，投与前のモントゴメリー・アスベルクうつ病評価尺度（Montgomery Åsberg depression rating scale：MADRS）が2週間後に20％以上の改善がない場合には，その後増量継続しても0〜5％程度しか寛解に至らないとの結果が得られている[4]．その際には，抗うつ薬の変更を積極的に行っていく必要があるだろう．

● 文　献 ●

1) 「Treatment Resistant Depression：A Roadmap for Effective care」（Greden JF, et al, ed），Am Psychiatric Association Pub, 2011
2) Rush AJ, et al：Acute and longer-term outcomes in depressed outpatients requiring one or several treatment steps: a STAR*D report. Am J Psychiatry, 163：1905-1917, 2006
3) Cipriani A, et al：Comparative efficacy and acceptability of 21 antidepressant drugs for the acute treatment of adults with major depressive disorder: a systematic review and network meta-analysis. Lancet, 391：1357-1366, 2018
4) Nakajima S, et al：Is switching antidepressants following early nonresponse more beneficial in acute-phase treatment of depression?: a randomized open-label trial. Prog Neuropsychopharmacol Biol Psychiatry, 35：1983-1989, 2011

＜村岡寛之＞

4 抗うつ薬の標的症状，適応疾患

POINT 抗うつ薬の標的症状と適応疾患

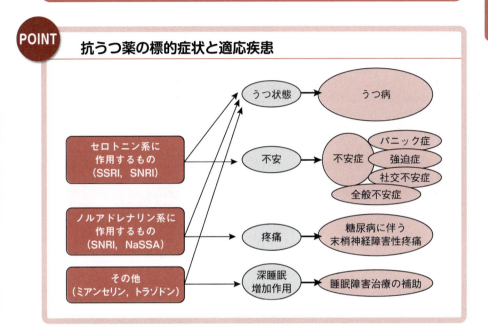

　抗うつ薬は，うつ病，うつ状態に有効である．特に，セロトニン系に作用する薬剤は**不安症**に，ノルアドレナリン系に作用する薬剤は**疼痛性障害**にも有効である．

<村岡寛之>

5 抗うつ薬の副作用

POINT 抗うつ薬の分類

構造式の分類	作用機序の分類	作用部位	一般名	商品名	副作用
三環系		セロトニン,ノルアドレナリン,その他	イミプラミン アミトリプチリン クロミプラミン ノルトリプチリン など	トフラニール® トリプタノール® アナフラニール® ノリトレン®	強 ↑
四環系		ノルアドレナリン,その他	ミアンセリン マプロチリン セチプチリン	テトラミド® ルジオミール® テシプール®	
その他			トラゾドン	レスリン®,デジレル®	
新規抗うつ薬	SSRI	セロトニン	フルボキサミン パロキセチン セルトラリン エスシタロプラム	デプロメール® パキシル® ジェイゾロフト® レクサプロ®	
	S-RIM	セロトニン	ボルチオキセチン	トリンテリックス®	
	SNRI	セロトニン,ノルアドレナリン	ミルナシプラン デュロキセチン ベンラファキシン	トレドミン® サインバルタ® イフェクサー®SR	
	NaSSA	ノルアドレナリン（セロトニン）	ミルタザピン	リフレックス®	↓ 弱

　抗うつ薬はSSRI以降の新規抗うつ薬とそれ以前の抗うつ薬に大別される．両者の臨床における違いは，副作用のプロフィールの違いといえる．
　各種抗うつ薬の副作用をPOINTと次ページの表1にまとめた．三環系抗うつ薬においては抗コリン，抗ヒスタミン，抗アドレナリン$α_1$系の副作用が多いこと，SSRIにはセロトニン刺激による副作用が多いこと，SNRIには，アドレナリン刺激による尿閉が特徴的に多いことに注意する．

2. 抗うつ薬

表1 抗うつ薬の副作用

分類	一般名	商品名	抗コリン作用（口渇、便秘、尿閉、かすみ目、緑内障の悪化、せん妄）	抗ヒスタミンH₁作用（眠気）	抗アドレナリンα₁作用（起立性低血圧）	中枢神経毒性（けいれん）	セロトニン再取り込み阻害（消化器症状（嘔気、嘔吐、下痢、便秘など））	セロトニン再取り込み阻害?（性機能障害、勃起不全）	ノルアドレナリン再取り込み阻害（尿閉）	アレルギー性（皮疹）
三環系	イミプラミン	トフラニール®	++++	+++	++	++	+/-	+/-	+/-	+/-
	アミトリプチリン	トリプタノール®	++++	+++	++	++	+/-	+/-	+/-	+/-
	クロミプラミン	アナフラニール®	++++	+++	++	++	+/-	+/-	+/-	+/-
	トリミプラミン	スルモンチール®	++++	+++	++	++	+/-	+/-	+/-	+/-
	ノルトリプチリン	ノリトレン®	+++	+++	++	++	+/-	+/-	+/-	+/-
	ロフェプラミン	アンプリット®	++++	+++	++	++	+/-	+/-	+/-	+/-
	ドスレピン	プロチアデン®	+++	+++	+++	++	+/-	+/-	+/-	+/-
四環系	ミアンセリン	テトラミド®	+	++++	++	+	+/-	+/-	+/-	+/-
	マプロチリン	ルジオミール®	+	+++	++	++++	+/-	+/-	+/-	+/-
	セチプチリン	テシプール®	+	+++	+	+	+/-	+/-	+/-	+/-
その他	トラゾドン	レスリン®, デジレル®	+	++++	+	+	+/-	+/-	+/-	+/-
SSRI	フルボキサミン	デプロメール®, ルボックス®	-	+	-	-	++++	++++	-	+/-
	パロキセチン	パキシル®	-	+	-	-	++++	++++	-	+/-
	セルトラリン	ジェイゾロフト®	-	+	-	-	++++	++++	-	+/-
SNRI	ミルナシプラン	トレドミン®	-	+	+	+	++	++	++	+/-

うつ病治療において，使用される**薬剤の副作用と，うつ病の症状の鑑別**は重要である．患者さんが副作用と思われる症状を訴えたときには，症状の発現時期は服用前からか服用後からか，あるいは服用後に増悪したのかを確認するとよい．

　副作用が患者さんにとって耐えうるものであるのか，対処可能なものであるのかを確認し，症状の経過や対処方法を伝えておくことも重要である．

　副作用には，頻度は多いが通常重篤でないものと，頻度は少ないが特に注意が必要なものがある．これらは上手に伝えないと，治療はうまくいかない．

　抗うつ効果が発揮されるのに数週間を要する一方，抗うつ薬の副作用は服用を開始した早期から生じることには注意が必要である．副作用について知っておかないと，服薬が続かず，効果を得られないことになりかねない（図1）．

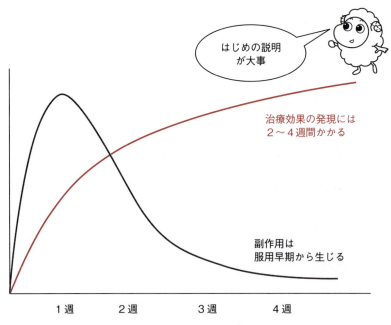

図1　治療効果の前に副作用が生じる

1 SSRI，SNRIに多くみられる副作用（表2）

表2　SSRI，SNRIに多くみられる副作用

- 消化器症状（嘔気，嘔吐，下痢，便秘）
- 不眠
- 性機能障害
- めまい
- 口渇
- 血圧上昇（SNRI）
- 尿閉（SNRI）
- 頭痛
- 発汗

▶ **消化器症状**

　SSRIは，投与開始初期には胃部不快感，嘔気などを生じる．1〜2週間程度で収束することが多い．対症的に，制吐薬や胃腸薬（ドンペリドン，レバミピドなど）を併用することもある．

▶ **性機能障害**

　性欲減退，インポテンツ，射精遅延，月経異常などの症状がみられる．うつ病の症状として，性欲の低下もみられるため，鑑別を要する．回復期に他の症状が改善しているのに，性機能障害のみが残るようであれば，抗うつ薬の副作用である可能性が高い．

▶ **抗利尿ホルモン不適合分泌症候群（SIADH）**

　特にSSRIによって生じる可能性がある．低ナトリウム血症を呈するが，血中ナトリウム濃度の低下は，倦怠感や頭痛などをきたすため，うつ病による症状と見分けがつきにくいことがある．また，重篤な場合にはけいれん発作をきたすため注意が必要である．症状のみでは鑑別が難しいため，抗うつ薬を使用する際には，薬剤性肝障害の否定も含め，電解質異常がないかを確認するためにも，定期的な血液検査が望まれる．

▶ **賦活（アクチベーション）症候群**

　抗うつ薬による中枢神経系の刺激症状をいう．三環系抗うつ薬でも生じ

図2 賦活（アクチベーション）症候群の症状

2. 抗うつ薬

うるが，SSRI，SNRIにおいて多くみられ，図2に示されるような症状があげられる．特に抗うつ薬投与初期の2週間に生じやすい．うつ病の症状としての自殺念慮が，賦活症候群により刺激され，自殺に至ることがあるため，十分な注意を要する．図2に示すような症状がみられたら，いったんは服用を中止する．

▶ 中断症候群，離脱症候群

SSRIを1カ月以上服用した後に，中止または減量したときに生じる，不眠，嘔気・嘔吐，焦燥，頭痛などの症状からなる症候群である．薬剤の中止のみならず，減量時にも出現することがある点に注意する（表3）．

SSRIのなかではパロキセチンが最も生じやすいとされており，パロキセチン中断者の約10％に生じる．急激な中断では33％もの患者さんに生じるが，漸減中止すると5％以下の頻度である．**ゆっくりとした漸減が有用**であると伝えることは重要である．

表3 中断症候群

- めまい
- 嘔気
- 嘔吐
- 不眠
- 起立性低血圧
- 下痢
- 倦怠感
- 頭痛
- 不安定な歩行
- 振戦・異常感覚
- 不安
- 焦燥

急にやめるとおかしなことになります!!

▶ 尿閉

SNRIに特徴的に多くみられる．ノルアドレナリン再取り込み阻害作用によりノルアドレナリン（アドレナリン）α₁作用が増強するために生じる．

2 三環系抗うつ薬に多くみられる副作用（表4）

表4　三環系抗うつ薬に多くみられる副作用

- 鎮静
- 起立性低血圧
- 頻脈
- 口渇
- かすみ目
- 便秘
- 尿閉

▶ **抗コリン作用**

　アセチルコリン受容体の遮断により外分泌が減少するため，目の乾き，口渇を生じ，副交感神経系の抑制のため，便秘，尿閉を生じる．他に，視力の調節障害，緑内障の悪化，せん妄をきたすことがある．原因薬剤の減量や中止により改善が得られる．対症療法としては，人工涙液（目薬）の使用，下剤の投与などが行われ，非薬物療法としては，水分を多く摂る，氷を口に含む，体を動かすようにするなどが有効である．

▶ **抗ヒスタミン作用**

　ヒスタミンH_1受容体の遮断により，**鎮静作用**を生じ，**眠気**を生じる．うつ病の急性期には鎮静的に作用し，不安焦燥の改善に寄与する可能性もあるが，回復期には，倦怠感の原因ともなりうる．

▶ **抗アドレナリン$α_1$作用**

　アドレナリン$α_1$受容体の遮断により，**起立性低血圧**，頻脈を生じる．起立性低血圧は，臥位と立位，もしくは坐位での血圧差を測定することで診断できる．症状として著明なふらつきをきたすために，転倒の原因となる．原因薬剤の減量，対症的な昇圧薬の投与のほか，患者さんには起立時には必ず手すりにつかまること，歩き始める前に足踏みをすることなどを指導する．

＜村岡寛之＞

2. 抗うつ薬

6 各抗うつ薬の特徴と使い方

1 選択的セロトニン再取り込み阻害薬（SSRI）

POINT

SSRIの作用機序

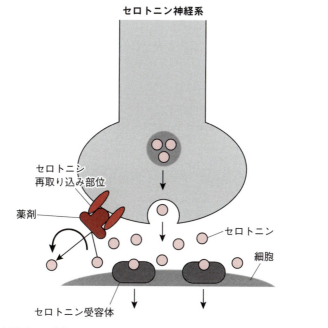

セロトニン再取り込み阻害作用により，細胞間隙，細胞外のセロトニン濃度が上昇し，抗うつ作用を発揮する．

　選択的セロトニン再取り込み阻害薬（SSRI）は，セロトニンの再取り込みだけを選択的に阻害する薬剤である．2022年現在のわが国では，表の4剤が使用可能となっている．三環系抗うつ薬で問題となった，アセチルコリンやヒスタミンH_1などの受容体に対する作用をもたないため，これらの伝達物質によって生じる副作用をもたない．臨床的な効果では，うつ病の

表　SSRIの効果と種類

- セロトニンの再取り込みに特化した薬剤
- うつ病に効果
- 不安症に効果

- わが国では以下の4剤が承認されている
  - ・パロキセチン
  - ・フルボキサミン
  - ・セルトラリン
  - ・エスシタロプラム

みならず，**不安障害**に対する有効性も認められている．
以下の4剤がある．

▶ パロキセチン

適応症	うつ病・うつ状態，パニック障害，強迫性障害，社会不安障害，外傷後ストレス障害
商品名	パキシル®
剤形	錠剤，OD錠，CR錠（CR錠はうつ病・うつ状態のみ保険適用）
用法用量	【うつ病・うつ状態（錠剤，OD錠）】1回10〜20 mg，1日1回夕食後より開始．1週ごとに10 mg/日ずつ増量．40 mg/日までその他の適応，CR錠の用法用量は添付文書を確認
代謝	CYP2D6で代謝されるが，同時に2D6阻害作用も有するため，高用量では自己の代謝を阻害する．このため，非線形性の薬物動態を示し，20 mgと40 mgでは血中濃度は2倍ではなく数倍になる．**増量時にはゆっくりと慎重な増量が必要**
作用機序	POINT参照

2. 抗うつ薬

特徴	わが国で最も多く処方されている代表的なSSRI．高用量ではノルアドレナリンの再取り込み阻害作用も有する．切れ味よくうつ状態，不安状態を改善する．豊富なエビデンスがある．パニック障害や強迫性障害にも有効．1日1回投与で可．焦燥感にもよいといわれているが，苛立ちをあおる場合もあるので注意 急激でなくても，減量や中止により，中断症候群によるめまいや嘔気が強く出現することがある．2週間程度で改善されるが，我慢できなければもとの量に戻せば，すみやかに改善する．再度減量する際には，1〜2週ごとに5 mg/日ずつなど，より微量での変更を．併用薬のチェックが必要

▶ フルボキサミン

適応症	うつ病・うつ状態，強迫性障害，社会不安障害
商品名	デプロメール®，ルボックス®
剤形	錠剤
用法用量	1回25 mg，1日2回（朝・夕食後）より開始．1〜2週ごとに25〜50 mg/日ずつ増量．150 mg/日まで 強迫性障害（小児）は添付文書（電子添文）を確認
代謝	主にCYP2D6で代謝される CYP1A2，CYP2C19の阻害作用をもつ
作用機序	POINT参照
特徴	抗うつ薬のなかでシグマ受容体に作用し，認知機能の改善が期待できると考えられている．代謝酵素を阻害するため，ワルファリンなど他剤への影響が多々みられるので，併用薬のチェックが必要．最大用量は150 mg/日だが，強迫性障害にはそれ以上使用する場合もある

▶ セルトラリン

適応症	うつ病・うつ状態，パニック障害，外傷後ストレス障害
商品名	ジェイゾロフト®
剤形	錠剤，OD錠
用法用量	1回25 mg，1日1回（夕食後）より開始．1〜2週ごとに25 mg/日ずつ増量．100 mg/日まで
代謝	CYP2C19，CYP2C9，CYP2B6，CYP3A4
作用機序	POINT参照

特徴	消化器症状の副作用が少なく，使用しやすい薬の1つ．若年女性や心疾患のある患者さんなどに用いられることが多い．マイルドな抗うつ作用．併用薬をそれほど気にしなくてよいので，合併症のある人に使用しやすい

▶ エスシタロプラム

適応症	うつ病・うつ状態，社会不安障害
商品名	レクサプロ®
剤形	錠剤，OD錠
用法用量	1回10 mg，1日1回（夕食後）より開始．1週間以上間をあけて10 mg/日増量可能．20 mg/日まで
代謝	CYP2C19
作用機序	**POINT** 参照
特徴	抗うつ薬のなかでは数少ない，初期投与量（10 mg）で臨床上の改善が期待できる薬の1つ．光学異性体のシタロプラムにQT延長の報告があり，**QT延長のある患者さんには禁忌**．本薬剤も使用の際には心電図検査などの注意が必要．多くのSSRI同士を比較したメタ解析（MANGA研究）では，効果と忍容性のバランスが最もよいとされた

<村岡寛之>

2 セロトニン・ノルアドレナリン再取り込み阻害薬(SNRI)

POINT **SNRIの作用機序**

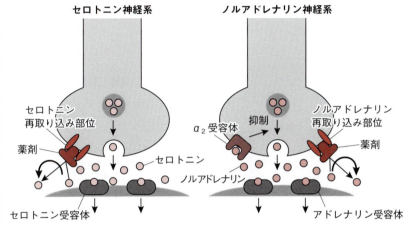

セロトニンとノルアドレナリンの再取り込み阻害作用を有し,細胞間隙,細胞外のセロトニン,ノルアドレナリン濃度を上昇させ,抗うつ作用を発揮する.

　セロトニン・ノルアドレナリン再取り込み阻害薬(SNRI)は,セロトニンとノルアドレナリンの再取り込みの阻害に特化した抗うつ薬である.セロトニン神経伝達のみを改善するSSRIにノルアドレナリン神経系への作用を併せもつため,よりうつ病に有効であると考えられている.わが国ではミルナシプラン(トレドミン®),デュロキセチン(サインバルタ®),ベンラファキシン(イフェクサー®SR)が使用可能である(表).実際の臨床で,有意な差があるかははっきりしていないが,疼痛に対してはSSRIよりも有効性が高い.

　SNRIは,疼痛伝達経路の下行性神経系におけるセロトニンおよびノルアドレナリンの伝達量を増やすことにより,慢性疼痛を緩和する(図).なかでもデュロキセチンは,糖尿病性神経障害による疼痛に保険適用を取得している.

表　SNRIの効果と種類

- セロトニンとノルアドレナリンの再取り込み阻害に特化した薬剤
- うつ病に有効
- 不安障害にも有効（適応外）
- 痛みに対しても有効

- わが国では以下の3剤が承認されている
  ・ミルナシプラン
  ・デュロキセチン
  ・ベンラファキシン

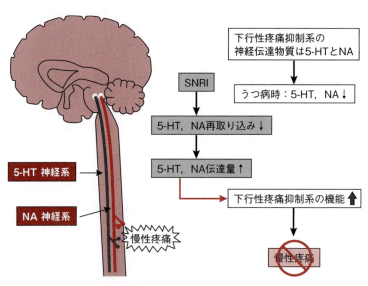

図　SNRIによる慢性疼痛緩和の機序
5-HT：セロトニン
NA：ノルアドレナリン

2. 抗うつ薬

▶ ミルナシプラン

適応症	うつ病・うつ状態
商品名	トレドミン®
剤形	錠剤
用法用量	1回12.5 mg，1日2回（朝・夕食後）より開始．1〜2週ごとに12.5〜15 mg/日ずつ増量し，成人は100 mg/日，高齢者は60 mg/日まで
代謝	肝薬物代謝酵素CYP450系を介さず，直接グルクロン酸抱合を受けて代謝される
作用機序	POINT参照
特徴	米国食品医薬品局（FDA）ではうつ病以外に慢性疼痛に適応があるが，わが国では適応外．ノルアドレナリンに作用し，疼痛緩和が期待できる．動悸や血圧上昇，排尿障害などの副作用がみられやすい．腎排泄型なのでクレアチニン値をチェックし，用量を調節する

▶ デュロキセチン

適応症	うつ病・うつ状態，疼痛（下記参照）
商品名	サインバルタ®
剤形	カプセル，錠剤，OD錠
用法用量	1回20 mg，1日1回（朝食後）より開始．1〜2週ごとに20 mg/日ずつ増量．60 mg/日まで
代謝	CYP1A2，（一部）CYP2D6
作用機序	POINT参照
特徴	ミルナシプランよりさらにノルアドレナリンに強く作用する．糖尿病性神経障害，線維筋痛症，慢性腰痛症，変形性関節症に伴う疼痛に適応あり．**高度の肝障害，高度の腎障害で投与禁忌**であるため，アルコール多飲患者さんには処方注意

▶ ベンラファキシン

適応症	うつ病・うつ状態
商品名	イフェクサー®SR
剤形	カプセル
用法用量	1回37.5 mg，1日1回（食後）より開始．1週後より75 mg/日を内服．1週間以上の間隔をあけて，75 mg/日ずつ増量可能．225 mg/日まで
代謝	CYP2D6，CYP3A4
作用機序	**POINT**参照
特徴	150 mg未満程度の用量ではセロトニンに強く作用し，150 mg以上使用していくとノルアドレナリンへの作用が高まっていく．米国と同用量まで使用が可能．**高度の肝障害，高度の腎障害で投与禁忌**

＜村岡寛之＞

3 セロトニン再取り込み阻害・セロトニン受容体調節薬（S-RIM）

POINT

S-RIM（ボルチオキセチン）の作用機序

- セロトニンの分泌抑制を解除
- 5-HT$_{1A}$受容体
- ③アゴニスト作用
- 5-HT$_{1B}$受容体
- ②部分アゴニスト作用
- 5-HT$_{1D}$受容体
- ①アンタゴニスト作用
- ボルチオキセチン
- セロトニン
- セロトニントランスポーター
- 5-HT$_{1A}$受容体
- 5-HT$_3$受容体
- 5-HT$_7$受容体
- セロトニン・ノルアドレナリン・ドパミン・アセチルコリン・ヒスタミンなどの遊離を促進

　セロトニン再取り込み阻害・セロトニン受容体調節薬（serotonin reuptake inhibitor and modulator：S-RIM）はSSRIと同様に，セロトニン再取り込み阻害作用により脳内のセロトニン濃度を増量する．また，セロトニン受容体調節作用（①セロトニン5-HT$_{1D}$，5-HT$_3$，5-HT$_7$受容体のアンタゴニスト作用，②セロトニン5-HT$_{1B}$受容体部分アゴニスト作用，③セロトニン5-HT$_{1A}$受容体アゴニスト作用）を有しており，セロトニンのみならず，ノルアドレナリン・ドパミン・アセチルコリン・ヒスタミンなどの遊離を促進し，抗うつ作用を発揮する（POINT）．わが国ではボルチオキセチン（トリンテリックス®）が使用可能である（表）．本邦において，2019年に上市された薬剤であり，本書で扱っている抗うつ薬のなかで最も

表　S-RIMの特徴

- セロトニンのみならず，ノルアドレナリン・ドパミン・アセチルコリン・ヒスタミンの遊離を促す薬剤
- うつ病に有効
- わが国では以下の1剤が承認されている
  ・ボルチオキセチン

新しい薬剤である．実際の臨床での使用実感としては，効果発現に時間がかかる印象があり，十分な期間を使って内服を継続する必要があることを，念頭に置いておくとよい．

▶ ボルチオキセチン

適応症	うつ病・うつ状態
商品名	トリンテリックス®
剤形	錠剤
用法用量	1回10 mg，1日1回より開始．増量は1週間以上の間隔をあけて行う．20 mg/日まで
代謝	CYP2D6，CYP3A4/5，CYP2C19，CYP2C9，CYP2A6，CYP2C8およびCYP2B6
作用機序	POINT参照
特徴	本邦において最も新しい抗うつ薬である．そのためエビデンスの集積に乏しい状況ではあるが，治験では反復性うつ病において有効な効果が報告されている．効果発現にはやや時間がかかる印象があるため，使用の際は十分な期間を使って継続することが重要である

＜村岡寛之＞

4 ノルアドレナリン作動性・特異的セロトニン作動性抗うつ薬（NaSSA）

POINT

NaSSA（ミルタザピン）の作用機序

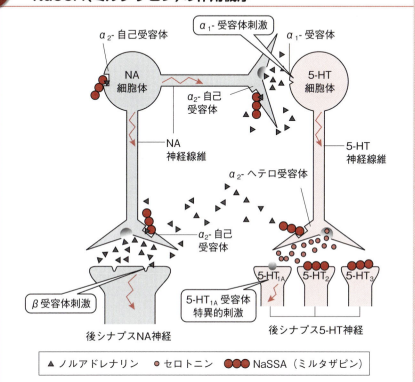

▲ ノルアドレナリン　● セロトニン　●●● NaSSA（ミルタザピン）

前シナプスα_2-自己受容体とヘテロ受容体に対して遮断薬として作用し，ノルアドレナリンとセロトニンの神経伝達物質を増強する．また，5-HT_2受容体と5-HT_3受容体を遮断する作用があるため，抗うつ作用に関連する5-HT_{1A}受容体のみを特異的に活性化し抗うつ作用を発揮する．
（文献1より引用）

SSRI，SNRIがシナプスにおける神経伝達物質の再取り込みを阻害するのに対して，ノルアドレナリン作動性・特異的セロトニン作動性抗うつ薬（NaSSA）はセロトニン，ノルアドレナリンの分泌量そのものを増やす作用がある．すなわち，前シナプス**α_2-自己受容体とヘテロ受容体**に対して遮断薬として作用し，ノルアドレナリンとセロトニンの神経伝達物質を増

強する．また，**5-HT₂受容体**と**5-HT₃受容体**を遮断する作用があるため，抗うつ作用に関連する**5-HT₁A受容体**のみを特異的に活性化し抗うつ作用を発揮する．

これら5つの受容体への作用により，以下4つの効果をあらわす．
- 1. 抗うつ効果
- 2. 睡眠の改善
- 3. 食欲の改善
- 4. 不安の抑制

▶ ミルタザピン

適応症	うつ病・うつ状態
商品名	リフレックス®，レメロン®
剤形	錠剤，OD錠
用法用量	1回15 mg，1日1回（就寝前）より開始．1～2週ごとに15 mg/日ずつ増量．45 mg/日まで
代謝	CYP2D6，CYP1A2
作用機序	**POINT**参照
特徴	H₁受容体特異的刺激作用が強く，鎮静効果が高い 睡眠第3相，4相の深い睡眠を増加させる．食欲増進の作用もある．日中の眠気，ふらつきについての注意喚起を前もってしておくこと SSRI＋四環系抗うつ薬ミアンセリンのような作用をもち，投与初期は眠気が強く，不眠があるうつには効果的

●文　献●

1) Dinan TG：Noradrenergic and serotonergic abnormalities in depression: stress-induced dysfunction? J Clin Psychiatry, 57 Suppl 4：14-18, 1996

<村岡寛之>

5 三環系抗うつ薬（TCA）

> **POINT 三環系抗うつ薬（TCA）の特徴**
> - 最も古典的な抗うつ薬は三環系抗うつ薬のイミプラミンである
> - イミプラミンからの改良により，多種の三環系抗うつ薬が開発された
> - セロトニンおよびノルアドレナリン，一部ドパミンの再取り込み阻害作用により，神経伝達を改善し，抗うつ作用を発揮すると考えられている
> - 臨床的効果は優れている
> - うつ病以外に夜尿症などに適応が認められている薬剤もある
> - SSRIなどと比べ，抗コリン作用により，副作用（口渇，便秘など）を多く認める

　一番初めに臨床使用された抗うつ薬は，イミプラミンである．その後，イミプラミンに類似した化合物が各種合成され，三環系抗うつ薬（tricyclic antidepressants：TCA）というグループができた．代表的な薬剤には，イミプラミン（トフラニール®），アミトリプチリン（トリプタノール®），ノルトリプチリン（ノリトレン®），クロミプラミン（アナフラニール®）などがある．

　セロトニンおよびノルアドレナリン，一部ドパミンの再取り込み阻害作用により，神経伝達を改善し，抗うつ作用を発揮すると考えられている．TCAは3種類のモノアミンすべてに対する再取り込み阻害作用をもつため，抗うつ作用が優れている．入院を要する重症うつ病や，SSRI，SNRIが無効であった例に対しても，効果が期待できる．うつ病以外に夜尿症などに適応を取得している薬剤もある．

　TCAはヒスタミン受容体，アドレナリンα_1受容体，アセチルコリン受容体などの各種受容体に対する親和性ももちあわせており，これらの神経伝達と関連した副作用（口渇，便秘など）が生じる．過量服薬時の中毒では，心筋の膜抑制作用（キニジン様作用）のため，**致死的な不整脈**をきたすことがある．

▶ イミプラミン

適応症	うつ病・うつ状態，遺尿症
商品名	トフラニール®，イミドール®
剤形	錠剤
用法用量	【うつ病・うつ状態】10 mg錠は30～70 mg/日，25 mg錠は25～75 mg/日を1日3回（毎食後）より開始．1週程度間隔をあけて200 mg/日まで増量，300 mg/日まで増量可能
代謝	CYP2D6（CYP1A2，CYP3A4，CYP2C19も関与）
作用機序	ノルアドレナリン，セロトニン，ドパミンの再取り込みを阻害する．抗コリン作用，抗ヒスタミン作用も強い
特徴	単回投与であれば鎮静効果があり，就寝前に用いることで睡眠を促す

▶ アミトリプチリン

適応症	うつ病・うつ状態，夜尿症，末梢性神経障害性疼痛
商品名	トリプタノール®
剤形	錠剤
用法用量	【うつ病・うつ状態】30～75 mg/日を1日2回（朝・夕食後）より開始し，150 mg/日まで増量，300 mg/日まで増量可能
代謝	CYP2D6（CYP3A4，CYP2C19，CYP1A2も関与）
作用機序	ノルアドレナリン，セロトニン，ドパミンの再取り込みを阻害する．比較的セロトニンの再取り込み阻害作用が強い．抗コリン作用，抗ヒスタミン作用も強い
特徴	米国食品医薬品局（FDA）において，神経障害性疼痛，慢性疼痛，線維筋痛症，頭痛などに適応が認められている（末梢性神経障害性疼痛以外は日本では適応外）．疼痛を訴えるうつ状態の患者さんに試す価値あり

▶ ノルトリプチリン

適応症	うつ病・うつ状態
商品名	ノリトレン®
剤形	錠剤
用法用量	1回10～25 mg，1日3回もしくは30～75 mg/日を1日2回より開始．150 mg/日まで増量可能

代謝	CYP2D6
作用機序	ノルアドレナリン,セロトニン,ドパミンの再取り込みを阻害する.比較的ノルアドレナリン再取り込みに対して強い阻害作用を示す
特徴	三環系抗うつ薬のなかでは起立性低血圧や抗コリン作用などが少ない.アミトリプチリンの活性代謝物である

▶ クロミプラミン

適応症	うつ病・うつ状態,遺尿症,ナルコレプシーに伴う情動脱力発作
商品名	アナフラニール®
剤形	錠剤,注射剤
用法用量	【うつ病・うつ状態,経口剤】50〜100 mg/日を1日1〜3回に分服.225 mg/日まで増量可能 注射剤,その他の適応の用法用量は添付文書を確認
代謝	CYP2D6(CYP1A2,CYP3A4,2C19も関与)
作用機序	セロトニン,ノルアドレナリンの再取り込みを阻害する
特徴	強迫症に有効性が示されている

<村岡寛之>

6 四環系抗うつ薬

POINT 四環系抗うつ薬の特徴

- 三環系と比べ副作用は少なめ
- 効果発現も早い
- 実臨床においては睡眠の作用を期待して，保険適用外ではあるが睡眠薬として就寝前に使用することが多い
- 保険適用外だが，せん妄の治療としても使用する

　四環系抗うつ薬の代表にはミアンセリン（テトラミド®）やマプロチリン（ルジオミール®）などがある．三環系に比べて，抗コリン性の副作用や過量服薬時の心毒性は少なくなっている．てんかん閾値を低下させるため，高用量の内服時や過量服薬時には**てんかん発作に注意**する必要がある．

▶ ミアンセリン

適応症	うつ病・うつ状態
商品名	テトラミド®
剤形	錠剤
用法用量	1回30 mg，1日1回（夕食後あるいは就寝前）より開始．60 mg/日まで増量可能
代謝	CYP1A2，2D6，3A4
作用機序	ミルタザピンに類似し，ノルアドレナリンα_2受容体遮断によりノルアドレナリン神経を賦活する．強力な抗ヒスタミン作用による鎮静作用をもつ
特徴	強力な抗ヒスタミン作用による鎮静作用と深睡眠増加作用のために，睡眠薬無効の不眠や，高齢者のせん妄予防にも効果的（保険適用外）．ただし日中まで倦怠感や眠気が残りやすいので注意．不眠やせん妄に対して使用する場合，高齢者では5 mg/日からの開始を考慮．半減期は18時間で，就寝前の1日1回投与可能

＜村岡寛之＞

7 その他の抗うつ薬

POINT その他の抗うつ薬

- 開発された順に第一世代(アミトリプチリン,イミプラミン,クロミプラミン,ノルトリプチリン),第二世代(アモキサピン,トラゾドン,スルピリド),第三世代(SSRIなど)に分けられる
- 第二世代は第一世代に比べ,抗ヒスタミン作用の軽減がなされている

▶ トラゾドン

適応症	うつ病・うつ状態
商品名	デジレル®,レスリン®
剤形	錠剤
用法用量	75〜100 mg/日を1日1〜3回より開始し,200 mg/日まで増量可能
代謝	CYP3A4,2D6
作用機序	セロトニン再取り込み阻害作用,セロトニン5-HT_{2A}受容体遮断作用.弱いセロトニン再取り込み阻害作用により,セロトニン神経系を賦活する.さらに,セロトニン5-HT_{2A}受容体遮断作用により,間接的にセロトニン$_{1A}$受容体の作用を増強する
特徴	実臨床においては,抗うつ薬としてより,不眠に対する睡眠薬として1回25〜50 mg,1日1回(就寝前)を使用することが多い(保険適用外) 腎排泄型(腎機能低下時においても,正常者と同用量での投与が可能)

▶ スルピリド

適応症	うつ病・うつ状態,統合失調症,胃・十二指腸潰瘍 剤形により適応症が異なるため,添付文書を確認
商品名	ドグマチール®
剤形	錠剤,細粒,カプセル,注射剤(筋注)

用法用量	【うつ病・うつ状態】1回50 mg，1日3回より開始，600 mg/日まで増量可能 その他の適応症の用法用量は，添付文書を確認
代謝	肝代謝（未変化体として尿中排泄もされるため，腎機能の低下があれば減量する）
作用機序	低用量ではドパミンD_2自己受容体を遮断し抗うつ作用を示す．高用量ではドパミンD_2受容体遮断により，統合失調症の陽性症状に効果を示す
特徴	主な作用機序がドパミンD_2受容体遮断であり，海外では抗精神病薬に分類される．本剤が抗うつ薬として適応承認されているのは，わが国のみという特異な薬剤である．低用量で胃炎，胃潰瘍，中等用量で前シナプスのドパミンD_2受容体を遮断して抗うつ作用，高用量で後シナプスのドパミンD_2受容体を遮断して抗精神病作用を示す

<村岡寛之>

3. 抗不安薬

1 抗不安薬とは？

POINT 抗不安薬の特徴

- 抗不安薬の多くはベンゾジアゼピン（BZ）受容体に作用し，抑制系を亢進させ，不安を軽減する効果を発揮する
- 不安症状へのすみやかな効果が期待できる
- 依存などの問題が指摘されており，できるだけ少量，短期間で使用する

　わが国では多種の抗不安薬が上市されているが，その多くはベンゾジアゼピン（Benzodiazepine：BZ）受容体に作用する薬剤である．BZ系抗不安薬は，不安症状へのすみやかな効果が期待でき，患者さんもその効果を実感しやすい．過量服薬の際に致死的となることは少なく，比較的安全性が高いことから，臨床の現場ではしばしば使用される薬剤であるが，依存形成，中断時の離脱症状などの問題が指摘されている．

　これらの問題は，長期間の投与，高用量・多剤併用において生じる．よって，処方するときには目的と中止時期を考え，単剤で少量から処方し，短期間の使用に留めるべきである．

＜稲田　健，松井健太郎＞

2 抗不安薬の作用機序

POINT

BZ系抗不安薬の作用機序
（GABA-BZ-Clイオンチャネル複合体の模式図）

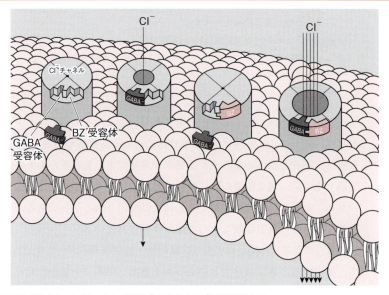

GABAが結合して，Clイオンが細胞内に入ると不安が軽減される．
GABAとBZが両方結合すると，Clイオンはよりたくさん入る．
BZだけでは変化はない．BZは投与量を増やしても効果には限界がある．

　ベンゾジアゼピン（BZ）系抗不安薬は，BZ受容体に作用する．BZ受容体は，隣接するGABA受容体，Clイオンチャネルとともに，GABA-BZ-Clイオンチャネル複合体を形成している．

　GABAがこの複合体のGABA受容体に結合すると，複合体のClイオンチャネルの開口が増し，細胞内へのClイオンの流入が増加し，細胞膜は安定状態となり，神経細胞の興奮が抑制される．さらにBZ系抗不安薬が結合すると，Clイオンチャネルの開口頻度もさらに増大する[1]．

このように，BZ系抗不安薬はGABAの作用を強めることで，抗不安作用を発揮すると考えられている．特徴的な点は，BZ系抗不安薬はあくまでもGABAの作用を増強させる薬であり，BZ系抗不安薬のみが受容体に結合しても特別な作用はないということである．これは，BZ系抗不安薬は一定量以上に多く投与しても効果は頭打ちになるということであり，多剤併用が無意味であることや，過量服薬時の安全性と関係している．

● 文　献 ●

1）Da Settimo F, et al：GABA A/Bz receptor subtypes as targets for selective drugs. Curr Med Chem, 14：2680-2701, 2007

＜稲田　健，松井健太郎＞

3 抗不安薬の効果

POINT BZ受容体作動薬の作用と分類

```
GABA ─┬─→ ドパミン系 ──┐
      ├─→ ノルアドレナリン系 ──┤→ 鎮静・催眠作用 → 睡眠薬
      ├─→ セロトニン系 ────→ 抗不安作用 → 抗不安薬
      ├─→ 運動系 ──────→ 抗けいれん作用 → 抗てんかん薬
      └─→ 運動系 ──────→ 筋弛緩作用 → 筋弛緩薬
```

〈効能上の分類〉

BZ受容体作動薬は抑制性神経系であるGABA神経系の作用を増強し，各神経系への抑制的効果をもたらす．それぞれの作用の強弱によって，効能上の分類がなされる．

　ベンゾジアゼピン（BZ）受容体作動薬は共通して，GABA神経系の作用を増強する．GABA神経系は脳内の各種神経系を抑制し，鎮静・催眠，抗不安，抗けいれん，筋弛緩の作用を示す．これらの作用の強弱により，睡眠薬，抗不安薬，抗てんかん薬，筋弛緩薬などと効能上の分類がされる．エチゾラムのように，抗不安薬や睡眠薬として使用される薬剤もある．

　BZ受容体作動薬同士での作用特性は，薬剤によって多少異なるものの，主には作用時間（最高血中濃度到達時間と半減期）の違いである．抗不安作用の実感は，薬剤特性よりも患者さんの個人差の方が大きい．つまり，薬剤による違いはほとんどなく，組合わせる意義はほとんどない．

　BZ受容体作動薬の効果は，血中濃度の上昇とともにすみやかに発揮されるため，患者満足度が高い．適切に使用すれば非常に有用な薬剤である．

〈稲田　健，松井健太郎〉

4 抗不安薬の標的症状，適応疾患

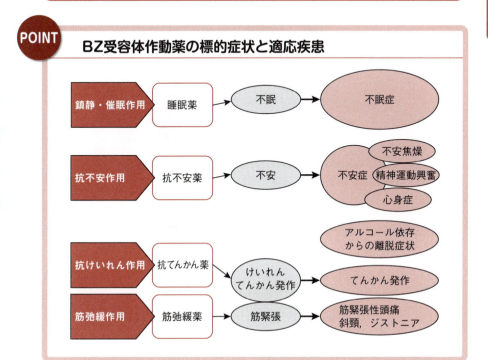

POINT BZ受容体作動薬の標的症状と適応疾患

　ベンゾジアゼピン（BZ）受容体作動薬のもつ鎮静・催眠，抗不安，抗けいれん，筋弛緩の作用を要する症状に対して適応となる（**POINT**）．

　抗不安作用と鎮静・催眠作用のため，不安症のほか，うつ病患者さんの不安焦燥感，統合失調症の精神運動興奮，心身症など幅広い症状に用いられる．アルコールと交叉耐性をもつため，アルコール依存症患者さんの断酒による離脱症状の予防にも用いられる．

　パニック症，社会不安障害，全般性不安症などを含む疾患カテゴリーである不安症に対しては，第一選択薬は抗不安薬ではなく，選択的セロトニン再取り込み阻害薬（SSRI）を中心とした抗うつ薬である[1]ことには留意しなくてはならない．抗不安薬もこれら不安症に対して短期的な効果があ

図　不安症状に対する抗不安薬

るものの，耐性形成のため次第に期待された効果が得られなくなり，高用量・多剤併用の原因となりやすい．

　ネーミングを考えると逆説的ではあるが，不安症治療においては抗不安薬に頼りすぎない薬剤調整を心がけよう．

　ベンゾジアゼピン（BZ）系の抗不安薬は，不安症状に対してすみやかな効果がある．さながらモグラたたきにおけるモグラ（＝不安症状）とピコピコハンマー（＝抗不安薬）のごとくである（図）．

　しかし，抗不安薬はあくまでも対症療法である．病的な不安が常に存在し，さまざまな弊害が生じる不安症（パニック症，社会不安障害，全般性不安症などを含む）では，モグラ（＝不安症状）のラッシュ時にピコピコハンマー（＝抗不安薬）が追いつかない．

　前述のような不安症ではSSRIを中心とした抗うつ薬が用いられるが[1]，これら抗うつ薬の使用により，「モグラ（＝不安症状）が顔を出しにくくなる」効果が期待できる．

　抗うつ薬によるモグラ（＝不安症状）の出現頻度を下げる作用は，投与開始後少なくとも2～4週間ほどかかる．そのため，治療開始後早期にBZ系抗不安薬を使用することは許容される[1]．ただし，あくまでも短期間にとどめるよう心がけるべきである．

●**文　献**●

1) Bandelow B, et al：World federation of societies of biological psychiatry (WFSBP) guidelines for the pharmacological treatment of anxiety, obsessive-compulsive and post-traumatic stress disorders - first revision. World J Biol Psychiatry, 9：248-312, 2008

＜稲田　健，松井健太郎＞

5 抗不安薬の副作用

POINT BZ受容体作動薬に共通してみられる副作用

　ベンゾジアゼピン（BZ）受容体作動薬は共通して以下のような副作用を生じる．これらの副作用の多くは用量依存的である．一方，不安に対する効果は高用量となっても頭打ちとなる．つまり，**一定量以上のBZ系抗不安薬を投与すると，効果は得られずに副作用が目立つ状態となる**．

1 鎮静作用

　BZ系抗不安薬は日中の眠気の原因となるが，BZ受容体作動薬が睡眠薬としても用いられることを考慮すれば至極当然であろう．長時間作用型の薬剤の場合，肝・腎機能が低下した患者さんでは，連用により体内に蓄積されやすいため，一定期間経ってからこのような副作用が生じることもある．患者さん本人は眠気を自覚していなくても，集中力の低下や反応速度

が遅くなっていることがあり，自動車の運転は危険であるため避けるよう指導する．

2 記憶障害

エピソード記憶の前向性健忘が特徴である．BZ系抗不安薬の服用後の記憶形成と再生が障害される．例えば，服用後に受けた電話の内容を覚えていない，服用後に喫煙したことを覚えていない…といったことが起こりうる．高齢者では記憶障害が顕在化しやすいが，これは若年者では記憶障害を生じないというわけではなく，高齢者はより目立つだけと考えてよい．

リスク因子としては，高齢者や脳器質性障害患者，アルコールとの併用などがある．対策として，記憶障害を生じうることをあらかじめ伝えておくとともに，アルコールとの併用を避け，睡眠薬として服用するのであれば内服後は直ちに入床することなどを指導する．

3 ふらつきと転倒

筋弛緩作用や反射の抑制により，ふらつきや転倒を生じる．高齢者においては，転倒が骨折につながり，長期臥床と認知症を誘発するリスクとなるため特に注意を要する．

4 依存性

BZ系抗不安薬の依存の特徴は，服薬したいと感じる渇望感は少ないが，不安感などの離脱症状を生じるために，中止が困難となる点である．

依存形成のリスク因子としては，長期間の服用，高用量の服用，多剤併用などが指摘されている．少量，単剤，短期間の使用にとどめることが最も重要な対策となる（p102「抗不安薬の依存と対策」を参照）．

5 奇異反応

BZ系抗不安薬の投与により，かえって不安，焦燥が高まり，気分易変性，攻撃性，興奮などを呈することがある．高用量のBZ系抗不安薬を用いた場合に起こりやすいほか，遺伝素因やアルコール依存症，その他の精神障害と関連して出現することがある[1]．

● 文　献 ●

1） Mancuso CE, et al：Paradoxical reactions to benzodiazepines: literature review and treatment options. Pharmacotherapy, 24：1177-1185, 2004

＜稲田　健，松井健太郎＞

6 各抗不安薬の特徴と使い方

POINT わが国で用いられるBZ系抗不安薬

分類	力価	一般名	代表的な商品名	最高血中濃度到達時間（時間）	半減期（時間）
短時間型	高	エチゾラム	デパス®	3	6
	低	クロチアゼパム	リーゼ®	1	6.3
		フルタゾラム	コレミナール®	1	3.5
中時間型	高	ロラゼパム	ワイパックス®	2	12
		アルプラゾラム	コンスタン®, ソラナックス®	2	14
	中	ブロマゼパム	レキソタン®	1	20〜31
長時間型	高	メキサゾラム	メレックス®	1〜2	60〜150
		クロナゼパム	ランドセン®, リボトリール®	2	27
	中	クロキサゾラム	セパゾン®	2〜4	11〜21
		ジアゼパム	セルシン®, ホリゾン®	1	9〜96
	低	クロラゼプ酸ニカリウム	メンドン®	0.5〜1	>24
		メダゼパム	レスミット®	0.5〜1.5	1〜2
		オキサゾラム	セレナール®	7〜9	50〜62
		クロルジアゼポキシド	コントール®, バランス®	1	6.6〜28
超長時間型	高	ロフラゼプ酸エチル	メイラックス®	0.8	122

3. 抗不安薬

ベンゾジアゼピン（BZ）受容体作動薬は，抗不安，鎮静・催眠，筋弛緩，抗けいれん作用を併せもつが，特に抗不安作用の強いものを抗不安薬と分類している．

1 抗不安薬の分類

抗不安薬は，作用時間と力価による分類が臨床上有用である．

血中濃度の立ち上がりの速い〔最高血中濃度到達時間（T_{max}）が短い〕薬剤は，服用後直ちに効果を実感しやすいため，不安発作（パニック発作）に対する頓用に有用である．逆に，効果の実感を得たいがために，服用回数が多くなりがちである．

半減期（$T_{1/2}$）の短い短時間作用型の薬剤は，**持ち越し効果を生じにくい反面，連用後に中断すると反跳性不安・退薬徴候を感じやすい**．長時間型は，服用回数を削減でき，依存者の離脱に有用である．逆に，体内に蓄積されやすく，持ち越し効果を生じやすいという欠点がある（POINT）．

一般に，高力価（1錠のmg数が小さいもの）の抗不安薬は効き目がシャープで，低力価のものは効き目がマイルドである．

2 選び方と使い方

BZ系抗不安薬は疾患の根治療法ではなく，あくまで対症療法と位置づけた方がよい．使用する場合には，何を標的として，何の目的で使用するのかを自覚することが大切である．

目的に応じて，**作用時間**や**力価**を考慮して薬を選択する．

T_{max}が短く，$T_{1/2}$が短く，力価が高い薬剤は，不安発作時の頓用薬として用いると，きわめて効果的である．それだけに，依存には注意が必要である．このような薬剤を用いるのであれば，患者さんに**不安発作時の緊急避難用である**，という考え方をよく説明する．

BZ系抗不安薬の使用に際しては，**単剤で最少用量を，短期間**で用いることを心がける．

少量・短期間にすべきであるので，添付文書上の用法用量よりも少ない量・回数で処方してもよく，剤形上の最少量錠剤を1日1回1錠のみから用いるとしてもよい．本書では用法例として示す．なお作用機序はp88を参照のこと．

▶ エチゾラム

商品名	デパス®
剤形	錠剤，細粒
用法例	【心身症】1回 0.25 〜 0.5 mg，1日1回（頓服）〜 3回（朝・昼・夕） 【睡眠障害】1回 0.25 〜 0.5 mg，1日1回（就寝前） いずれの場合も，高齢者は 1.5 mg/日まで その他の適応症，用法用量は添付文書を確認
特徴	T_{max} 3時間，$T_{1/2}$ 6時間，ジアゼパム等価換算 1.5．化学構造はチエノジアゼピンであるが，作用副作用ともにBZと同様．抗不安作用はジアゼパムの 3 〜 5 倍．筋弛緩作用が強く，腰痛症，頸椎症，筋収縮性頭痛に効果．依存性に注意！

▶ クロチアゼパム

商品名	リーゼ®
剤形	錠剤，顆粒
用法例	1回 5 mg，1日1 〜 3回，30 mg/日まで
特徴	T_{max} 1時間，$T_{1/2}$ 6.3時間，ジアゼパム等価換算 10．力価は低くマイルド．血圧安定化作用あり，気分で血圧が上がる人などでも使用

▶ フルタゾラム

商品名	コレミナール®
剤形	錠剤，細粒
用法例	1回 4 mg，1日1 〜 3回
特徴	T_{max} 1時間，$T_{1/2}$ 3.5時間，ジアゼパム等価換算 15．心身医学方面への応用を期待して開発された

▶ ロラゼパム

商品名	ワイパックス®
剤形	錠剤
代謝	グルクロン酸抱合のみ
用法例	1回 0.5 〜 1 mg，1日1回（頓服）〜 3回（朝・昼・夕）

3. 抗不安薬

特徴	T_{max} 2時間，$T_{1/2}$ 12時間，ジアゼパム等価換算1.2．代謝が簡易（グルクロン酸抱合）で高齢者や肝機能障害などの患者さんにも使用しやすい．近年では，アルコール依存症の患者さんにおける離脱予防にもしばしば用いられる（適応外）．米国では注射製剤が救急での鎮静に汎用されるため，海外研究論文ではよく目にする

▶ アルプラゾラム

商品名	コンスタン®，ソラナックス®
剤形	錠剤
用法例	1回0.4〜0.8 mg，1日1回（頓服）〜3回（朝・昼・夕）
特徴	T_{max} 2時間，$T_{1/2}$ 14時間，ジアゼパム等価換算0.8．とても強い抗不安効果があり，パニック発作時の頓用によく使用される．依存性には十分に注意が必要

▶ ブロマゼパム

商品名	レキソタン®
剤形	錠剤，細粒，坐剤
用法例	【神経症・うつ病】1回1〜5 mg，1日1回（頓服）〜3回（朝・昼・夕） その他の適応症，用法用量は添付文書を確認
特徴	T_{max} 1時間，$T_{1/2}$ 20〜31時間，ジアゼパム等価換算2.5．抗不安作用は強め．使用用量に幅があり投与量を調節しやすい

▶ メキサゾラム

商品名	メレックス®
剤形	錠剤，細粒
用法例	1回0.5〜1 mg，1日1回（頓服）〜3回（朝・昼・夕）
特徴	T_{max} 1〜2時間，$T_{1/2}$ 60〜150時間，ジアゼパム等価換算1.67．作用時間が長い

▶ ジアゼパム

商品名	セルシン®，ホリゾン®，ダイアップ®
剤形	錠剤，散剤，シロップ，注射剤，坐剤

用法例	【経口剤】1回1〜5 mg，1日2〜4回．15 mg/日までにとどめた方が無難（特に外来患者） 【注射剤】不安・緊張・抑うつの軽減に対しては，1回2 mL（ジアゼパムとして10 mg）を筋注または静注．静注は呼吸抑制に注意し2分以上かける
特徴	T_{max} 1時間，$T_{1/2}$ 9〜96時間，ジアゼパム等価換算5．BZ系抗不安薬の代表．抗不安，抗けいれん，筋弛緩のいずれの作用も併せもつ．剤形が豊富で用量幅も広いことから，幅広い病態に対して使用される
適応例	神経症，うつ病，心身症，脳脊髄疾患に伴うけいれん，熱性けいれん，麻酔前投薬，てんかん

▶ クロナゼパム

適応症	リボトリール®，ランドセン®
商品名	錠剤，細粒
剤形	1回0.5〜1 mg，1日1回（頓服）〜3回（朝・昼・夕），2〜6 mg/日まで
用法用量	T_{max} 2時間，$T_{1/2}$ 27時間，ジアゼパム等価換算0.25．適応は小型（運動）発作，精神運動発作などのてんかんのみ．不随意運動などにも使用される．血中濃度の立ち上がりと消失が緩やかで，効果の実感は少なめ．BZ系抗不安薬のなかでは依存が生じにくい印象はあるが，高力価である点に留意する必要がある

▶ クロキサゾラム

商品名	セパゾン®
剤形	錠剤，散剤
用法例	1回1〜2 mg，1日1回（頓服）〜3回（朝・昼・夕），12 mg/日まで
特徴	T_{max} 2〜4時間，$T_{1/2}$ 11〜21時間，ジアゼパム等価換算1.5

▶ クロルジアゼポキシド

商品名	コントール®，バランス®
剤形	錠剤，散剤

3. 抗不安薬

用法例	1回5～20 mg，1日1回（頓服）～3回（朝・昼・夕），60 mg/日まで
特徴	T_{max} 1時間，$T_{1/2}$ 6.6～28時間，ジアゼパム等価換算10．1956年に発見された最初のBZ系抗不安薬

▶ メダゼパム

商品名	レスミット®
剤形	錠剤
用法例	1回2～5 mg，1日1～3回（朝・昼・夕），30 mg/日まで
特徴	T_{max} 0.5～1.5時間，$T_{1/2}$ 1～2時間，ジアゼパム等価換算10．代謝されてジアゼパム，N-デスメチルジアゼパムになり長時間作用

▶ オキサゾラム

商品名	セレナール®
剤形	錠剤，散剤
用法例	1回2～5 mg，1日1～3回（朝・昼・夕），30～60 mg/日で適宜増減
特徴	T_{max} 7～9時間，$T_{1/2}$ 50～62時間，ジアゼパム等価換算20

▶ ロフラゼプ酸エチル

商品名	メイラックス®
剤形	錠剤，細粒
用法例	1回1～2 mg，1日1～2回（朝・夕），1～4 mg/日
特徴	T_{max} 0.8時間，$T_{1/2}$ 122時間，ジアゼパム等価換算1.67．高力価長時間作用型の代表．1日1回の使用で可能．中断時に退薬症候を生じにくい

＜稲田　健，松井健太郎＞

7 抗不安薬の依存と対策

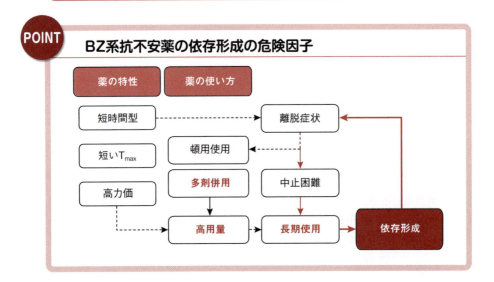

POINT　BZ系抗不安薬の依存形成の危険因子

　ベンゾジアゼピン（BZ）系抗不安薬の依存形成の特徴は，服薬したいと感じる**渇望感は少ないが**，不安感などの**離脱症状を生じるために中止が困難となる**点である．離脱症状として多くみられるものは，不眠，不安，気分不快，焦燥感，ふるえ，発汗，頭痛，嘔気，知覚異常などである．これらは服用中止のみならず用量の減量でも生じ，BZ系抗不安薬の標的症状でもあるために，離脱症状と病状再燃との鑑別は簡単ではない．

1 依存形成の危険因子

　BZ系抗不安薬の依存形成の経過と，その危険因子をPOINTにまとめた．これらを考慮し処することは，BZ系抗不安薬の依存対策として有用である．

▶ **薬の使い方**

　依存形成の最大の要因は**長期使用**である．長期使用すると依存が形成され，薬剤の減量・中止時に**離脱症状**を生じる．離脱症状のために，**中止が**

困難となり，さらに**長期使用**となる．

　長期使用の要因としては，**高用量使用**，**多剤併用**があげられる．多剤併用は必然的に高用量になり，高用量からの中止は離脱症状を生じやすいことから，長期使用となりやすい．

　頓用使用は，患者さんは「**いつでも好きなときに服用してよいもの**」と**考えがち**で，高用量使用につながることがある．週3回程度までの頓用使用は，離脱中の症状緩和に役立つが，それ以上の頓用使用は，依存形成を促進するため，定期内服の方が安全であるとすら考えられる．

▶ **薬の特性**

　薬剤の特性としては，**短時間作用型**のもの，**最高血中濃度到達時間**（T_{max}）**の短いもの**，**高力価**のものなどが，依存形成リスクが高い．短時間作用型のものは離脱症状を自覚しやすく，ときには継続内服中であっても，血中濃度の変動に伴い，日中の不安症状を生じることがある．作用時間の長い薬剤では，服用中止後の血中濃度の下降が緩徐であるため，作用時間の短い薬剤に比べて退薬症候を自覚しにくい．このため，超短時間作用型の薬剤で，退薬症候の自覚が強い場合には，より半減期の長い薬剤に置換してから漸減することが理論上適切である．

　高力価のものやT_{max}の短いものは，不安に対して効果を自覚しやすいため，患者さんは内服の継続を希望する場合が多く，高用量・長期間の内服となりがちである．

2 漸減・中止方法

　BZ系抗不安薬を長期服用後に中止するためには，患者さんと良好な関係が築けていることと，適切な情報提供が大切である．これらを踏まえたうえで，危険因子へ対処しながら，**ゆっくりと減量し**，**中止**していく．

　まずは，2～4週間ごとに，服用量の25％ずつを減量する．減量により症状が再燃した場合には前の用量に戻し，さらにゆっくりとしたペースで減量する（**図**）[1]．年余にわたった長期服用のケースでは，漸減中止にも1年くらいかかるつもりでいることが，患者さんにも治療者にも有用である．

　減量がうまく進まないときには，原疾患の治療がうまく行われているのかを検討することが大切である．

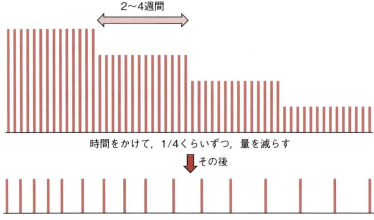

図　BZ系抗不安薬の漸減・中止方法

表　BZ系抗不安薬の減量を促す冊子のカギとなる要素

- BZ系抗不安薬の名称
- 長期使用において生じる可能性のある副作用の説明
- 薬剤の減量について，患者さんの意向の確認
- ゆっくりと減量・中止することが，離脱症状を減らし，減量・中止を成功させる
- 担当医と今後も話し合うことができることの確認

冊子を用いて説明することは，減量・中止の成功率を上げる．患者さんは減量に対して不安を抱いていることが多いので，減量の意向を確認するとともに，不安についても確認するとよい．（文献2を参照して作成）

　以上のような情報提供のために，患者さん向けの冊子を活用することは有用で，冊子を併用すると減量と中止がスムーズに行えることが複数の研究によって証明されている．BZ系抗不安薬の減量を促す冊子においてカギとなる要素は，表のようなものである．

● 文　献 ●

1）O'brien CP：Benzodiazepine use, abuse, and dependence. J Clin Psychiatry, 66 Suppl 2：28-33, 2005
2）Mugunthan K, et al：Minimal interventions to decrease long-term use of benzodiazepines in primary care: a systematic review and meta-analysis. Br J Gen Pract, 61：e573-e578, 2011

＜稲田　健，松井健太郎＞

8 ベンゾジアゼピン（BZ）系以外の抗不安薬

ベンゾジアゼピン（BZ）系抗不安薬と異なる作用機序をもつ抗不安薬として，以下のものがある．

▶ タンドスピロン（セディール®）

アザピロン系抗不安薬に分類される抗不安薬である．縫線核に存在するセロトニン5-HT_{1A}自己受容体とシナプス後部の5-HT_{1A}受容体に作用することで抗不安作用をもたらすと考えられているが，その詳細な作用機序は明らかではない[1]．

抗不安薬としては，①依存性がない，②毒性が低く，安全性が高い，③記憶や運動機能への影響が少ない，④アルコールとの相互作用を生じない，といった利点がある．反面，①効果が全体に弱い，②即効性がなく，急性不安には用いにくい，といった欠点がある．総じて「**穏やかで軽い薬**」である．

依存性の問題などから，BZ系抗不安薬を用いることが困難な症例などに用いるとよい．

● 文　献 ●

1) De Vry J：5-HT_{1A} receptor agonists: recent developments and controversial issues. Psychopharmacology (Berl), 121：1-26, 1995

＜稲田　健，松井健太郎＞

4. 睡眠薬

1 睡眠薬とは？

POINT　睡眠薬：3種類の使いこなしの時代

オレキシン受容体拮抗薬

メラトニン受容体作動薬

ベンゾジアゼピン（BZ）受容体作動薬

　寝付きが悪い，途中で起きてしまってその後寝付けない，睡眠の質が悪いなど，不眠症状は多彩であるが，それら不眠症状に対して用いる薬が睡眠薬とよばれる（p261「不眠」も参照）．

　古くよりベンゾジアゼピン（BZ）受容体作動薬が，睡眠薬の中心を担ってきた．BZ受容体作動薬は効果が高く，それ以前の睡眠薬よりも安全性が高いことから非常に多く使用されてきたが，一方で依存・耐性形成などの問題も指摘されている．

　近年，メラトニン受容体作動薬であるラメルテオンや，オレキシン受容体拮抗薬であるスボレキサント，レンボレキサントなど，新しい作用機序をもつ睡眠薬が登場した．これらの薬剤はBZ受容体作動薬と比べ，依存・耐性形成のリスクが低いと考えられている．

　異なる作用機序の睡眠薬の登場により，不眠症の薬剤治療におけるバリエーションが増えたのは喜ばしいことである．それぞれの薬剤の長所・短所を知り，患者さんのニーズに合わせつつ，長期的な治療プランに合わせた薬剤選択を行うのが望ましいだろう．

＜稲田　健，松井健太郎＞

2 睡眠薬の作用機序

> **POINT 3種類の睡眠薬　作用機序は三者三様**
>
> **＜ベンゾジアゼピン（BZ）受容体作動薬＞**
> 抑制性神経伝達物質であるGABAの働きを強めて催眠効果を発揮する
> **＜メラトニン受容体作動薬＞**
> 視交叉上核を介し，入眠促進，睡眠覚醒リズム位相の変動をもたらす
> **＜オレキシン受容体拮抗薬＞**
> 覚醒・睡眠機構における覚醒維持系を抑制することで睡眠を誘発する

1 ベンゾジアゼピン（BZ）受容体作動薬

BZ受容体作動薬は，GABAの作用を強めることで催眠，鎮静作用をもたらす．詳しい作用機序は，抗不安薬の項（p88）を参照のこと．

2 メラトニン受容体作動薬

視床下部に存在する視交叉上核には体内時計があり，各種生体リズムの発現に関与している．松果体から分泌されるホルモンであるメラトニンは，視交叉上核に存在するメラトニン受容体MT_1およびMT_2に作用し，それぞれ睡眠の促進，睡眠覚醒リズム位相の変動に関与する（図1）．

ラメルテオンはMT_1，MT_2受容体に選択的に作用し，睡眠薬としての効果を発現する．ラメルテオンのMT_1およびMT_2受容体に対する親和性はメラトニンと比較してそれぞれ約6倍，約4倍高く，受容体作動活性はそれぞれ約4倍，約17倍高い．ラメルテオンの入眠促進効果は主にMT_1受容体に対する作用により，深部体温低下，血圧低下，交感神経機能低下など，MT_2受容体に対する作用により，体内時計である視交叉上核を介した身体的な休息促進作用と関連していると考えられている[1]．

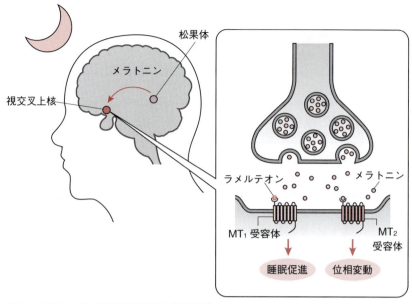

図1　メラトニン受容体作動薬の作用機序
ラメルテオンはメラトニン受容体MT_1，MT_2受容体に作用し，睡眠の促進，睡眠覚醒リズム位相の変動により睡眠薬として効果を示す．

3 オレキシン受容体拮抗薬

　オレキシンは，視床下部外側野に局在するニューロン群によって産生される神経ペプチドである．睡眠発作（不適切な状況で突然眠ってしまう）を主症状とするナルコレプシーがオレキシンの欠乏により引き起こされることから，オレキシンは「覚醒の安定化・維持」に重要な働きをもつと考えられている[2]．

　オレキシン受容体拮抗薬であるスボレキサント，レンボレキサントはオレキシンOX_1，OX_2受容体の両者を遮断し，覚醒維持系を抑制することで睡眠を誘発する（図2）．オレキシン受容体拮抗薬が薬効を発揮するのには，約65％以上と高い受容体占有率を要するのが特徴的である（BZ受容体作動薬では約27％）[3]．したがって，作用時間の評価にあたっては，半減期を含めた血中動態だけでなく，受容体の結合動態を考慮しなくてはならない．

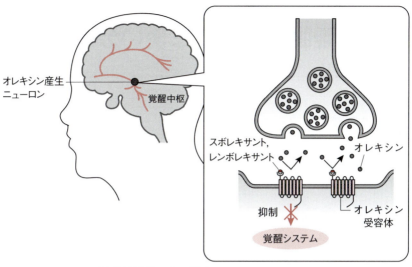

図2　オレキシン受容体拮抗薬の作用機序
スボレキサント，レンボレキサントはオレキシンの受容体への結合を阻害し，覚醒システムを抑制することで，脳を生理的に覚醒状態から睡眠状態へ移行させ，入眠促進作用，睡眠維持効果をもたらす．

●文　献●

1) 内山 真：メラトニン受容体アゴニスト．特集 高齢者の睡眠障害：健康睡眠を目指して-高齢者睡眠障害の治療．日本臨床，73：1017-1022, 2015
2) Hungs M & Mignot E：Hypocretin/orexin, sleep and narcolepsy. Bioessays, 23：397-408, 2001
3) Gotter AL, et al：The duration of sleep promoting efficacy by dual orexin receptor antagonists is dependent upon receptor occupancy threshold. BMC Neurosci, 14：90, 2013

＜稲田　健，松井健太郎＞

3 睡眠薬の効果と使い分け

POINT 　**3種類の効果と使い分け**

ベンゾジアゼピン（BZ）受容体作動薬
- もともと睡眠薬といえばこれ
- 十分な効果が期待できるが，依存性や耐性，転倒リスクなどの問題あり

メラトニン受容体作動薬
- 2010年に登場
- 入眠促進作用があるが，効果は弱い
- 依存性や耐性，転倒リスクが低い
- 睡眠覚醒リズム障害に対する効果は唯一無二

オレキシン受容体拮抗薬
- 2014年に登場
- 入眠困難に加え，睡眠維持困難に対しての効果が期待できる
- 依存性や耐性，転倒リスクが低い

1 ベンゾジアゼピン（BZ）受容体作動薬

　BZ系受容体作動薬は共通して，抗不安，鎮静・催眠，抗けいれん，筋弛緩の作用を示すが，鎮静・催眠作用が強く，抗不安作用の弱いものが睡眠薬に分類される（p90参照）．BZ受容体作動薬の効果は，血中濃度の上昇とともにすみやかに発揮されるため，投与初回から効果の実感を得やすい薬剤である．

　BZ受容体作動薬はベンゾジアゼピン骨格をもつか否かでBZ系睡眠薬，非BZ系睡眠薬（Z薬：Z-drug）として分けられるが，旧来のBZ系睡眠薬は睡眠構築に悪影響を及ぼし，睡眠を浅くする可能性が指摘されてきた．

より新しい薬剤として登場した，ゾルピデム，エスゾピクロンなどを中心とした非BZ系睡眠薬は，睡眠構築への悪影響が少ないことから，BZ受容体作動薬を用いる際には非BZ系睡眠薬を選択することが多くなってきている．

BZ受容体作動薬同士の鎮静・催眠作用の実感の違いは，薬剤特性よりも患者さんの個人差の方が大きい．薬剤による違いはほとんどなく，組合わせる意義は乏しいといえるだろう．ただし，薬剤ごとの作用時間〔最高血中濃度到達時間 T_{max} と半減期（$T_{1/2}$）〕の差には留意し，後述する副作用がなるべく少なくなるよう心がけるべきである．

2 メラトニン受容体作動薬

ラメルテオンは入眠促進作用が認められるため，入眠障害を中心とした不眠がその適応となる．一方で，実質的な睡眠時間の延長作用はないため，中途覚醒への効果は乏しい[1]．入眠促進作用も，超短時間型のBZ受容体作動薬と比較すると，明らかに弱い．ラメルテオンの長所は副作用の少なさであり，**認知機能への影響や転倒リスクが懸念される高齢者**に使用するとよいだろう．

ラメルテオンは，**概日リズム睡眠・覚醒障害**の治療薬として使われることがある．その際は目標とする入眠時刻の数時間前に，不眠に使用する場合よりも少量（1回1〜4 mg/日）を投与することが推奨されている[2]（p266も参照）．概日リズム睡眠・覚醒障害，特に睡眠・覚醒相後退障害では通常の睡眠薬の使用では症状改善が得られにくく，前述のような少量のラメルテオン投与が治療における切り札となることがある（次ページのコラム参照）．

3 オレキシン受容体拮抗薬

スボレキサント，レンボレキサントはいずれも入眠促進作用に加え，**中途覚醒時間を減らし，実質的な睡眠時間を延長する**作用が示されている．また，それらの作用もBZ受容体作動薬と同等であるとの報告がある[3]．

従来，中途覚醒や早朝覚醒に対しては中〜長時間作用型のBZ受容体作動薬を使用することが推奨されていたが，翌日の眠気が強く残るわりに睡眠維持障害そのものが改善しないことも少なくなかった．スボレキサント，

レンボレキサントはこのような睡眠維持障害を中心とした不眠に対する新しい治療選択肢となる．ラメルテオン同様，認知機能への影響や転倒リスクが懸念される**高齢者に対しても安全に使用できる**．

● 文　献 ●
1 ）McGechan A & Wellington K：Ramelteon. CNS Drugs, 19：1057-1065, 2005
2 ）「睡眠障害の対応と治療ガイドライン 第3版」（内山 真／編），じほう，2019
3 ）Kishi T, et al：Lemborexant vs suvorexant for insomnia: A systematic review and network meta-analysis. J Psychiatr Res, 128：68-74, 2020

＜稲田　健，松井健太郎＞

Column: 睡眠・覚醒相後退障害

　概日リズム睡眠・覚醒障害の1つである睡眠・覚醒相後退障害は，睡眠相後退症候群とも呼ばれ，寝る，起きるのリズムが後退したまま固定した状態を呈する．「万年時差ボケ状態」と表現するとわかりやすいだろう．

　症状としては入眠困難，起床困難，午前中の眠気などが中心で，10～20代の比較的若い世代に多い．もともと夜更かし気味の人に出現しやすいが，入眠困難および起床困難はしばしば自力での補正ができず，学校に通えなかったり，就業時間を守れず遅刻・欠勤をくり返したり，という状況になる．これを不眠症と考え，通常の睡眠薬を使用しても早く寝付けるようにはならず，さらには睡眠薬の持ち越しにより起床困難が増悪することさえある．

　前述のとおり，2 mg前後のラメルテオンを希望入眠時刻の数時間前（現在の入眠時刻の5～6時間前）に服用することで症状が改善する場合があるが，これはあくまでも十分な生活指導ありき，である．①長時間の残業や夜遅くまで勉強，夜間の激しい運動などの不適切な生活習慣を改めること，②スマホやPC，ゲームなど，目に強い光が入る液晶画面を夜遅くまでみつめないこと，③起床時間を一定とし，朝日をきちんと目に入れること，など生活指導を十分に行うのが，治療において最も重要である．

＜松井健太郎＞

4 睡眠薬の副作用

POINT 睡眠薬開発の歴史は副作用低減の歴史

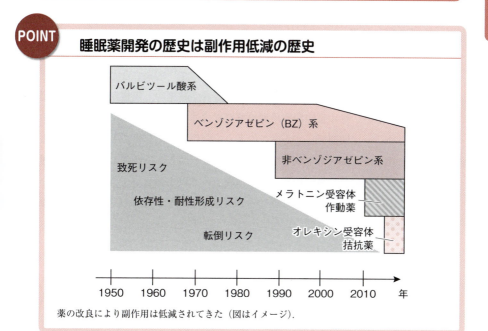

薬の改良により副作用は低減されてきた（図はイメージ）．

1 睡眠薬の改良の流れ

　バルビツール酸系睡眠薬は強力な催眠・鎮静作用を有するが，強い依存・耐性形成リスクに加え，加療内服時の致死リスクの高さから現在は使われていない．ベンゾジアゼピン（BZ）系睡眠薬はバルビツール酸系睡眠薬と比較し，加療内服時の致死リスクが低く，安全性においては優れている一方で，依存・耐性形成リスク，転倒リスクなどがあった（それらの副作用は非BZ系睡眠薬においても同様であり，本稿ではBZ受容体作動薬としてまとめている）．2010年以降に登場した睡眠薬であるメラトニン受容体作動薬およびオレキシン受容体拮抗薬は，少なくとも依存・耐性形成リスクおよび転倒リスクはBZ受容体作動薬と比べて低いと考えられている．

2 BZ受容体作動薬[1]

BZ受容体作動薬の副作用は「抗不安薬の副作用」の項（p94）にて述べたが，ここでは睡眠薬としてBZ受容体作動薬を使用した際に注意すべき副作用について述べる．

▶ 持ち越し効果

BZ受容体作動薬の鎮静・催眠効果や筋弛緩作用が翌朝まで持続することにより，眠気，集中力低下，倦怠感，ふらつき，めまいなどの症状が覚醒後にも認められることがある．**半減期が長い薬剤や，用量が多い場合に起こりやすい．**特に長時間作用型の薬剤では連用により体内に蓄積されやすいため，一定期間経ってからこのような副作用が生じることもある．持ち越し効果から重大な事故を生じうることを説明し，高所作業や自動車の運転などの危険な仕事は控えるよう指導する必要がある．また，超短時間作用型の薬剤であっても持ち越し効果が生じることがあるので，注意が必要である．

▶ 記憶障害

BZ受容体作動薬の使用により，"内服後から寝付くまで，中途覚醒時，時に翌朝覚醒してからの出来事を思い出せない"という前向性健忘が出現することがある．健忘作用は鎮静作用とは独立していると考えられており，アルコールの併用，高用量での内服など不適切な使用，もしくは睡眠中の強制覚醒に伴って出現する場合が多いようである．摂食行動や性行為といった原始的な行動のほか，買いものや掃除，メールの送信，車の運転といった複雑な行動を伴うことがある．比較的高度な行為を遂行できるため，第三者からは気づかれにくく，本人は内服後にとった行動を思い出せない．対処としては原因薬剤の減量・中止が第一であり，特にトリアゾラムやゾルピデムなどの**超短時間作用型の薬剤は中止を考慮すべきである．**また，**アルコールの併用を必ず避けるよう指導する．**

▶ 筋弛緩作用

筋弛緩作用とふらつきは，転倒に結びつくことがある．短時間作用型の薬剤でも生じ得るが，臨床的な問題は長時間作用型で顕在化しやすい．特に**高齢者では，代謝機能が低下し薬物の効果が遷延しやすいうえに，転倒**

から骨折につながることがあるため，投与量は必要最低限とすべきである．転倒の防止のためには，夜間トイレに行く際には，室内の明かりを点灯して，壁を伝いながら歩くことを指導する．

　睡眠時無呼吸症候群では頻回の中途覚醒，熟眠障害が生じるが，BZ受容体作動薬投与の際は換気応答の低下，上気道筋の緊張の低下により呼吸障害イベントが増加しやすい．中途覚醒，熟眠障害の原因が睡眠時無呼吸症候群であった場合，これに対するBZ受容体作動薬の安易な投与は症状を増悪させるのみであり，投与は避けるべきである．したがって，**中途覚醒，熟眠障害を訴える患者さん（特に肥満者）では十分に問診を行い，睡眠時無呼吸症候群の可能性があれば，その精査および加療を検討すべきである．**

▶ **依存性，離脱症状**

　BZ受容体作動薬は身体的，心理的依存を形成するリスクがある．特に短時間作用型で，高力価の薬剤においてそれは顕著であるが，低力価・低用量であっても身体的依存を形成する可能性がある（常用量依存とよばれる）（p102「抗不安薬の依存と対策」を参照）．

　BZ受容体作動薬の減量や中断とともに，離脱によるさまざまな症状が出現することがあるが，これは長期間（3カ月以上）日常的な使用がされた場合に顕著である．中でも中断後の早期に，前よりも強い一過性の不眠を生じることがあり，これを**反跳性不眠**とよぶ．

3 メラトニン受容体作動薬

　ラメルテオンでは筋弛緩作用から生じるふらつき，転倒のリスク，認知機能への悪影響，依存や耐性形成のリスクはいずれも低い．翌日の眠気や頭痛が出現することがある．

4 オレキシン受容体拮抗薬

　スボレキサントやレンボレキサントでもラメルテオンと同様，筋弛緩作用から生じるふらつき，転倒のリスク，認知機能への悪影響，依存や耐性形成のリスクはいずれも低い．翌日の眠気や頭痛が出現することがあるほか，オレキシン受容体拮抗薬では悪夢が出現することがある．

●文　献●

1）石郷岡純：ベンゾジアゼピン系睡眠薬の副作用と処方上の留意点．「臨床精神医学講座 第13巻 睡眠障害」（太田龍朗，大川匡子／編），pp148-158，中山書店，1999

<稲田　健，松井健太郎＞

5 各睡眠薬の特徴と使い方

1 ベンゾジアゼピン（BZ）受容体作動薬（BZ系・非BZ系睡眠薬）

POINT わが国で用いられるBZ系・非BZ系睡眠薬

作用時間による分類	一般名	商品名	臨床用量（mg/回）	半減期（時間）	抗不安作用・筋弛緩作用	活性代謝産物
超短時間型	トリアゾラム	ハルシオン®	0.125～0.5	2～4	＋	＋
	ゾピクロン★*	アモバン®	7.5～10	4	－	－
	ゾルピデム★*	マイスリー®	5～10	2	－	－
	エスゾピクロン★*	ルネスタ®	1～3	5	－	－
短時間型	エチゾラム	デパス®	0.25～3	6	++	＋
	ブロチゾラム	レンドルミン®	0.25	7	＋	±
	リルマザホン	リスミー®	1～2	10	－	＋
	ロルメタゼパム	エバミール®, ロラメット®	1～2	10	±	－（単回代謝）
中時間型	フルニトラゼパム	サイレース®	0.5～2	21～24	＋	＋
	エスタゾラム	ユーロジン®	1～4	24	＋	±
	ニトラゼパム	ベンザリン®, ネルボン®	5～10	28	＋	±
長時間型	クアゼパム*	ドラール®	20～30	36	±	±
	フルラゼパム	ダルメート®	10～30	24	++	＋
	ハロキサゾラム	ソメリン®	5～10	42～123	＋	＋

長時間型では活性代謝産物の影響はほぼ無視できる．★：非BZ系睡眠薬，*：ω_1選択性

1 BZ受容体作動薬の種類

BZ受容体は薬物選択性と体内分布から$\omega_1 \sim \omega_3$の3つに分類されている．このうちω_1，ω_2は中枢型である．現時点では，ω_1受容体は主に催眠・鎮静作用に関係し，ω_2受容体は主に抗不安作用，筋弛緩作用に関係していると考えられている．

ω_1受容体に選択的に作用する薬剤として，ゾピクロン，ゾルピデム，エスゾピクロン，クアゼパムがあり，これらの薬剤は，催眠・鎮静作用に比べて筋弛緩作用は弱く，反跳性不眠や離脱症状を生じにくいとされるが[1]，転倒リスクには注意が必要である．ω_1受容体に選択性の高い薬剤は，抗不安作用が弱いために，不安の強い患者さんにはむしろω_1およびω_2の両受容体に作用する従来の薬剤の方が有効な場合がある．

2 BZ受容体作動薬の作用時間による分類

BZ受容体作動薬は，作用時間の長さによって超短時間作用型，短時間作用型，中時間作用型，長時間作用型の4つに分類される．従来，不眠のタイプに対応して，入眠障害には超短時間作用型か短時間作用型を，中途覚醒や早朝覚醒などの睡眠維持障害には中時間作用型，長時間作用型を選択する，とされてきた．しかし，中〜長時間作用型の薬剤は，翌日への作用の持ち越しからさまざまな副作用が出現するため，近年はあまり使用されなくなってきている．同じ薬剤でも患者さんにより代謝速度は大きく異なるため，作用時間は最初に薬剤を選択する際の参考にする程度にとどめておく．患者さん本人の代謝能がどの程度であるのかが不明である**初回投与では，超短時間作用型を少量より開始すべきである**．

短時間作用型の薬剤は，長期継続内服の後の減薬・断薬時に離脱症状や反跳症状を自覚しやすい．このため，長期内服後の断薬時には，長時間作用型に変更した後に減薬した方がよいことがある．

▶ トリアゾラム

商品名	ハルシオン®
剤形	錠剤
用法例	1回0.125〜0.5 mg，1日1回 高齢者では1回0.25 mgまで

4. 睡眠薬

| 特徴 | $T_{1/2}$ 2〜4時間．優れた鎮静催眠作用と抗不安作用を有し，効果の実感が得やすい．一方で，筋弛緩作用があり，依存性も高い．活性代謝産物あり |

▶ ゾピクロン

商品名	アモバン®
剤形	錠剤
用法例	1回7.5〜10 mg，1日1回
特徴	$T_{1/2}$ 4時間．非BZ系睡眠薬．ω_1選択性があり，抗不安作用・筋弛緩作用は少ない．活性代謝産物なし．しばしば翌日まで残る苦みを生じる

▶ ゾルピデム

商品名	マイスリー®
剤形	錠剤，OD錠，ODフィルム剤，内用液
用法例	1回5〜10 mg，1日1回
特徴	$T_{1/2}$ 2時間．非BZ系睡眠薬．ω_1選択性があり，抗不安作用は少ない．他のBZ系睡眠薬と異なり，徐波睡眠が増加する．活性代謝産物なし．第一選択として広く用いられている

▶ エスゾピクロン

商品名	ルネスタ®
剤形	錠剤
用法例	1回1〜3 mg，1日1回 高齢者は1回2 mgを超えない
特徴	$T_{1/2}$ 5時間．非BZ系睡眠薬．ゾピクロンの光学異性体．ω_1選択性があり，抗不安作用・筋弛緩作用は少ない．活性代謝産物なし．ゾピクロン同様，しばしば翌日まで残る苦みを生じる．第一選択として広く用いられている．長期処方も可能

▶ エチゾラム

商品名	デパス®
剤形	錠剤，細粒

用法例	【睡眠障害】1回0.25〜3 mg, 1日1回 高齢者は1.5 mg/日まで
特徴	$T_{1/2}$ 6時間. 抗不安作用・筋弛緩作用は強い. 化学構造式としてベンゾジアゼピン構造をもたないことから，睡眠薬としての規制を受けなかったが，その依存性が問題となり，向精神薬扱いとなった. 活性代謝産物あり

▶ ブロチゾラム

商品名	レンドルミン®
剤形	錠剤, OD錠
用法例	1回0.25 mg, 1日1回
特徴	$T_{1/2}$ 7時間. 抗不安作用・筋弛緩作用あり. 活性代謝産物多少あり

▶ リルマザホン

商品名	リスミー®
剤形	錠剤
用法例	1回1〜2 mg, 1日1回 高齢者は1回2 mgまで
特徴	$T_{1/2}$ 10時間. 抗不安作用, 筋弛緩作用は比較的弱め. 長期処方可能

▶ ロルメタゼパム

商品名	エバミール®, ロラメット®
剤形	錠剤
代謝	グルクロン酸抱合のみ
用法例	1回1〜2 mg, 1日1回 高齢者は1回2 mgを超えない
特徴	$T_{1/2}$ 10時間. 抗不安作用・筋弛緩作用は弱い. 直接グルクロン酸抱合されるため活性代謝産物をもたない（単回代謝）. 年齢や肝・腎機能障害の影響を受けにくい

▶ フルニトラゼパム

商品名	サイレース®

剤形	錠剤，注射
用法例	【経口剤】1回0.5〜2 mg，1日1回 高齢者は1回1 mgまで 【注射剤】2 mg/1 mL/1Aを生理食塩液19 mLで希釈し，できるだけ緩徐に1 mgを1分以上かけて静注し，入眠したら投与中止する．注射は急速な鎮静を要する場面でのみ使用する
特徴	$T_{1/2}$ 21〜24時間，血中濃度の立ち上がりが早く，半減期も長い．鎮静催眠作用と抗不安作用・筋弛緩作用に優れ，急性期病棟では頻用される傾向がある．依存性の観点から，米国においては，もち込みすら規制の対象となることに注意．活性代謝産物あり

▶ エスタゾラム

商品名	ユーロジン®
剤形	錠剤，散剤
用法例	1回1〜4 mg，1日1回
特徴	$T_{1/2}$ 24時間，抗不安作用・筋弛緩作用あり．活性代謝産物あり

▶ ニトラゼパム

商品名	ベンザリン®，ネルボン®
剤形	錠剤，細粒，散剤
用法例	【不眠症】1回5〜10 mg，1日1回 その他の適応症，用法用量は添付文書を確認
特徴	$T_{1/2}$ 28時間．抗不安作用・筋弛緩作用あり．活性代謝産物あり．比較的作用時間が長く持ち越し効果には注意する 抗てんかん薬としての適応を有し，長期処方可能（90日）．1967年日本に初導入されたBZ系睡眠薬

▶ クアゼパム

商品名	ドラール®
剤形	錠剤
用法例	1回20〜30 mg，1日1回

特徴	$T_{1/2}$ 36時間．ω_1 選択性があり，抗不安作用・筋弛緩作用は弱い．活性代謝産物あり．高齢者では活性代謝産物を含めると約110時間もの半減期となるため，服用開始から数週経てから，日中の眠気やふらつきなどを生じることがある

▶ フルラゼパム

商品名	ダルメート®
剤形	カプセル
用法例	1回10〜30 mg，1日1回
特徴	$T_{1/2}$ 24時間．抗不安作用・筋弛緩作用は比較的強い．活性代謝産物あり．半減期から考慮しても，日中にも一定の血中濃度が維持される．日中の持ち越しが問題となる

2 メラトニン受容体作動薬

▶ ラメルテオン

商品名	ロゼレム®
剤形	錠剤
用法例	1回8 mg，1日1回
特徴	$T_{1/2}$ 1〜2時間．半減期の短さのわりに，翌日の持ち越しが問題となるが，活性代謝産物の影響が考えられている 不眠症に対しては1回8 mg/日を就寝前に服用するが，概日リズム睡眠・覚醒障害，特に睡眠相後退型に対しては，1回1〜4 mg/日を希望就寝時刻の数時間前に使用することがある．長期処方可能

3 オレキシン受容体拮抗薬

▶ スボレキサント

商品名	ベルソムラ®
剤形	錠剤

用法例	1回10〜20 mg，1日1回
特徴	$T_{1/2}$約12時間．ただし，薬効を発揮するには約65％以上と高い受容体占有率を要することから（BZ受容体作動薬では約27％），**作用時間については単純に半減期のみで比較はできない** 通常1回20 mg/日にて開始（高齢者では1回15 mg/日より開始）するが，CYP3Aを阻害する薬剤と併用時には，1回10 mg/日より開始する．実際の臨床では，持ち越しなどの副作用を考慮し，併用薬にかかわらず1回10 mg/日より開始することも少なくない．光，湿度の影響を受けやすく，分割や分包・一包化ができない点には注意が必要．長期処方可能

▶ レンボレキサント

商品名	デエビゴ®
剤形	錠剤
用法例	1回2.5〜10 mg，1日1回
特徴	$T_{1/2}$約50時間．ただし，薬効を発揮するには約65％以上と高い受容体占有率を要することから（BZ受容体作動薬では約27％），**作用時間については単純に半減期のみで比較はできない** 通常1回5 mg/日にて開始するが，CYP3Aを阻害する薬剤と併用時には，1回2.5 mg/日より開始する．実際の臨床では，持ち越しなどの副作用を考慮し，併用薬にかかわらず1回2.5 mg/日より開始することも少なくない．長期処方可能

● 文　献 ●

1) Rudolph U, et al：Benzodiazepine actions mediated by specific gamma-aminobutyric acid(A) receptor subtypes. Nature, 401：796-800, 1999

＜稲田　健，松井健太郎＞

5. 気分安定薬

1 気分安定薬とは？

POINT 気分安定薬の適応疾患・標的症状

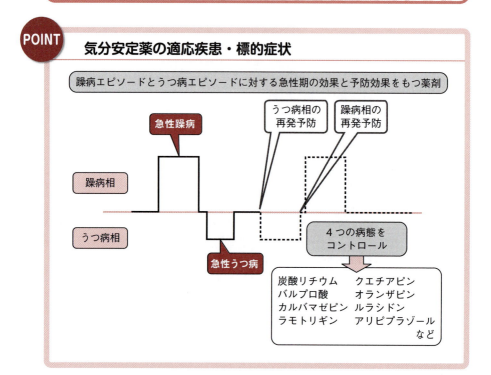

古くから使用されてきた炭酸リチウムに加え，抗てんかん薬であるバルプロ酸，カルバマゼピンの3剤は双極性障害に対してしばしば用いられ，気分安定薬とよばれてきた．加えて，新規抗てんかん薬として登場したラモトリギンの双極性障害，特にうつ状態に対する有効性が示されたことから[1, 2]，現在は上記3剤にラモトリギンを加えた4剤を「気分安定薬」とよぶ．

気分安定薬の定義としては，BauerとMitchnerによる「双極性障害において，躁病およびうつ病症状に対する急性期の治療効果を有し，かつ躁病およびうつ病症状に対する予防効果を有する薬剤」というものがある[3]．ただし，それをすべて満たすのは非常に難しい．英国国立医療技術評価機構（national institute for health and clinical excellence：NICE）ガイドライ

5. 気分安定薬

表　病相と目的による使い分け

	急性期治療	維持療法
躁状態	**炭酸リチウム** **バルプロ酸** **カルバマゼピン** クエチアピン **オランザピン** アリピプラゾール ハロペリドール クロルプロマジン ゾテピン リスペリドン パリペリドン アセナピン	炭酸リチウム バルプロ酸 カルバマゼピン **ラモトリギン** クエチアピン オランザピン アリピプラゾール*2 パリペリドン アセナピン
うつ状態	ラモトリギン 炭酸リチウム **クエチアピン***1 オランザピン ルラシドン	

太字でないものは日本では適応外．
*1 徐放剤のみ保険適用，*2 持続性注射剤のみ保険適用
（各種ガイドラインおよび文献5をもとに作成）

ン[4]では，気分安定薬について，「双極性障害の病相治療に効果があり，同病相の再発を予防し，また，反対の病相の発現リスクを悪化させない」と定義している．

　BauerとMitchnerの定義に沿って考え，エビデンスと照らし合わせると，その条件を満たすのは炭酸リチウム，クエチアピンのみである．NICEガイドラインによる定義でいえば，炭酸リチウム，バルプロ酸，カルバマゼピン，ラモトリギンに加え，多くの第二世代抗精神病薬がその条件を満たす（表）．

　以上から，古典的に使われてきた炭酸リチウムおよび抗てんかん薬を「狭義の」気分安定薬，それに第二世代抗精神病薬を加えたものを「広義の」気分安定薬とよんでもよいのではないかと思われる．ここでは気分安定薬，第二世代抗精神病薬を含めて，NICEガイドラインによる気分安定薬の定義を満たす薬剤を「気分安定化作用をもつ薬剤」と示した（図）．

　本稿では**炭酸リチウム，バルプロ酸，カルバマゼピン，ラモトリギンの4剤**を「気分安定薬」として中心に据えて紹介するが，実臨床においては，

```
         （気分安定化作用をもつ薬剤）

      （狭義の）気分安定薬         クエチアピン
        炭酸リチウム             オランザピン
        バルプロ酸              アリピプラゾール
        カルバマゼピン           リスペリドン　など
        ラモトリギン
```

図　気分安定薬とは？

　これらの気分安定薬，第二世代抗精神病薬の双方が第一選択となりうるし，炭酸リチウムもしくはバルプロ酸と，第二世代抗精神病薬の併用も第一選択としてよい．気分安定薬と抗精神病薬の併用療法は，気分安定薬単剤に比べて抗躁効果が有意に大きいとの報告[6]があることも念頭に入れつつ，治療薬を選択していくのがよいだろう．

　双極性障害の患者さんでは，気分症状が改善すると「以前の状態に回復した」という実感が生じ，服薬アドヒアランスが低下しやすいことが指摘されている[7]．気分安定薬を中断すると，10カ月で約半数が再発する[8]ことから，服薬アドヒアランスの維持に向けた疾病教育が非常に重要である[9]．近年，アリピプラゾールの持続性注射剤がわが国の双極性障害治療において使用可能となり，服薬アドヒアランスがどうしても安定しない患者さんへの治療選択肢として期待されている．

● 文　献 ●

1） Calabrese JR, et al：A double-blind placebo-controlled study of lamotrigine monotherapy in outpatients with bipolar I depression. Lamictal 602 Study Group. J Clin Psychiatry, 60：79-88, 1999
2） Calabrese JR, et al：A placebo-controlled 18-month trial of lamotrigine and lithium maintenance treatment in recently depressed patients with bipolar I disorder. J Clin Psychiatry, 64：1013-1024, 2003
3） Bauer MS & Mitchner L：What is a "mood stabilizer"? An evidence-based response. Am J Psychiatry, 161：3-18, 2004
4） National Collaborating Centre for Mental Health（UK）：Bipolar disorder：

assessment and management. Clinical guideline：CG185, 2014
https://www.nice.org.uk/guidance/cg185
5）Carvalho AF, et al：Bipolar Disorder. N Engl J Med, 383：58-66, 2020
6）Smith LA, et al：Acute bipolar mania: a systematic review and meta-analysis of co-therapy vs. monotherapy. Acta Psychiatr Scand, 115：12-20, 2007
7）Keck PE Jr, et al：Compliance with maintenance treatment in bipolar disorder. Psychopharmacol Bull, 33：87-91, 1997
8）Sharma PS, et al：Outcome of mood stabilizer discontinuation in bipolar disorder after 5 years of euthymia. J Clin Psychopharmacol, 34：504-507, 2014
9）Colom F, et al：A randomized trial on the efficacy of group psychoeducation in the prophylaxis of recurrences in bipolar patients whose disease is in remission. Arch Gen Psychiatry, 60：402-407, 2003

＜松井健太郎＞

2 気分安定薬の作用機序

POINT 作用機序は不明な点が多い

- 神経保護作用と神経新生促進作用？
  メカニズムとして下記のような作用が想定されているが，確定的ではない
  ① GSK-3β阻害作用
  ② イノシトール系における作用
  ③ ヒストン脱アセチル化酵素（HDAC）阻害作用
  ④ 小胞体ストレス系への作用
  ⑤ ミトコンドリアへの作用
  ⑥ グルタミン酸受容体への作用 など

　炭酸リチウム，バルプロ酸，カルバマゼピン，ラモトリギンの4剤の作用機序に関しては依然不明な点が多いが，神経保護作用，神経新生促進作用が現在考えられている．

　そのメカニズムとしては，①GSK-3β（glycogen synthase kinase 3β）阻害作用[1]，②イノシトール系における作用[2]，③ヒストン脱アセチル化酵素（histone deacetylase：HDAC）阻害作用[3]，④小胞体ストレス系への作用[4]，⑤ミトコンドリアへの作用[5]，⑥グルタミン酸受容体への作用[6]，などが想定されているが，どれも現時点では確定的ではない．

　なお，気分安定化作用をもつ第二世代抗精神病薬の作用機序に関しては，p35「抗精神病薬の作用機序」の項をご参照いただきたい．

● 文　献 ●

1）Klein PS & Melton DA：A molecular mechanism for the effect of lithium on development. Proc Natl Acad Sci USA, 93：8455-8459, 1996
2）Williams RS, et al：A common mechanism of action for three mood-stabilizing drugs. Nature, 417：292-295, 2002
3）Phiel CJ, et al：Histone deacetylase is a direct target of valproic acid, a potent

  anticonvulsant, mood stabilizer, and teratogen. J Biol Chem, 276：36734-36741, 2001
4）Wang JF, et al：Differential display PCR reveals novel targets for the mood-stabilizing drug valproate including the molecular chaperone GRP78. Mol Pharmacol, 55：521-527, 1999
5）Chen G, et al：The mood-stabilizing agents lithium and valproate robustly increase the levels of the neuroprotective protein bcl-2 in the CNS. J Neurochem, 72：879-882, 1999
6）Du J, et al：Modulation of synaptic plasticity by antimanic agents: the role of AMPA glutamate receptor subunit 1 synaptic expression. J Neurosci, 24：6578-6589, 2004

＜松井健太郎＞

3 気分安定薬の効果

POINT　気分安定薬の効果

抗うつ薬

気分の波

躁転のリスク！

気分安定薬

気分の波

波が小さくなる

躁病相・うつ病相をあわせもつ双極性障害の患者さんに対して，抗うつ薬治療を行うことは躁転のリスクとなるため望ましくない．躁病相・うつ病相をともに抑制する気分安定薬での治療が推奨される．

　抗うつ薬はうつ状態からもちあげる効果はあるものの，「気分を安定させる」効果に欠けるため，POINTに示したとおり，双極性障害の患者さんに投与した場合，**躁転のリスク**が示唆されている．また，抗うつ薬（特に三環系抗うつ薬）は，躁・うつの病相を短期間のうちにくり返す状態（**ラピッドサイクラー化**）に陥らせる危険性がある[1]．

　双極性障害，うつ状態の難治例には抗うつ薬が使用されることもあるが，双極性障害の患者さんにはそもそも抗うつ薬が効きにくいとの指摘[2]がある．気分安定薬と抗うつ薬を併用した場合も，気分安定薬の単独治療と比較して治療効果が優れているわけではない[3]．前述の躁転リスクなども考慮すると，抗うつ薬の投与は慎重に行うべきだろう．

基本的には，気分安定化作用をもつ薬剤（気分安定薬および第二世代抗精神病薬）が，双極性障害の患者さんへの薬物治療において中核を担うこととなる．単極性うつ病と診断されるか，双極性障害と診断されるかではその後の治療方針が大きく異なってくるため，その診断はとても重要である．近年，気分安定薬であるラモトリギンに加え，クエチアピン徐放剤，オランザピン，ルラシドンなどの第二世代抗精神病薬が双極性障害の患者さんのうつ状態に有効であることが示されており[4]，双極性障害治療における抗うつ薬の使用は，今後ますます限定的になっていくことと思われる．

● 文　献 ●

1） Fountoulakis KN, et al：A systematic review of the evidence on the treatment of rapid cycling bipolar disorder. Bipolar Disord, 15：115-137, 2013
2） Ghaemi SN, et al：Antidepressants in bipolar disorder: the case for caution. Bipolar Disord, 5：421-433, 2003
3） Sachs GS, et al：Effectiveness of adjunctive antidepressant treatment for bipolar depression. N Engl J Med, 356：1711-1722, 2007
4） Kishi T, et al：Lurasidone, olanzapine, and quetiapine extended-release for bipolar depression: A systematic review and network meta-analysis of phase 3 trials in Japan. Neuropsychopharmacol Rep, 40：417-422, 2020

＜松井健太郎＞

4 気分安定薬の適応疾患，標的症状

POINT　DSMにおける気分障害の考え方

エピソード＝他の期間と明らかに異なる

躁病エピソード
- 爽快/愉快な気分
- 自分が一番偉い，正しいと感じる
- 口数が多く早口，誰にでも話しかける
- アイデアや考えが次々に浮かぶ
- 気が散りやすい
- 非常に活動的
- 眠らなくても平気
- 無分別/無謀な行動をとる

うつ病エピソード
- 気分が落ち込む
- 疲れやすい
- 興味がなくなる
- 楽しいと感じられない
- 食欲がない
- 眠れなくてつらい
- 集中力や決断力の低下
- 死にたいと思う
- 話し方や動作が鈍くなる/イライラして落ち着きがなくなる

DSM：Diagnostic and Statistical Manual of Mental Disorders
（文献1を参考に作成）

1 双極性障害

　　一般的に双極性障害の患者さんは，経過のなかで躁病相およびうつ病相の両方を経験し，それが回復し寛解となった後も高率に再発することが知られている．その際には躁病エピソードでの再発，うつ病エピソードでの再発，どちらの可能性も考えられる．

　　双極性障害では，寛解状態となった後，本人の自覚としても，家族から

みてもほとんど症状が目立たなくなることも少なくないため、怠薬・断薬につながるケースが多い．

一方で頻回の再発、寛解をくり返すうちに、次第に認知機能・社会機能が低下していく可能性がある．**怠薬・断薬により再発のリスクは有意に上昇するため**、薬物治療を継続することが非常に重要である．

そのためにも、本人および家族に再発のリスクを十分に説明し、服薬継続の必要性をしっかりと理解してもらう必要がある．

2 双極性障害以外の適応疾患・標的症状

気分安定薬は、双極性障害の患者さん以外にも使用するケースがある．例えば、認知症の患者さんにおける情動の不安定さ[2]、パーソナリティ障害でみられる自傷行為をはじめとした衝動行為[3]、自閉スペクトラム症でみられる気分の易変性、問題行動など[4]にも使用されうる（表）．また、うつ病の患者さんに対して抗うつ薬を使用中に、気分安定薬を併用しその作用の増強を図るという方法もあり、特に炭酸リチウムはこのような使用がよくなされる[5]．

気分安定薬は「穏やかな気性にする」効果が期待できるという側面がある．便利な薬である一方、後述するようにそれぞれの薬剤には特徴的な副作用があるので、その使用に際しては十分に注意をする必要がある．

表　双極性障害以外で気分安定薬を使用するケース

- 情動の安定を図りたいとき
  （認知症、パーソナリティ障害、自閉スペクトラム症にも）
- 抗うつ薬の増強効果

（文献2〜5を参考に作成）

●文　献●

1) 「Diagnostic and Statistical Manual of Mental Disorders, 5th Edition」（American Psychiatric Association）, American Psychiatric Publishing, 2013
2) Yeh YC & Ouyang WC：Mood stabilizers for the treatment of behavioral and psychological symptoms of dementia: an update review. Kaohsiung J Med Sci, 28：185-193, 2012

3) Lieb K, et al：Pharmacotherapy for borderline personality disorder: Cochrane systematic review of randomised trials. Br J Psychiatry, 196：4-12, 2010
4) Hollander E, et al：Divalproex sodium vs placebo for the treatment of irritability in children and adolescents with autism spectrum disorders. Neuropsychopharmacology, 35：990-998, 2010
5) Crossley NA & Bauer M：Acceleration and augmentation of antidepressants with lithium for depressive disorders: two meta-analyses of randomized, placebo-controlled trials. J Clin Psychiatry, 68：935-940, 2007

＜松井健太郎＞

5 気分安定薬の副作用

POINT 主な気分安定薬4剤にみられる副作用

炭酸リチウム	手指振戦，口渇，胃腸障害，腎機能障害，甲状腺機能障害 胎児の心臓奇形リスク
バルプロ酸	胃腸症状，肝機能障害，月経異常，眠気，白血球減少，血中アンモニア濃度上昇 胎児の催奇形性（二分脊椎など）・IQの低下
カルバマゼピン	めまい，運動失調，複視，眠気，倦怠感，低ナトリウム血症，白血球減少症，肝機能障害，重篤な皮膚症状 胎児の催奇形性（二分脊椎など）
ラモトリギン	Stevens-Johnson症候群，中毒性表皮壊死症など重篤な皮膚症状

　気分安定薬は薬剤ごとに作用機序が異なり，副作用も大きく異なる．次項の「各気分安定薬の特徴と使い方」を参照のこと（p136～140）．

　後述するように，**炭酸リチウム，バルプロ酸，カルバマゼピンの3剤は胎児への悪影響があるため，妊娠中の使用は控えるべきである**．若年女性の双極性障害の患者さんでは，妊娠の可能性に留意しつつ薬剤調整を行うのが望ましい．妊娠が発覚した場合には維持療法のため，第二世代抗精神病薬で代替するのもよいだろう．

<松井健太郎>

6 各気分安定薬の特徴と使い方

> **POINT** 気分安定薬の分類
>
> - 炭酸リチウム（リーマス®）
> - バルプロ酸ナトリウム（デパケン®）
> - カルバマゼピン（テグレトール®）
> - ラモトリギン（ラミクタール®）

総論

先にも述べた通り，現在一般的にいわれている「気分安定薬」とは，炭酸リチウム，バルプロ酸，カルバマゼピン，ラモトリギンの4剤である．

1 炭酸リチウム

最も古典的な気分安定薬で，急性躁病および急性うつ病に対しての治療効果，躁病およびうつ病の再発予防効果が十分に立証されており，**双極性障害治療の第一選択薬**である[1]．また，自殺のリスク（既遂・未遂ともに）を有意に下げることも知られている[2,3]．ただし，大量内服時には致死的となりうるというジレンマがある．

効果発現にはやや時間がかかり，少なくとも**数週間ほどを要する**[4]．

有効治療血中濃度と中毒濃度が近接しているため，**リチウム中毒**（p312）**に注意が必要**．脱水で血中濃度が中毒域に達することがあるため，感染症罹患，下痢，急な食事量の低下などには注意が必要である．ロキソプロフェン（ロキソニン®）を中心としたNSAIDsも，腎機能を低下させリチウム中毒のリスクとなるので，併用は避けるべきである（p27参照）．腎排泄型であり，肝機能障害がある患者さんに使用しやすい．

副作用は手指振戦，口渇，胃腸障害，腎機能障害，甲状腺機能障害など（中毒域でなくとも出現しうる）．**腎疾患，心血管疾患，脳波異常には禁忌**である．したがって他の気分安定薬と異なり，**てんかん患者さんへの投与が禁忌**となっている．

妊娠中の炭酸リチウム服用により，胎児の心臓奇形リスクが上昇することから，若年女性への投与には注意が必要である[5]．

2 バルプロ酸ナトリウム

国内外にて，双極性障害の患者さんに多く使用されている抗てんかん薬である．

イライラ感や衝動性に対して効果的であり，穏やかな鎮静効果ももつ．徐放剤（デパケン®Rなど）や細粒，シロップ剤など剤形も豊富である．その情動を落ち着かせる作用から，双極性障害の患者さん以外にも多く使用される．

バルプロ酸の躁病相に対する効果や躁病の再発予防に対する効果は，多くの研究にて十分に証明されている（炭酸リチウムと同等）．炭酸リチウムと異なり抗うつ効果は乏しいと考えられているが，うつ病相での再発予防には効果があるとされた報告もある[1]．

副作用としては食欲不振・嘔気嘔吐・下痢といった胃腸障害，肝機能障害，月経異常，眠気，白血球減少，血小板減少，血中アンモニア濃度の上昇などである．肝代謝型であるため，炭酸リチウムと異なり**腎機能障害の患者さんにも使用しやすい**．肝機能障害がある患者さんに使用しやすい炭酸リチウムと，相補的な関係にあるといえる．

妊娠中のバルプロ酸服用により，胎児の催奇形性（二分脊椎など），IQの低下が示されていることから，若年女性への投与には注意が必要である．胎児への影響は用量依存的に出現するので，患者さんの妊娠が発覚した場合には，バルプロ酸の中止か，少なくとも減量を検討すべきである[5]．

なお，ラモトリギンと併用した場合，代謝を阻害しラモトリギンの血中濃度を上昇させてしまう．ラモトリギンの血中濃度上昇により，重篤な皮膚症状をきたすことがあるため，注意が必要である．

3 カルバマゼピン

古くより国内を中心に使用されてきた抗てんかん薬である．衝動のコントロールにおいて，特に爆発的な衝動性によいとされてきた．また疼痛に対する効果も期待できる．双極性障害の治療では，急性躁病および躁病の再発予防に効果が示されている[1]．

副作用としてはめまい，運動失調，複視，眠気，倦怠感，低ナトリウム血症，白血球減少，肝機能障害があげられる．またラモトリギンと同様，重篤な皮膚症状発現の可能性もある．

バルプロ酸と同様，胎児の催奇形性（二分脊椎など）が示されており，若年女性への投与には注意が必要である[5]．

肝代謝の際の酵素誘導（CYP3A4の活性誘導）により，バルプロ酸やラモトリギンなど他の抗てんかん薬や三環系抗うつ薬，抗精神病薬の代謝を促進し，血中濃度を低下させるため注意が必要である．

4 ラモトリギン

ラモトリギンは新規抗てんかん薬の1つである．炭酸リチウム，バルプロ酸，カルバマゼピンと異なり躁病相への治療効果は乏しい．一方，**抗うつ効果およびうつ病相での再発予防効果が期待される**ため，双極性障害の患者さんへの薬剤選択として，炭酸リチウムとともに第一選択薬とされている[1]．

比較的忍容性に優れた薬剤とされる．他の気分安定薬と異なり，妊婦に対しても比較的安全に使用できる．

ただしラモトリギンは，**スティーヴンス・ジョンソン症候群（Stevens-Johnson syndrome：SJS，皮膚粘膜眼症候群）や中毒性表皮壊死症**（toxic epidermal necrolysis：TEN）など重篤な皮膚症状を引き起こす恐れがある．皮膚症状は四肢・体幹・顔面などの小発疹から始まり，数日のうちに重篤化し全身の粘膜病変が出現するという経過をたどるため，**小発疹の発現時にはすぐさま内服を中止するよう事前によく説明する必要がある**．

なお，ラモトリギンで一度皮膚症状を生じた患者さんには，再投与で同様の症状を生じる可能性が高いため，原則として投与しない．急な増量が薬疹発現のリスクを高めるため，添付文書には薬剤増量のプロトコールが

記されている．これはかならず遵守すべきだろう．筆者の経験上の印象では，添付文書通りの増量をしていても，皮疹が発現するケースもある．ラモトリギンの**増量は慎重に行うべき**である[6]．

薬剤ごとの特徴と使い方

炭酸リチウム

商品名	リーマス®
剤形	錠剤
用法例	400〜600 mg/日を1日2〜3回に分けて投与開始．血清リチウム濃度を測定しながら，以後3日ないし1週間ごとに治療量1,200 mg/日までに漸増．改善がみられたら，維持量200〜800 mg/日に1日1〜3回に分けて漸減
特徴	古典的な抗躁病薬．双極性障害の治療の第一選択．穏やかな抗うつ効果ももちあわせる 有効治療血中濃度（0.4〜1.2 mEq/L）と中毒を呈する血中濃度（1.5 mEq/L以上）が近いため，リチウム中毒に注意する（血中濃度が2.0 mEq/L以上で意識障害やけいれんなど重篤な副作用，2.5 mEq/L以上で不可逆的な神経障害・心伝導障害から致死的となることも） 腎疾患，心血管疾患，脳障害には禁忌 胎児の催奇形性あり，妊娠中の投与は控えるべき

バルプロ酸ナトリウム

商品名	デパケン®（セレニカ®は徐放剤のみ）
剤形	錠剤，徐放錠，徐放顆粒，シロップ，細粒
用法例	【躁病および躁うつ病の躁状態（デパケン®）】400〜1,200 mg/日を1日2〜3回に分服 徐放剤の規格が複数あるため，用法用量は添付文書を確認
特徴	抗てんかん薬．イライラ感や衝動性に効果，穏やかな鎮静効果ももつ．抗躁効果に優位な気分安定薬 肝代謝型であるため，腎機能障害の患者さんにも使用しやすい 胎児の催奇形性・IQの低下リスクあり，妊娠中の投与は控えるべき

▶ カルバマゼピン

商品名	テグレトール®
剤形	錠剤，細粒
用法例	【躁病，躁うつ病の躁状態，統合失調症の興奮状態】200～400 mg/日を1日1～2回に分服，効果が得られるまで600 mg/日に増量，1,200 mg/日まで
特徴	抗てんかん薬．イライラ感や衝動性，疼痛に効果．抗躁効果に優位な気分安定薬 肝代謝の際の酵素誘導による相互作用が多い 胎児の催奇形性あり，妊娠中の投与は控えるべき

▶ ラモトリギン

商品名	ラミクタール®
剤形	錠剤
用法例	併用薬の有無により用法用量が異なるため，添付文書を確認
特徴	新規抗てんかん薬．他の気分安定薬と異なり，抗うつ効果が優位な気分安定薬 忍容性に優れ，妊婦への使用も比較的安全 重篤な皮膚症状（SJS・TEN）には注意が必要

● 文　献 ●

1) 松井健太郎, 稲田健：気分安定薬の多剤併用. 精神科治療学, 27：29-35, 2012
2) Baldessarini RJ, et al：Lithium treatment and suicide risk in major affective disorders: update and new findings. J Clin Psychiatry, 64 Suppl 5：44-52, 2003
3) Cipriani A, et al：Lithium in the prevention of suicidal behavior and all-cause mortality in patients with mood disorders: a systematic review of randomized trials. Am J Psychiatry, 162：1805-1819, 2005
4) Coppen A, et al：Prophylactic lithium in affective disorders. Controlled trial. Lancet, 2：275-279, 1971
5) Epstein RA, et al：Treatment of bipolar disorders during pregnancy: maternal and fetal safety and challenges. Drug Healthc Patient Saf, 7：7-29, 2015
6) Messenheimer J, et al：Safety review of adult clinical trial experience with lamotrigine. Drug Saf, 18：281-296, 1998

＜松井健太郎＞

6. 抗認知症薬

1 抗認知症薬とは？

> **POINT**
>
> ### 抗認知症薬の効果と分類
>
> **抗認知症薬の分類**
> - Alzheimer型認知症（AD），Lewy小体型認知症（DLB）における中核症状（記憶，思考，見当識の障害，失語，失行，実行機能障害など）の改善効果をもつ
> - アセチルコリンエステラーゼ（AChE）阻害薬，NMDA受容体拮抗薬の2種類
>
> **抗認知症薬の分類**
>
> ＜アセチルコリンエステラーゼ（AChE）阻害薬＞
> ・ドネペジル（アリセプト®，アリドネ®パッチ）
> ・ガランタミン（レミニール®）
> ・リバスチグミン（イクセロン®パッチ／リバスタッチ®パッチ）
>
> ＜NMDA受容体拮抗薬＞
> メマンチン（メマリー®）

Alzheimer型認知症（AD），Lewy小体型認知症（DLB）における中核症状（記憶障害，見当識障害，失語，失行，実行機能障害）の改善効果をもつが，病態の進行を抑制することは実証されていない．そのため，効果が認められない場合には漫然と投与しない．

2022年11月現在，アリセプト®のみADとDLBの双方に適応があり，他の3剤はADにのみ適応がある．認知症症状の改善を目標とする薬剤であるため，処方の前後に認知機能を評価し，無効なら中止する．副作用として消化器症状や，不安・焦燥の悪化，不整脈，めまい，転倒に注意し，出現した場合は中止を検討する．特に，不安・焦燥を認知症の周辺症状と誤診しないよう注意する．

血管性認知症の場合は，高血圧，脂質異常症などの基礎疾患の治療によ

る増悪や再発の予防（血栓形成の予防，危険因子の除去）が現時点では中心となっている．

＜押淵英弘＞

抗認知症薬の今後の期待 Column

　認知症の治療として，神経機能を補い症状を改善させる**症状改善薬**，神経細胞の病理学的進行を抑制する**疾患修飾薬**，損傷を受けた神経細胞を修復し再生を促す**神経修復・再生薬**が考えられる．現在上市されている認知症治療薬はすべて症状改善薬であり，認知症の進行を抑制する疾患修飾薬が次世代の認知症治療薬として期待されている．

　疾患修飾薬の開発は，「アルツハイマー病はアミロイドβタンパク質やタウタンパク質の蓄積が脳委縮に至る神経病理と関連している」とするアミロイド仮説やタウ仮説を基盤としている．これらの仮説に基づき，アミロイドβタンパク質に結合し，分解除去する抗体医薬であるアデュカヌマブやレカネマブといった次世代認知症治療薬・疾患修飾薬が開発されている．

　疾患修飾薬は，認知症の症状を生じる前に投与し，アミロイドβタンパク質の減少の後，"認知症を発症しない（悪化させない）"という最終アウトカムを得る必要がある．現時点では，アミロイドβタンパク質を減少させる効果はありそうだが，症状改善まで至ることができるのかは明らかにはなっておらず，今後の臨床開発に大いに期待が集まっている．

〈稲田　健〉

6. 抗認知症薬

抗認知症薬の作用機序

> **POINT** AChE阻害薬の作用機序

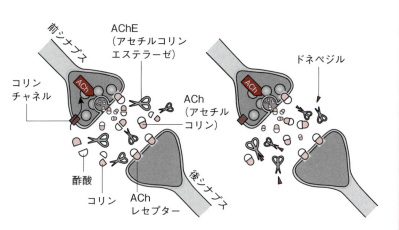

1 アセチルコリンエステラーゼ（AChE）阻害薬（表1）

　AChE阻害薬は，シナプス間隙においてアセチルコリン分解酵素であるアセチルコリンエステラーゼ（acetylcholinesterase：AChE）を阻害する，シナプス間隙でのアセチルコリン（ACh）濃度を高め，ACh作動性神経系のシグナル伝達を活性化することにより，認知機能障害を改善させる（POINT）．

表1　AChE阻害薬

- ●コリン仮説に基づく

〈コリン仮説〉
- ・Alzheimer型認知症（AD）患者さんの死後脳の大脳皮質において，記憶に関係するAChの合成酵素であるコリンアセチルトランスフェラーゼ（ChAT）活性が低下しているとの報告（1976年）
- ・Lewy小体型認知（DLB）では，AD以上にChAT活性が低下しているといわれている
  - → 脳内のACh濃度を高めれば，記憶を改善できるのでは？

POINT NMDA受容体拮抗薬の作用機序

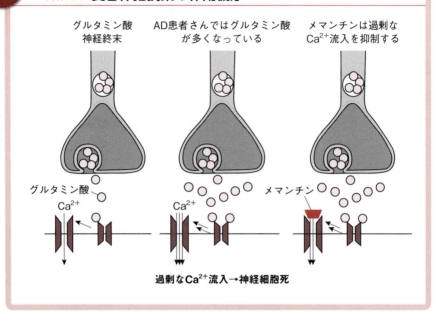

2 NMDA受容体拮抗薬

　　NMDA（N-メチル-D-アスパラギン酸）受容体はグルタミン酸受容体のサブタイプであり，記憶形成にかかわる海馬にも存在している．ADでは細胞外のグルタミン酸濃度が高くなっており，NMDA受容体は常に過活性化状態となり，持続的な細胞内へのCa^{2+}流入が生じる．過剰なCa^{2+}の細胞内流入は神経細胞死（アポトーシス）を誘導する．

　　メマンチンはNMDA受容体に対する非競合的受容体拮抗薬であり，持続的な細胞内へのCa^{2+}流入を抑制して神経細胞を保護する（表2）．一方で，生理的な情報伝達には悪影響を与えず認知機能を改善させる．

表2　NMDA受容体拮抗薬：メマンチン

- NMDA受容体拮抗作用
- 記憶を司る海馬において，過剰なグルタミン酸による神経細胞毒性やLTP（long-term potentiation：長期増強）形成障害に効果を示す

　　　　　　　　　　　　　　　　　　　　　　　　　　＜押淵英弘＞

6. 抗認知症薬

3 抗認知症薬の効果

POINT 抗認知症薬のエビデンス

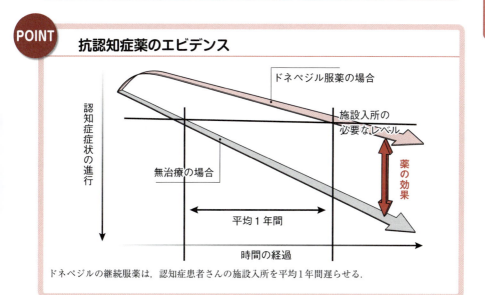

ドネペジルの継続服薬は，認知症患者さんの施設入所を平均1年間遅らせる．

　抗認知症薬には，病態の進行を阻止する実証はない．つまり，Alzheimer型認知症（AD）やLewy小体型認知症（DLB）の進行を阻止しない．ドネペジルは，アセチルコリンエステラーゼ（AChE）を阻害することでアセチルコリン依存性の神経伝達を補い，認知機能を開始時から最大2年間維持すると推定され[1]，施設入所が必要となる時期の到来を約1年遅らせることが期待される[2]．また，メマンチンは，NMDA受容体を阻害して，過剰なグルタミン酸の刺激から神経細胞を保護する．いずれの抗認知症薬も認知機能の改善と悪化を遅延させる作用の他に，認知症の行動・心理症状（behavioral and psychological symptoms of dementia：BPSD）（p244「認知症」を参照）の改善効果も認められている．

　認知機能は評価尺度によって確認され，統計的な有意差が得られているが，実際の臨床では，患者さん自身が実感できるほどの認知機能の改善が得られることは多くなく，大部分は，介護者が特定の場面で気づく程度の

ものである．しかしBPSDを改善させることができると，対症療法的に用いていた向精神薬の減薬や，介護負担の減少などのメリットが得られる可能性がある．

● 文　献 ●

1）Arai H, et al：Disease state changes and safety of long-term donepezil hydrochloride administration in patients with Alzheimer's disease: Japan-great outcome of long-term trial with Donepezil (J-GOLD). Psychogeriatrics, 18：402-411, 2018
2）Howard R, et al：Nursing home placement in the Donepezil and Memantine in moderate to severe Alzheimer's disease (DOMINO-AD) trial: secondary and post-hoc analyses. Lancet Neurol, 14：1171-1181, 2015

<押淵英弘>

抗認知症薬の適応疾患，標的症状

POINT

各抗認知症薬の作用と適応

	ドネペジル	ガランタミン	リバスチグミン	メマンチン
作用機序	AChE 阻害	AChE 阻害	AChE 阻害	NMDA 受容体拮抗
適応	軽度〜高度の AD, DLB（貼付剤は AD のみ）	軽度〜中等度の AD	軽度〜中等度の AD	中等度〜高度の AD

抗認知症薬は，AChE 阻害薬と，NMDA 受容体拮抗薬の 2 種類が認可されている．
本邦ではドネペジル（経口剤）のみ DLB と AD に対して保険適用があり，他の薬剤は AD に対してのみ保険適用がある．
いずれも，中核症状である認知機能障害への有効性が示されており，一部，行動・心理症状（BPSD）に対する有効性も報告されている．

　AChE 阻害薬は，中核症状である認知機能障害に対しての有効性が示されている．ドネペジル，ガランタミン，リバスチグミンの治療効果には明確な差はない．焦燥，興奮，攻撃性，抑うつなど一部の認知症の行動・心理症状（BPSD）に対する有効性を示す報告もみられる．

　NMDA 受容体拮抗薬は，中等度〜高度 AD 患者さんにおける，認知機能障害への有効性が示されている．軽度〜中等度 AD 患者さんに対する治療効果は境界線上と報告されている．BPSD の改善効果も報告されている．

　DLB においては，ドネペジル（経口剤のみ）が保険適用である．また保険適用外ではあるが，リバスチグミンの有効性が複数の試験で示されている．

　血管性認知症において，ドネペジルやガランタミンが有効であったとする報告もあるが，否定的な意見もある．なお本邦では保険適用外である．

　認知症の周辺症状を，認知症の行動・心理症状（BPSD）という．心理症状として抑うつ，不安，幻覚，妄想など，行動異常として暴言・暴力，拒絶，徘徊，不潔行為などがある．症状に合わせて，向精神薬による薬物

療法が行われる場合も多いが，副作用の観点から漫然と続けるべきではない．

特にLewy小体型認知症や血管性認知症では，抗精神病薬への過敏性が高い．使用する際にはパーキンソニズムなどの発現や悪化に十分な注意が必要である．なおLewy小体型認知症の診断基準にも示唆的特徴として「顕著な抗精神病薬に対する感受性」があげられている[1]．

● 文　献 ●
1）橋本 衛：治療：薬物療法の立場から 向精神薬 特に抗精神病薬の使用をどう考えるか．認知症の最新医療，3：79-84，2013

<押淵英弘>

5 抗認知症薬の副作用

POINT 各抗認知症薬の主な副作用

	ドネペジル	ガランタミン	リバスチグミン	メマンチン
主な副作用	消化器症状（食欲不振，悪心，嘔吐，下痢など）錐体外路症状	消化器症状（食欲不振，悪心，嘔吐，下痢など）	貼付部位の皮膚症状（紅斑，瘙痒感など）※消化器症状は少ない	めまい，頭痛，眠気，便秘
代謝・排泄	肝代謝	肝・腎50％ずつ	腎排泄	腎排泄
半減期	90時間	7～9時間	3時間	55～71時間

　ドネペジル，ガランタミンの副作用として最も頻度が高いのは，食欲不振，悪心，嘔吐，下痢などの消化器症状であり，数〜10％以上の発現率である．消化器系副作用への対策としては，段階的に増量することや，対症療法として消化器系薬剤（制吐薬や胃腸薬など）を一時的に併用することなどがあげられる．通常は投与開始から1週間程度で軽減することが多い．またコリン作動性作用により，徐脈や動悸がみられる．

　リバスチグミンは，他のAChE阻害薬に比べ消化器症状が少ない．貼付剤であり，経口薬に比べ投与直後の急峻な上昇がないためである．しかし貼付部位の皮膚症状には注意が必要である．皮膚症状の予防のためには，背部，上腕部，胸部の健康な皮膚に貼付し，24時間ごとに場所を変えて貼り替える．はがした場所には保湿剤などを塗布しておくのも有効である．水泳などのスポーツは可能であるが，高熱や直射日光は避ける．

　メマンチンは，頭痛，めまい，眠気などの副作用がある．消化器症状は少ないが，長期内服における主な副作用として便秘がある．

　いずれの薬剤も，興奮，焦燥，易怒性などの精神症状が，1％未満で発現する．まずは抗認知症薬の減量や中止，変更を検討し，認知症のBPSDと誤診しないように注意する．他の向精神薬が必要となる場合もあるが，いずれも少量から開始し，必要最低限の使用にとどめるべきである．

＜押淵英弘＞

各抗認知症薬の特徴と使い方

POINT 各抗認知症薬の概要

	ドネペジル	ガランタミン	リバスチグミン	メマンチン
作用機序	AChE阻害	AChE阻害	AChE阻害	NMDA受容体拮抗
適応	軽度～高度のAD, DLB	軽度～中等度のAD	軽度～中等度のAD	中等度～高度のAD
剤形	錠, OD錠, 細粒, ゼリー剤, 内用液, ドライシロップ, ODフィルム剤, 貼付剤	錠, OD錠, 内用液	貼付剤	錠剤, OD錠, ドライシロップ

総論

　本邦で適応のある抗認知症薬は，AChE阻害薬と，NMDA受容体拮抗薬の2種類である．

　本邦では，ドネペジル（経口剤）のみAlzheimer型認知症（AD）とLewy小体型認知症（DLB）に適応があり，他の3剤とドネペジルの貼付剤はADにのみ適応がある．

1 AChE阻害薬

　シナプス間隙においてアセチルコリン分解酵素（AChE）を阻害して，アセチルコリン（ACh）濃度を高めることでアセチルコリン作動性神経系のシグナル伝達を活性化させることにより，認知症症状に効果を示す（p143）．

　AChE阻害薬は3つあり，ドネペジル，ガランタミン，リバスチグミンである．

- **ドネペジル**：最も歴史が長く，最も多くのエビデンスをもつ．経口剤は，

軽度～高度まで全重症度のADとDLBで使用できる．剤形が豊富で，1日1回投与である．
- **ガランタミン**：半減期が短く，1日2回投与である．

　ドネペジル，ガランタミンはいずれも消化器症状の副作用が最も多く，患者さんや家族への十分な説明が必要である．
- **リバスチグミン**：貼付剤であり，消化器症状の副作用が少なく忍容性が高い．貼付部位の皮膚症状に留意する．

2 NMDA受容体拮抗薬

　NMDA受容体を選択的に阻害して，過剰なグルタミン酸の刺激から神経細胞を保護することで，認知症症状に効果を示す（p144）．
- **メマンチン**：NMDA受容体拮抗薬は，メマンチンのみである．中等度～高度の重症度ADが対象である．AChE阻害薬と併用することが推奨される．ドネペジルとの併用群で，ドネペジル単剤投与群よりも認知機能改善が良好である可能性が報告されている[1]．

● 薬剤ごとの特徴と使い方

▶ ドネペジル

適応	Alzheimer型認知症（AD）およびLewy小体型認知症（DLB）における認知症症状の進行抑制（貼付剤はADのみ）
商品名	アリセプト®，アリドネ®パッチ
剤形	錠剤，D（OD）錠，内服ゼリー，細粒，内用液，ドライシロップ，ODフィルム剤，貼付剤
用法用量	【軽度～中等度AD】1回5 mg，1日1回．3 mg/日で内服を開始し，1～2週間後に5 mg/日に増量 【高度AD，DLB】1回10 mg，1日1回．3 mg/日で内服を開始し，1～2週間後に5 mg/日に増量，5 mg/日で4週間以上経過後に10 mg/日に増量 貼付剤の用法用量は，添付文書を確認
代謝	CYP3A4，2D6

作用機序	AChE 阻害
特徴	日本では 1999 年に発売され，最も歴史が長く，最も多くのエビデンスをもつ．軽度から高度 AD までの全重症度で使用できる．血中半減期が長く（約 90 時間），1 日 1 回の服用でよい．剤形が豊富で，錠剤の内服が困難な患者さんにも使用しやすい．後発品あり

▶ ガランタミン

適応	軽度および中等度の Alzheimer 型認知症（AD）における認知症症状の進行抑制
商品名	レミニール®
剤形	錠剤，OD 錠，内用液
用法用量	1 回 8 mg，1 日 2 回（16 mg/日）．8 mg/日から開始し，4 週間後に 16 mg/日に増量．投与開始から 4 週間経過後に 24 mg/日まで増量できる
代謝	CYP2D6，3A4
作用機序	AChE 阻害
特徴	AChE 阻害作用とシナプス前神経ニコチン受容体の増強作用により，ACh 受容体の刺激を増強する 肝臓，腎臓で約 50％ずつ代謝・排泄され，半減期は 7〜9 時間と短く，1 日 2 回程度の投与が必要となる

▶ リバスチグミン

適応	軽度および中等度の Alzheimer 型認知症（AD）における認知症症状の進行抑制
商品名	イクセロン® パッチ，リバスタッチ® パッチ
剤形	貼付剤
用法用量	1 回 18 mg，1 日 1 回．4.5 mg/日から開始し，4 週間ごとに 4.5 mg ずつ増量，または 1 回 9 mg，1 日 1 回から開始し 4 週間後に 18 mg に増量
代謝	主にエステラーゼにより加水分解され，その後硫酸抱合を受ける．CYP による代謝はわずか（2D6，3A4 など）
作用機序	AChE 阻害

特徴	貼付剤であるため，嘔気の副作用が少ないこと，内服困難な患者さんでのアドヒアランス向上が期待できる．接触性皮膚炎を生じた場合は，ステロイド外用薬などを使用する AChE阻害作用とブチリルコリンエステラーゼ（BuChE）阻害作用をもつ．BuChEを阻害することによりACh分解を抑制し，コリン系の伝達を促進する．腎排泄型であり，肝臓での代謝を受ける他の薬剤との相互作用をもたない

▶ メマンチン

適応	中等度および高度のAlzheimer型認知症（AD）における認知症症状の進行抑制
商品名	メマリー®
剤形	錠剤，OD錠，ドライシロップ
用法用量	1回20 mg，1日1回．5 mg/日から開始し，1週間ごとに増量 クレアチニンクリアランスが30 mL/分未満の場合は，10 mg/日まで
代謝	代謝されにくい（腎排泄型）
作用機序	NMDA受容体拮抗
特徴	AChE阻害薬に併用可能．過剰なグルタミン酸の刺激から神経細胞を保護する 単剤での使用も可能であるが，AChE阻害薬との併用が望ましい 焦燥，攻撃性などの行動・心理症状（BPSD）への有効性の報告がある

● 文　献 ●

1) Atri A, et al: Memantine in patients with Alzheimer's disease receiving donepezil: new analyses of efficacy and safety for combination therapy. Alzheimers Res Ther, 5：6, 2013

＜押淵英弘＞

7. 発達障害治療薬

1 発達障害治療薬とは？

POINT 日本で適応承認を得ている発達障害治療薬

注意欠如・多動性障害（ADHD）の治療薬

一般名	商品名	適応 小児	適応 成人
メチルフェニデート徐放錠*	コンサータ®	2007年〜	2013年〜
アトモキセチン	ストラテラ®	2009年〜	2012年〜
グアンファシン	インチュニブ®	2017年〜	2019年〜
リスデキサンフェタミン	ビバンセ®	2019年〜	未

＊メチルフェニデート（リタリン®）はADHDに使用できない

自閉スペクトラム症の治療薬

抗精神病薬	一般名	商品名		適応
第一世代	ピモジド	オーラップ®	1982年〜 2021年販売中止	小児の自閉性障害，精神遅滞に伴う症状
第二世代	アリピプラゾール	エビリファイ®	2016年〜	小児期の自閉スペクトラム症に伴う易刺激性
	リスペリドン	リスパダール®	2016年〜	小児期の自閉スペクトラム症に伴う易刺激性

神経発達障害群の治療薬

一般名	商品名		適応
メラトニン	メラトベル®	2020年〜	小児期の神経発達症に伴う入眠困難の改善

1 発達障害治療薬とは

　神経発達症群/神経発達障害群（以下，神経発達障害群）にはいくつかの疾患が含まれ，2013年DSM-5では，表1のようにまとめられた．DSM-Ⅳ-TRから5へ，ICD-10から11への改訂で，診断基準において新たに神

7. 発達障害治療薬

表1　DSM-5　神経発達症/障害群

DSM-5	症名
ID	知的能力障害群
CCD	コミュニケーション症/障害群 （言語障害，音韻障害，吃音症）
ASD	自閉スペクトラム症/障害
ADHD	注意欠如・多動症/性障害
SLD	限局性学習症/障害
MD	運動症群/障害群 （発達性協調運動障害，チック症/障害　など）
	他の神経発達症群/障害群

表2　ICD-11　神経発達症群　第6章「精神，行動，神経発達の疾患」

ICD-11	症名（仮）
6 A00	知的発達症
6 A01	発達性発話または言語症群（吃音など）
6 A02	自閉スペクトラム症
6 A03	発達性学習症
6 A04	発達性協調運動症
6 A05	注意欠如多動症
6 A06	常同運動症
6 A0Y	他の特定される神経発達症
6 A0Z	神経発達症，特定不能
6 E60	二次性神経発達症候群

※ 以下本項では，それぞれ，自閉スペクトラム症，注意欠如・多動性障害（ADHD）と表記する

経発達障害群という枠組みが作られたのが大きな変更点である（**表2**）．

　神経発達障害群の治療目標は，症状をなくすことではなく，**特性と折り合いをつけて生活する**ことである．発達障害治療薬は，症状によるさまざまな悪循環や患者さんの不適応状態を緩和し，環境調整や心理社会的治療の導入がスムーズになるなど，よりよい生活ができるような効果が期待できる．

　神経発達障害群に対して，現在わが国で適応承認を得ている薬は，注意欠如・多動症/注意欠如・多動性障害（以下，注意欠如・多動性障害：

ADHD）に4剤，自閉スペクトラム症/自閉症スペクトラム障害（以下，自閉スペクトラム症）ではピモジドが発売中止となり，第二世代抗精神病薬の2剤である（POINT）．

リスデキサンフェタミンは，本邦で適応承認されたADHD治療薬としては新しく，2019年に小児における適応が承認されたところであるが，他の3つのADHD治療薬は，小児の適応承認から数年が経った後に，成人も適応承認となった．

他にも，現在開発や臨床試験が進んでいる薬剤や薬剤以外の治療法などもあり，今後さらに神経発達障害群に対する治療の選択肢が増えてくると考えられる．

2 注意欠如・多動性障害（ADHD）

神経発達障害群の1つであり，不注意，多動性，衝動性を主症状とする．世界でも日本でも，有病率は5％程度と報告されている（p290も参照）．

3 自閉スペクトラム症

神経発達障害群の1つであり，社会的コミュニケーションおよび対人的相互作用における持続的障害と，行動，興味または活動の限定された反復的な様式で特徴づけられる．

▶ 自閉スペクトラム症の易刺激性

自閉スペクトラム症は中核症状だけでなく多様な関連症状，併存障害を伴い，そのなかでもしばしば認める**攻撃性，気分の易変性，感情制御の困難さなどにより生じる行動上の障害**を，"易刺激性"とよぶ．

知的能力障害群やその他の神経発達障害群における行動障害の臨床研究において，異常行動チェックリスト（aberrant behavior checklist：ABC）が用いられることが多い．自閉スペクトラム症の易刺激性は，ABC日本語版（ABC-J）の「Ⅰ 興奮性」「Ⅱ 無気力」「Ⅲ 常同行動」「Ⅳ 多動」「Ⅴ 不適切な言動」の項目のなかの，「Ⅰ 興奮性（irritability）」の下位尺度で評価される（表3）．

表3 ABC-J 興奮性（irritability）

2	外傷をつくるような自傷行為
4	他者に対して攻撃的
8	不適切な叫び声
10	かんしゃくを起こす
14	怒りっぽい，不機嫌
19	不適切な場面で叫ぶ
25	抑うつ気分
29	要求が受け入れられないと気がすまない
34	ちょっとしたことで泣き叫ぶ
41	すぐに気分が変化する
47	物を壊す，地団駄を踏む，ドアをバタンと閉める
50	自己に苦痛を与えるような行為
52	自分自身に対する暴力行為
57	自分の思ったようにできないとかんしゃくを起こす

（文献1より引用）

● 文　献 ●

1）「異常行動チェックリスト日本語版（ABC-J）による発達障害の臨床評価」（Aman MG, Singh NN/著, 小野義郎/訳著）, じほう, 2006

＜河野美帆＞

2 発達障害治療薬の作用機序

POINT ADHD治療薬の作用機序

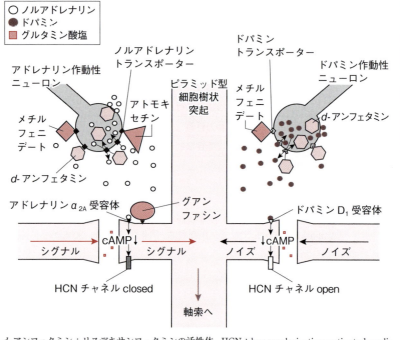

d-アンフェタミン：リスデキサンフェタミンの活性体，HCN：hyperpolarization-activated cyclic uncleotide-gated（非選択的陽イオンチャネル）
（文献1を参考に作成）

1 ADHD治療薬

　注意欠如・多動性障害（ADHD）では，脳の実行機能系と報酬系の機能不全が報告されている．実行機能系は，主に前頭皮質での注意制御，衝動抑制，ワーキングメモリー，行動計画などの認知機能，報酬系は線条体，側坐核での遅延報酬（長期的な報酬を志向した行動）と関連しているといわれている．実行機能系や報酬系にはドパミン神経系とノルアドレナリン

神経系が関与している．ADHDでは，前頭前皮質のノルアドレナリン神経伝達，線条体や側坐核のドパミン神経伝達の機能低下をきたしていると考えられており，ADHD治療薬はこれらの神経伝達を改善する．

▶ メチルフェニデート

線条体と側坐核では，ドパミントランスポーターに結合して再取り込みを阻害し，シナプス間隙のドパミンの量を増やし，前頭前皮質では，ノルアドレナリントランスポーターに結合して再取り込みを阻害し，シナプス間隙のドパミンとノルアドレナリンの量を増やすことによって，シグナル伝達を改善し，ADHD症状の自己コントロールをしやすくする．

▶ リスデキサンフェタミン

リスデキサンフェタミンはプロドラッグであり，活性体であるd-アンフェタミンがメチルフェニデートと同様に，ドパミントランスポーターやノルアドレナリントランスポーターによる再取り込み阻害作用をもつほか，シナプス小胞からのドパミン，ノルアドレナリン遊離を促進する．それらにより脳内ドパミン，ノルアドレナリン濃度を高め，ADHD症状を改善すると考えられている．

▶ アトモキセチン

前頭前皮質では，ノルアドレナリントランスポーターに結合して再取り込みを阻害し，脳内のノルアドレナリンの量を増やし，シグナル伝達を改善しADHD症状の自己コントロールをしやすくする．線条体や側坐核では作用せず，ノルアドレナリンやドパミンの濃度は上昇しない．

▶ グアンファシン

後シナプスのアドレナリン$α_{2A}$受容体を選択的に刺激することで，cAMPの産生が阻害されてHCNチャネルが閉じ，前頭前皮質におけるシグナル伝達が増強され，ADHD症状の自己コントロールをしやすくする．

2 自閉スペクトラム症に伴う易刺激性への治療薬（抗精神病薬）

自閉スペクトラム症の易刺激性は，統合失調症と類似の病態が想定され，ドパミン神経伝達の調整が症状の緩和に寄与する（p34「抗精神病薬」の項参照）．

▶ **アリピプラゾール**

ドパミン D_2 受容体の部分作動薬として作用する（p53参照）.

▶ **リスペリドン**

ドパミン D_2 受容体遮断作用とセロトニン 5-HT_{2A} 受容体遮断作用を有する（p48参照）.

● 文 献 ●

1） Huss M, et al：Guanfacine extended release：A new pharmacological treatment option in Europe. Clin Drug Investig, 36：1-25, 2016

＜河野美帆＞

3 発達障害治療薬の標的症状，適応疾患

POINT 発達障害治療薬の標的症状，適応疾患

	ADHD治療薬	抗精神病薬	入眠改善薬
一般名	メチルフェニデート徐放錠 リスデキサンフェタミン アトモキセチン グアンファシン	アリピプラゾール リスペリドン	メラトニン
標的症状，適応疾患	注意欠如・多動性障害 ①不注意 ②多動性 ③衝動性	小児期の自閉スペクトラム症に伴う易刺激性	小児期の神経発達症に伴う入眠困難の改善

　メチルフェニデート徐放錠，リスデキサンフェタミン，アトモキセチン，グアンファシンは，注意欠如・多動性障害（ADHD）の主症状とされる，①不注意，②多動性，③衝動性の症状を改善させる．
①**不注意**：忘れ物や失くし物が多い，集中困難，うっかりミスが多いなど
②**多動性**：落ち着きがない，じっとしていられない　など
③**衝動性**：思いついた行動を唐突に行う，順番待ちが苦手　など

　抗精神病薬であるアリピプラゾールとリスペリドンは，小児期の自閉スペクトラム症に伴う易刺激性を改善させる．
　自閉スペクトラム症に伴う易刺激性による行動障害として，他者への攻撃性，自傷行為，かんしゃく，気分の易変性などがあげられる．

　メラトニンは，入眠潜時を短縮する（寝つきをよくする）．

<河野美帆>

4 発達障害治療薬の副作用

POINT 発達障害治療薬の主な副作用

ADHD治療薬

一般名	副作用	禁忌
メチルフェニデート徐放錠	● 食欲減退 ● 不眠 ● 頭痛	● チックやTourette症の既往歴，または家族歴 ● 過度の不安，緊張，興奮性がある ● 重症うつ病 ● 閉塞隅角緑内障，褐色細胞腫 ● 甲状腺機能亢進症 ● 狭心症，不整頻拍 ● MAO阻害薬投与中または中止後2週間以内
リスデキサンフェタミン	● 食欲減退 ● 不眠 ● 体重減少	● チックやTourette症の既往歴，または家族歴 ● 過度の不安，緊張，興奮性がある ● 閉塞隅角緑内障，褐色細胞腫 ● 甲状腺機能亢進症 ● 重篤な心血管障害 ● MAO阻害薬投与中または中止後2週間以内 ● 薬物乱用の既往歴 ● 本成分または交感神経アミンに対して過敏症の既往歴
アトモキセチン	● 悪心，食欲減退 ● 頭痛，傾眠 ● 動悸	● 重篤な心血管障害 ● 褐色細胞腫 ● 閉塞隅角緑内障 ● MAO阻害薬投与中または中止後2週間以内
グアンファシン	● 低血圧，徐脈，失神 ● 傾眠	● 房室ブロック（2，3度） ● 妊婦，または妊娠の可能性

MAO：monoamine oxidase（モノアミン酸化酵素）

自閉スペクトラム症に伴う易刺激性への治療薬（抗精神病薬）

一般名	副作用
アリピプラゾール	● 傾眠
	● 体重増加
リスペリドン	● 傾眠
	● 体重増加，食欲亢進
	● 高プロラクチン血症

1 ADHD治療薬

1 メチルフェニデート徐放錠

▶ 食欲減退

　最も懸念される副作用であり，服用初期や増量期に多く，昼食の摂取が減る場合がある．薬の効果のない朝や夜の補食，休薬日を設けるなどしながら，体重や成長に注意して経過を追う．子どもの身長体重の増加が思わしくない場合は，中断も検討する．

▶ 不眠

　服用時間が遅れた場合に入眠困難として出現する場合があるため，朝の内服徹底が重要である．

▶ チック

　チックやTourette症またはその既往や家族歴のある場合は，症状を悪化させる可能性があるため禁忌とされている．

▶ 依存性

　メチルフェニデートは脳の報酬系へ作用するため，依存リスクをもちあわせる．依存性が高まる要因と考えられる，血中濃度の急上昇が起こらないよう徐放錠化されており，また，粉砕による吸入ができないようコーティングなどの加工がされている．流通規制も行われており，処方には登録（医師，薬剤師，医療機関，患者さん）が必要である．

2 リスデキサンフェタミン

▶ 食欲減退，体重減少

最も懸念される副作用であり，服用初期や増量期に多く，昼食の摂取が減る場合がある．薬の効果のない朝や夜の補食，休薬日を設けるなどしながら，体重や成長に注意して経過を追う．子どもの身長体重の増加が思わしくない場合は，中断も検討する．メチルフェニデート徐放錠で食欲低下を認めたケースは，本剤でも食欲低下が起こるとは限らないため，治療の選択肢となりえる．

▶ 不眠

服用時間が遅れた場合に入眠困難として出現する場合があるため，朝の内服徹底が重要である．

▶ 依存性

リスデキサンフェタミンはプロドラッグであり，生体内の代謝過程で活性体（d-アンフェタミン）に変換されることで効果を発揮する薬剤である．経口摂取後に消化管で吸収され，血中でL-リシンと活性体であるd-アンフェタミンに加水分解され，血中から脳内へ移行する．このプロドラッグテクノロジーにより，依存性が高まる要因と考えられる血中濃度の急上昇を抑制する．流通規制も行われており，処方には登録（医師，薬剤師，医療機関，患者さん）が必要である．

3 アトモキセチン

▶ 悪心，食欲減退

1日1回よりも2回内服の方が，悪心や食欲不振の副作用が少ないとの研究結果がある．内服開始や増量時に悪心が出ることもあるが，徐々に症状が軽減する場合が多いため処方の際に説明しておくとよい．

▶ 頭痛，傾眠

朝食後の服用量を夕食後の服用量より少なくすると，症状の出現を軽減させることができる場合がある．

4 グアンファシン

▶ **低血圧，徐脈，失神**

　低血圧，徐脈があらわれ，失神に至る場合があるため，投与前には定期的なバイタル測定や心電図検査などが重要である．用量変更時などにも適宜，確認をする．投与開始から1カ月の間に起こりやすく，1カ月程度経過するとやわらぐことが多いと報告されている．この時期は水分摂取を十分にして，ゆっくり過ごすよう事前に説明しておくとよい．

▶ **傾眠**

　傾眠が出る場合には，内服する時間帯や生活リズムを相談し，調整を試みる場合もある．

2 自閉スペクトラム症に伴う易刺激性への治療薬

1 アリピプラゾール

　抗精神病薬の項（p53参照）にあるように，抗精神病薬のなかで，アリピプラゾールは鎮静効果が目立たず，体重増加や錐体外路症状が少ない薬剤である．小児の自閉スペクトラム症に対する国内臨床試験において傾眠を認めたが，重症度はすべて軽度であった．必要な臨床用量はさまざまで調整が難しいが，適切な評価のもとに至適用量を見出すことが重要である．また，体重増加に関しては通常の成長から逸脱する可能性は低く，海外の報告によれば，治療を継続する経過で，体重とbody mass index（BMI）増加が安定水準に達する傾向がみられるといわれている．

2 リスペリドン

　リスペリドンの副作用でも傾眠があげられ，鎮静がすべて副作用とは言えず，適度な鎮静が必要な場合は時期や治療目標にあわせて用量調整が必要である．抗精神病薬の項（p39，48）も参照していただきたい．

<河野美帆>

5 各発達障害治療薬の特徴と使い方

総論

POINT ADHD治療薬の特徴

	中枢刺激薬		非中枢刺激薬	
一般名	メチルフェニデート徐放錠	リスデキサンフェタミン	アトモキセチン	グアンファシン
商品名	コンサータ®	ビバンセ®	ストラテラ®	インチュニブ®
効果持続時間	12時間程度（半減期約4時間）	13時間程度（半減期約10時間）	終日	終日
効果発現	内服30分～2時間後	内服30分～2時間後	2～4週間後	1～2週間後
内服回数	1×朝 起床時内服可能	1×朝 起床時内服可能	1 or 2×朝夕	1×朝～就寝 いつでも可
流通管理システム登録	必要（第一種向精神薬）	必要（本邦において覚醒剤原料指定）	不要	不要
	内服する日としない日を設けることが可能	内服する日としない日を設けることが可能	● 内用液あり ● 後発品あり ● 不安や夜尿症合併例に効果的	● チック合併例にも効果的 ● 海外では，中枢刺激薬の補助療法として適応あり

　はじめに，薬物療法の標的となる症状（日常生活に支障が出ている困りごと）を明確にし，副作用をふまえて本人や家族の同意を確認することが大切である．

　小児や神経発達障害群の患者さんの場合は，さまざまなこだわり（嚥下に対する違和感や味覚の過敏さなど）を訴えることがある．使用する剤形

や味，服用の仕方，服用する時間帯，服用回数などの選択肢を十分に説明し，個々の生活スタイルにあうよう本人と家族と相談することが，治療への参加意欲の保持と治療継続につながる．

また，副作用の説明は，本人と家族のそれぞれにわかりやすく，十分に行い，事前に対処方法を説明しておくと不安が解消され，自己中断することなく安心して内服を継続できる場合が多い．

1 ADHD治療薬

ADHDに対して，わが国で適応承認を得ている薬剤は4剤である（**POINT**）．

2016年にわが国で出版された『注意欠如・多動症−ADHD−の診断・治療ガイドライン　第4版』では，薬物療法はメチルフェニデート徐放錠とアトモキセチンの2剤の選択肢しかなかった．しかしその後に，グアンファシンの小児と成人の適応承認，リスデキサンフェタミンの小児適応承認，中枢刺激薬（本邦ではメチルフェニデート，リスデキサンフェタミン）の流通規制の強化（登録医と登録薬剤師のみが処方・調剤を可能とする）が進んだ．そして，2022年に『注意欠如・多動症−ADHD−の診断・治療ガイドライン　第5版』が出版された．このガイドラインが推奨する薬物導入の流れは，p293「薬物療法の原則」を参照してほしい．

最新である海外のさまざまなガイドラインにおいて，メチルフェニデート徐放剤は小児でも成人でも一貫して第一選択薬とされ（**表**），本邦ガイドラインにおいても，第一段階か第二段階で積極的に検討するように記載されている．

▶ リスデキサンフェタミン

リスデキサンフェタミンは，海外ガイドラインにおいて小児でも成人でも第一選択薬とされる場合もあるが，本邦で適応承認されたADHD治療薬としては新しく，2019年にまず小児で適応承認されたところであり，現在のところ添付文書に「5.1 本剤の使用実態下における乱用・依存性に関する評価が行われるまでの間は，他のAD/HD治療薬が効果不十分な場合にのみ使用すること」と記載されている．副作用や依存・乱用に十分注意して使用し，今後本邦においてのエビデンスの蓄積が待たれる．

表 ADHD治療薬　海外のガイドラインにおける推奨度

	小児			成人		
	NICE (2018)	CADDRA (2018)	DGPPN (2018)	NICE (2018)	CADDR (2018)	DGPPN (2018)
メチルフェニデート徐放剤	1st	1st	1st	1st	1st	1st
リスデキサンフェタミン	2nd	1st	2nd	1st	1st	1st
アトモキセチン	3rd	2nd	2nd	2nd	2nd	2nd
グアンファシン	3rd	2nd	2nd	—	—	—

1st：第一選択薬，2nd：第二選択薬，3rd：第三選択薬

〔NICE：national institute for health and care excellence（イギリス），CADDR：canadian ADHD resource alliance（カナダ），DGPPN：deutsche gesellschaft für psychiatrie, psychotherapie und nervenheilkunde（ドイツ）を参考に作成〕

▶ アトモキセチン

　アトモキセチンは不安や夜尿症合併例に有効という報告がある．また，剤形が豊富であり，形状（カプセル，錠剤，内用液）や内用液の味，薬にかかる費用など，状況に応じて選ぶことができる．

▶ グアンファシン

　グアンファシンは，海外のさまざまなガイドラインにおいてADHDの第一選択薬とはされていないが，ADHDの小児に対する単剤治療以外にも中枢神経刺激薬への補助療法として承認されている．また，メチルフェニデート徐放錠やリスデキサンフェタミンでは禁忌とされているチックやTourette症の合併例に効果的といわれている．グアンファシンは食欲や体重への影響が目立たないため，食欲，体重，成長が気になるケースには積極的に検討されるべきと考えられる．

　第一選択薬としてどれを選択するかは薬剤の特性と患者さんの症状を考慮し，また，併存症状や併存症にも注意して選択することが重要である．

2 自閉スペクトラム症に伴う易刺激性への治療薬

　自閉スペクトラム症の易刺激性に対して，わが国で適応承認を得ている

第二世代抗精神病薬は，アリピプラゾールとリスペリドンの2剤である．

　自閉スペクトラム症そのものを改善させる薬物療法はないが，前述のように関連症状に対して効果を示す薬剤がある．環境調整やさまざまな適応上の工夫などとともに，場合により薬物療法も組み合わせ，特性と折り合いをつけて自分らしい生活を続けられるようにする．

● 薬剤ごとの特徴と使い方

1 注意欠如・多動性障害（ADHD）治療薬

▶ メチルフェニデート徐放錠

適応症	注意欠如・多動性障害（ADHD）
商品名	コンサータ®
剤形	錠剤（放出制御型徐放錠）
用法用量	6歳未満の幼児に対する安全性は確立していない 1回18 mg，1日1回（朝）より開始，維持量18～45 mg/日を1日1回（朝）．増量は1週間以上の間隔をあけ，増量幅は9または18 mg/日で，最大量は54 mg/日（18歳以上は72 mg/日）を超えない
代謝	α-フェニル-2-ピペリジン酢酸（PPA）
作用機序	ドパミン，ノルアドレナリン再取り込み阻害
特徴	特徴としては効果発現の早さがあげられ，衝動性からトラブルが多く，早期の効果発現を期待したい場合などは第一選択薬の1つである．**処方は30日までの上限で，登録医が登録された患者さんだけにしか処方できず，登録薬剤師のみが調剤できるといった流通規制あり**

▶ リスデキサンフェタミン

適応症	小児期における注意欠如・多動性障害（ADHD）
商品名	ビバンセ®
剤形	カプセル

用法用量	6歳未満および18歳以上における有効性および安全性は確立していない 通常, 小児には1回30 mgを1日1回 (朝) 経口投与する. 症状により, 70 mg/日を超えない範囲で適宜増減するが, 増量は1週間以上の間隔をあけて20 mg/日を超えない 本剤による薬物治療を18歳未満で開始した患者さんにおいて, 18歳以降も継続して本剤を投与する場合には, 治療上の有益性と危険性を考慮して慎重に投与するとともに, 定期的に本剤の有効性および安全性を評価し, 有用性が認められない場合には, 投与中止を考慮し, 漫然と投与しない
代謝	CYP2D6
作用機序	ドパミンおよびノルアドレナリンの再取り込み阻害と遊離促進
特徴	海外ではむちゃ食い障害 (binge eating disorder;BED) への治療 (BED症状と体重減少) として適応承認あり **処方は30日までの上限で, 登録医が登録された患者さんだけにしか処方できず, 登録薬剤師のみが調剤できるといった流通規制あり**

▶ アトモキセチン

適応症	注意欠如・多動性障害 (ADHD)
商品名	ストラテラ®
剤形	カプセル, 錠剤, 内用液〔ラズベリー味, その他 (後発品の例):グレープ味〕
用法用量	6歳未満の幼児に対する安全性は確立していない 【18歳未満】0.5 mg/kg/日より開始, その後0.8 mg/kg/日とし, さらに1.2 mg/kg/日まで増量し, 維持量は1.2〜1.8 mg/kg/日. 増量は1週間以上の間隔をあけ, 最大量は1.8 mg/kg/日または120 mg/日のいずれか少ない量とする. いずれも1日2回に分けて経口投与する 【18歳以上】40 mg/日より開始, その後80 mg/日まで増量し, 維持量は80〜120 mg/日. 80 mg/日までの増量は1週間以上, その後の増量は2週間以上の間隔をあけ, 最大量は120 mgを超えない. いずれも1日1〜2回に分けて経口投与する
代謝	CYP2D6
作用機序	選択的ノルアドレナリン再取り込み阻害

7. 発達障害治療薬

特徴	効果持続が24時間と長いため、起床後の準備、夕方から夜間にかけての活動に明らかに支障をきたしている場合などに有効である 体重換算で投与量を調整する ストラテラ®にはカプセルの他に内用液があるため、カプセルの内服が難しい小児にも導入可能である 先発品であるストラテラ®は3号カプセルで統一されているが、後発品は5号と小さめのカプセルや、飲みやすく改良された錠剤もでているため、剤形レパートリーが増えたといえる 内用液に関しては、先発品と後発品とで味が異なるため、飲み心地を聞き取りながら選択する

▶ グアンファシン

適応症	注意欠如・多動性障害（ADHD）
商品名	インチュニブ®
剤形	錠剤（徐放錠）
用法用量	6歳未満の幼児に対する安全性は確立していない． 【18歳未満】開始は表の通り．体重により、1回1mgか2mgを1日1回より開始．増量は1週間の間隔をあけ、1mg/日ずつ維持量まで増量し、いずれも1日1回経口投与する．最大量は表の通り 【18歳以上】1回2mg、1日1回より開始、1週間以上の間隔をあけて1mg/日ずつ、4〜6mg/日の維持量まで増量する．症状により適宜増減するが、6mg/日を超えないこととし、いずれも1日1回経口投与する

表　18歳未満の用法・用量

体重	開始用量	維持用量	最高用量
17 kg以上25 kg未満	1 mg	1 mg	2 mg
25 kg以上34 kg未満	1 mg	2 mg	3 mg
34 kg以上38 kg未満	1 mg	2 mg	4 mg
38 kg以上42 kg未満	1 mg	3 mg	4 mg
42 kg以上50 kg未満	1 mg	3 mg	5 mg
50 kg以上63 kg未満	2 mg	4 mg	6 mg
63 kg以上75 kg未満	2 mg	5 mg	6 mg
75 kg以上	2 mg	6 mg	6 mg

代謝	CYP3A4, 3A5

作用機序	選択的アドレナリンα$_{2A}$受容体作動
特徴	注意欠如・多動性障害の小児に対して承認され，2019年には世界に先駆けて成人が適応承認となった 海外では中枢神経刺激薬の補助療法として承認されている．その他，チックやTourette症の合併，治療（わが国では適応外）にも効果的といわれている 投与を中止する場合には3日間以上の間隔をあけて1 mg/日ずつ，血圧および脈拍数を測定するなど患者さんの状態を十分観察しながら徐々に減量する

2 自閉スペクトラム症に伴う易刺激性への治療薬

▶ リスペリドン

適応症	小児期（5～18歳未満）の自閉スペクトラム症に伴う易刺激性，統合失調症
商品名	リスパダール®
剤形	錠剤，細粒，OD錠，内用液〔グレープフルーツ味，その他（後発品の例）：レモン風味〕
用法用量	小児期の自閉スペクトラム症に伴う易刺激性の場合，原則として5歳以上18歳未満の患者さんに使用すること **【体重15 kg以上20 kg未満の場合】**1回0.25 mg，1日1回より開始，4日目より0.5 mg/日を1日2回に分けて経口投与．増量する場合は，1週間以上の間隔をあけて増量幅は0.25 mg/日とし，最大量1 mg/日を超えない **【体重20 kg以上の場合】**1回0.5 mg，1日1回より開始，4日目より1 mg/日を1日2回に分けて経口投与．増量する場合は，1週間以上の間隔をあけて増量幅は0.5 mg/日とし，最大量は体重20 kg以上45 kg未満の場合は2.5 mg/日，45 kg以上の場合は3 mg/日を超えない
代謝	CYP2D6，一部CYP3A4
作用機序	ドパミンD$_2$受容体遮断，セロトニン5-HT$_{2A}$受容体遮断
特徴	必要に応じて鎮静効果を得ることも可能だが，量によって過鎮静に注意．チック症の薬物療法（わが国では適応外）にも用いられる

7. 発達障害治療薬

▶ アリピプラゾール

適応症	小児期（6歳～18歳未満）の自閉スペクトラム症に伴う易刺激性，統合失調症，双極性障害における躁症状の改善，うつ病・うつ状態（後発品によっては，自閉スペクトラム症に伴う易刺激性への適応をもたないため，添付文書を確認する）
商品名	エビリファイ®
剤形	錠剤，散剤，OD錠，内用液〔オレンジ味，その他（後発品の例）：グレープフルーツ味（現在適応外）〕
用法用量	小児期の自閉スペクトラム症に伴う易刺激性の場合，原則として6歳以上18歳未満の患者さんに使用すること 通常，1回1 mg，1日1回より開始，維持量1～15 mg/日を1日1回，増量幅は3 mg/日とし，最大量は15 mg/日を超えない
代謝	CYP3A4，CYP2D6
作用機序	ドパミンD_2受容体部分作動
特徴	剤形に多様性があり選択性に富んでいる．特に小児や神経発達障害群の患者さんでは，OD錠は味や食感がマイルドで，錠剤の内服が可能かどうかに関係なく，飲み物の用意が不要で，場所を問わず内服しやすいなどの利便さもあり，人気 チック症の薬物療法（わが国では適応外）として用いられることがある

▶ メラトニン

適応症	小児期（6～15歳）の神経発達症に伴う入眠困難の改善
商品名	メラトベル®
剤形	顆粒
用法用量	1回1 mg，1日1回（就寝前）に経口投与 症状により適宜増減するが，1回4 mg/日を超えないこと 6歳未満または16歳以上の患者さんにおける有効性および安全性は確立していない
代謝	CYP1A2

＜河野美帆＞

8. 依存症治療薬

1 依存症治療薬とは？

POINT　日本で適応承認を得ている依存症治療薬

アルコール依存症治療薬

	一般名	商品名	販売開始	効能または効果
減酒（飲酒量低減）薬	ナルメフェン	セリンクロ®	2019年～	アルコール依存症患者における飲酒量の低減
断酒補助薬	アカンプロサート	レグテクト®	2013年～	アルコール依存症患者における断酒維持の補助
抗酒薬（抗酒癖薬）	ジスルフィラム	ノックビン®	1983年～	慢性アルコール中毒に対する抗酒療法
抗酒薬（酒量抑制薬）	シアナミド	シアナマイド	1963年～	慢性アルコール中毒および過飲酒者に対する抗酒療法

ニコチン依存症治療薬

	一般名	商品名	販売開始	効能または効果
禁煙補助薬	バレニクリン	チャンピックス®	2008年～	ニコチン依存症の喫煙者に対する禁煙の補助
	ニコチン（貼付剤）	ニコチネル®TTS®	1999年～	循環器疾患，呼吸器疾患，消化器疾患，代謝性疾患などの基礎疾患をもち，医師により禁煙が必要と診断された禁煙意志の強い喫煙者が，医師の指導のもとに行う禁煙の補助

　物質依存症や有害な使用に関する治療では，心理社会的治療が治療の主体になり，薬物治療は補助的な役割を担う．現在わが国では，アルコール依存症とニコチン依存症の治療薬が適応承認を得ている（POINT）．

　アルコール依存症の治療目標は，原則，断酒の達成とその継続であるが，2018年に『新アルコール・薬物使用障害の診断治療ガイドライン』が出され，治療目標に減酒（飲酒量低減）が明記され，2019年に減酒（飲酒量低減）薬のナルメフェン（セリンクロ®）が上市された．

＜鈴木　匠，河野仁彦＞

8. 依存症治療薬

2 依存症治療薬の作用機序と効果

依存症治療薬の作用機序

ナルメフェンの作用機序

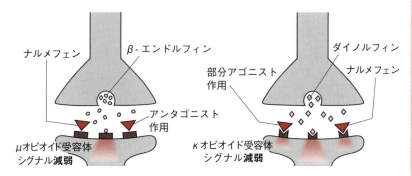

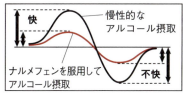

ナルメフェンは，μオピオイド受容体・κオピオイド受容体に作用し，慢性的なアルコールの摂取によりシグナル伝達が過剰化した状態を減弱することにより，アルコールの効果（快・不快）を低下させることで飲酒欲求・飲酒量を減らす．

バレニクリンの作用機序

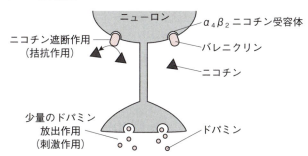

バレニクリンは，$\alpha_4\beta_2$ニコチン受容体に結合して，ニコチンを遮断（拮抗作用）しながら少量のドパミンを放出させ（刺激作用），離脱症状・切望感を軽減する．

1 減酒薬

　減酒（飲酒量低減）薬のナルメフェンは，飲酒による快・不快と関連するオピオイド受容体系（μオピオイド受容体・κオピオイド受容体）の作用を減弱することにより飲酒量の低減作用を発揮すると考えられているが，明確な機序は不明である．断酒補助薬や抗酒薬と異なり，飲酒時に服薬（飲酒の1~2時間前，服薬せずに飲酒し始めた場合には気づいた時点で直ちに服薬，ただし飲酒終了後には服薬しない）することにより，アルコールの報酬効果・正の強化効果および負の強化効果を低下させ，飲酒欲求を抑えることで，飲酒量を低減すると考えられている[1]．

2 断酒補助薬

　断酒補助薬のアカンプロサートの作用機序ははっきりしていないものの，グルタミン酸受容体であるNMDA受容体の阻害作用や，$GABA_A$受容体作用の増強により，依存の形成にかかわる報酬系へ作用し，飲酒欲求自体を軽減させると考えられている[2]．

3 抗酒薬

　抗酒薬のジスルフィラムやシアナミドは飲酒欲求を抑える薬剤ではなく，摂取時に血中アセトアルデヒド濃度を上昇させ，悪心，嘔吐，頭痛，動悸などいわゆる"二日酔い状態"をつくり出し，多量飲酒を難しくする．

4 禁煙補助薬

　禁煙補助薬のバレニクリンは，$\alpha_4\beta_2$ニコチン受容体に対して高い結合親和性をもつ部分作動薬で，脳内の$\alpha_4\beta_2$ニコチン受容体に結合し，ニコチンを遮断して喫煙による満足感を抑制する（拮抗作用）．同時に，ニコチンの作用で放出されるよりも少量のドパミンを放出させ，禁煙に伴う離脱症状やタバコに対する切望感を軽減する（刺激作用）．

　禁煙補助薬のニコチン（経皮吸収ニコチン製剤）は，タバコ中に含まれるニコチンを経皮的に吸収させ，禁煙時の離脱症状を軽減する．

●文献●

1) 田鳥祥宏：アルコール依存症飲酒量低減薬ナルメフェン（セリンクロ®）の薬理学的特徴と臨床試験成績．日本薬理学雑誌，155：113-119，2020
2) 大原常晴，他：アルコール依存症断酒維持補助薬 アカンプロサートカルシウム（レグテクト®錠333 mg）の薬理作用と臨床試験成績．日本薬理学雑誌，144：34-41，2014

<鈴木　匠，河野仁彦>

3 依存症治療薬の副作用

POINT **依存症治療薬の主な副作用**

アルコール依存症治療薬

一般名	副作用	禁忌
ナルメフェン	悪心，浮動性めまい，傾眠，頭痛，嘔吐，不眠症，倦怠感	●本剤の成分に対し過敏症の既往歴 ●オピオイド系薬剤（鎮痛，麻酔）を投与中または投与中止後1週間以内 ●オピオイドの依存症または離脱の急性症状がある
アカンプロサート	下痢，嘔吐	●本剤の成分に対し過敏症の既往歴 ●重度の腎機能障害
ジスルフィラム	アレルギーによる皮疹，肝障害[1]	●重篤な心障害 ●重篤な肝・腎障害 ●重篤な呼吸器疾患 ●アルコールを含む医薬品・食品・化粧品を使用または摂取中 ●妊婦または妊娠している可能性のある婦人
シアナミド	重症薬疹（SJS，TEN），肝障害[1,2]	●重篤な心障害 ●重篤な肝障害 ●重篤な腎障害 ●重篤な呼吸器疾患 ●アルコールを含む医薬品を投与中 ●妊婦または妊娠している可能性のある婦人

ニコチン依存症治療薬

一般名	副作用	禁忌
バレニクリン	上腹部痛，便秘，嘔気，頭痛	●本剤の成分に対し過敏症の既往歴
ニコチン（貼付剤）	不眠，紅斑（かぶれ，発赤など），そう痒	●非喫煙者 ●妊婦または妊娠している可能性のある婦人，授乳婦 ●不安定狭心症，急性期の心筋梗塞，重篤な不整脈のある患者または経皮的冠動脈形成術直後，冠動脈バイパス術直後 ●脳血管障害回復初期 ●本剤の成分に対し過敏症の既往歴

1 アルコール依存症治療薬

▶ ナルメフェン

ナルメフェンの副作用として悪心，浮動性めまいが出現することがあるが，特に投与初期に強く現れることが多い[1]．これらの症状は薬を使っているうちにおさまってくることが多い[3]．

▶ アカンプロサート

アカンプロサートの副作用として下痢・軟便が起こることがあるが，多くの場合は一過性でしばらくすると軽快することが多い[1]．また重症の腎障害がある場合は服薬できない[1]．

▶ ジスルフィラム，シアナミド

ジスルフィラムとシアナミドは，アルデヒド脱水素酵素（aldehyde dehydrogenase：ALDH）を阻害するので，服薬中に飲酒した場合，血中アセトアルデヒド濃度が上昇し，悪心・嘔吐，頭痛，動悸，顔面紅潮，呼吸困難などのアセトアルデヒドによる不快な反応を引き起こす[1]．アレルギーによる皮疹，肝障害が起こる可能性があるため，特に服薬の初期には血液検査などを行うことが望ましいとされている[1]．また重症の肝硬変や心・呼吸器疾患が合併する場合は使用できない[1]．シアナミドは肝障害を引き起こしやすい[2]．

2 ニコチン依存症治療薬[4]

▶ バレニクリン

バレニクリンの副作用である嘔気の発現は，飲み始めの1～2週間で最も多いことを説明しておく．対処法としては，飲水や食後の服薬を徹底させるとともに，必要に応じて対症的に制吐薬を処方するか，用量を減らすことを検討する．頭痛，便秘，鼓腸，不眠，異夢の副作用発現時には，対症的に頭痛薬，便秘薬，睡眠薬を処方するか，用量を減らすことを検討する．

▶ ニコチン

ニコチン（貼付剤）では，皮膚の発赤や痒みの発現を避けるために，貼る場所を毎日変えるように指導しておく．副作用発現時には，必要ならば

抗ヒスタミン薬やステロイドの外用剤を投与する．水疱形成など皮膚症状が強い場合は使用を中止し，他剤への変更［一般用医薬品では，貼付剤（パッチ）の他に，ガムを選ぶことができる］や，禁煙補助薬なしでの禁煙を検討する．不眠の副作用発現時には，貼り替えている時間を確認し，朝起床時に貼り替えるように指導する．それでも不眠がみられる場合は，朝に貼付し，就寝前にはがすように指導する．

● 文献 ●

1）厚生労働省 e-ヘルスネット：アルコール依存症の薬物療法（木村 充：2021年10月）
https://www.e-healthnet.mhlw.go.jp/information/alcohol/a-05-005.html
2）「新アルコール・薬物使用障害の診断治療ガイドライン」（新アルコール・薬物使用障害の診断治療ガイドライン作成委員会／監，樋口 進，他／編），新興医学出版社，2018
3）「今すぐ始めるアルコール依存症治療」（樋口 進／著），法研，2019
4）「禁煙治療のための標準手順書 第8版」（日本循環器学会，他），2021
http://j-circ.or.jp/kinen/anti_smoke_std/pdf/anti_smoke_std_rev8_.pdf

＜鈴木　匠，河野仁彦＞

4 各依存症治療薬の特徴と使い方

依存症治療薬の特徴

アルコール依存症治療薬

一般名	作用機序	治療目標	剤形	内服回数
ナルメフェン	オピオイド受容体拮抗	減酒	錠	1日1回飲酒前
アカンプロサート	グルタミン酸作動性神経活動抑制	断酒維持	錠	1日3回食後
ジスルフィラム	ALDH阻害	断酒	粉末	1日1〜3回
シアナミド	ALDH阻害	断酒 減酒	内用液	1日1〜2回

ニコチン依存症治療薬

一般名	作用機序	治療目標	剤形	内服回数
バレニクリン	$\alpha_4\beta_2$ニコチン受容体部分作動薬	禁煙補助	錠	1日1〜2回
ニコチン	ニコチン（禁煙時の離脱症状の軽減）	禁煙補助	貼付剤	1日1回1枚, 24時間貼付

総論

　現在わが国では，アルコール依存症とニコチン依存症の治療薬が適応承認を得ている．依存症治療では，心理社会的治療が治療の主体になり，薬物治療は補助的な役割を担う．薬物治療の効果を高めるためには，疾病教育をしっかりと行い，服薬のアドヒアランス（患者さんが積極的に治療方針の決定に参加し，その決定に従って治療を受けること）を高める必要がある．

1 アルコール依存症治療薬

1 ナルメフェン

　ナルメフェン（セリンクロ®）は2019年3月に発売された新しい薬剤で，飲酒している人が服薬することで，飲酒量を低減させる効果がある減酒（飲酒量低減）薬である．アルコール依存症の治療目標は断酒が最も安全な目標だが，新しい治療ガイドラインでは，軽度の依存症や中間的な目標として減酒の選択もあり得ると言及された．断酒・解毒をせずに依存症治療が開始できるというメリットがある一方で，減酒（飲酒量低減）治療の意思のある患者さんにのみ使用すること，心理社会的治療と併用することが必要である．

　減酒（飲酒量低減）治療の心理社会的治療として，飲酒日記を用いて以下の5ステップを行う．

　①飲酒量の目標設定（患者さんに共感しながら，達成可能な目標を患者さんと設定）

　②飲酒量の確認（治療継続を褒める）

　③服薬状況などの確認（副作用や断酒の意向も確認）

　④全体的な改善の評価（改善した点を見つけてポジティブに伝える）

　⑤治療目標の再評価（達成している場合は努力を認め治療継続を励まし，達成していない場合でも批判せずにサポートし，断酒が必要な場合は断酒への移行をすすめる）

　薬剤料の算定には，医師，メディカルスタッフの「アルコール依存症の診断と治療に関するeラーニング研修」（日本アルコール・アディクション医学会および日本肝臓学会が主催）の修了が求められる．

2 アカンプロサート

　アカンプロサート（レグテクト®）は飲酒欲求を軽減させることにより，断酒を目標とするアルコール依存症患者さんの断酒率を上げる効果がある．2013年5月に発売された．アカンプロサートの効果は，断酒をしている人が服薬すると断酒率が上がるが，飲酒している人が服薬してもその飲酒量を少なくする効果はないと考えられている．そのため服薬にはきちんと断

酒をしていることが前提とされている．副作用としては，下痢・軟便が起こることがあるが，多くの場合は一過性でしばらくすると軽快することが多い．また重症の腎障害がある場合は服薬できない．相互作用は少ないため，抗酒薬との併用も可能と考えられている．

3 ジスルフィラム，シアナミド

　　ジスルフィラム（ノックビン®）とシアナミド（シアナマイド）は従来から用いられている抗酒薬である．これらの薬は，アルデヒド脱水素酵素（ALDH）を阻害するので，抗酒薬を服薬中に飲酒した場合，血中アセトアルデヒド濃度が上昇し，悪心・嘔吐，頭痛，動悸，顔面潮紅，呼吸困難などのアセトアルデヒドによる不快な反応を引き起こす．よって抗酒薬を服薬していれば，生活のなかで飲酒をしたくなるような出来事があった場合にも「飲んでも気持ち悪くなるから飲むのをやめよう」と考え，心理的に飲酒を断念しやすくなるという効果がある．シアナミドの方がジスルフィラムに比べて速効性があるが，効果の持続も短いことが知られている．主な副作用としては，アレルギーによる皮疹・肝障害が起こる可能性があるため，特に服薬の初期には血液検査などを行うことが望ましいとされている．また重症の肝硬変や心・呼吸器疾患が合併する場合は使用できない．

▶ ナルメフェン

商品名	セリンクロ®
剤形	錠剤
用法用量	1回10 mgを1日1回，飲酒の1〜2時間前に服薬（服薬せずに飲酒し始めた場合には，気付いた時点で直ちに服薬．飲酒終了後には服薬しない）．20 mg/日まで増量可能
特徴	飲酒時の飲酒欲求を低下させる 副作用として吐き気やめまいが出現することがあり，特に投与初期に強く現れることが多い．目標量以下を守れるように，飲酒前に確実に服薬することが重要である 半減期12時間

▶ アカンプロサート

商品名	レグテクト®

剤形	錠剤
用法用量	1回666 mg（1回2錠），1日3回食後
特徴	断酒時の飲酒欲求を軽減 半減期14.9〜20.4時間

▶ ジスルフィラム

商品名	ノックビン®
剤形	粉末
用法用量	0.1〜0.5 g/日を1日1〜3回に分服，1週間後の飲酒試験の後，維持量を決定．維持量としては0.1〜0.2 g/日を毎日あるいは1週間ごとに1週間休薬
特徴	飲酒時に二日酔い状態をつくり出す 効果は14日間続く

▶ シアナミド

商品名	シアナマイド
剤形	内用液
用法用量	【断酒療法】50〜200 mg/日を1日1〜2回に分服 節酒療法の用法用量は添付文書を確認
特徴	飲酒時に二日酔い状態をつくり出す 半減期39.9〜76.5分

2 アルコール離脱への薬物療法[1]

　多量の飲酒を継続した後に，急に中断／減量すると，アルコール離脱症状を生じる．離脱症状は，発汗，振戦，不安などの自律神経症状が多く，重篤なものではせん妄，てんかん発作なども生じる．アルコール離脱症状への予防的な薬物療法には，アルコールと同じ脳内のGABA受容体に作用し，アルコールとの交叉耐性をもつベンゾジアゼピン（BZ）系抗不安薬が用いられる．

　よく用いられる薬剤は，ジアゼパム（セルシン®）やロラゼパム（ワイ

パックス®）である．どちらも注射製剤がある．BZ系抗不安薬とアルコールの併用は，ふらつき，脱抑制，せん妄などを生じる危険もあることから，入院など飲酒しないことが確実な状況で使用する．また，これらの薬剤そのものにも依存性があるため，使用は短期間にとどめ，症状改善後はすみやかに中止を検討する．

　離脱症状をすでに呈しているケースでは，発汗や振戦などの自律神経症状のみならず，意識障害や幻視，興奮など精神症状が目立つことも多い．そのため身体面，精神面への両面のアプローチが必要となるが，脱水に注意し十分な水分補給を行い，栄養状態の改善に努めることが大切である．飲酒歴の長さなどによっては，ビタミンB_1（チアミン）の不足によって起こるウェルニッケ脳症とその後遺症であるコルサコフ症候群を呈していることもあるので，治療開始時にビタミン値の測定をしておくことも重要である．

3 ニコチン依存症治療薬[2)]

1 バレニクリン

　バレニクリン（チャンピックス®）は2008年5月に発売された，脳内のニコチン受容体に作用する，ニコチンを含まないタイプの禁煙補助の飲み薬である．禁煙外来で処方される．離脱症状を緩和するだけでなく，喫煙による満足感を抑制する作用がある．

2 ニコチン

　ニコチン（貼付剤）は，身体に貼り経皮的にニコチンを吸収させ，禁煙時の離脱症状を軽減する．一般用医薬品もあり，薬局・薬店で購入できる．禁煙外来の場合は，薬局では販売されていない成分量が多い貼付剤を処方することもできる．朝起きてすぐに上腕，腰背部，腹部のいずれかに貼る．

▶ **バレニクリン**

商品名　　チャンピックス®

剤形	錠剤
用法用量	禁煙開始の7日前から食後に服薬し，1～3日目は1回0.5 mgを1日1回，4～7日目は1回0.5 mgを1日2回（朝夕食後），8日目以降は1回1 mgを1日2回（朝夕食後），投与期間は12週間
特徴	半減期13.1～19.3時間

▶ ニコチン

商品名	ニコチネル®TTS®
剤形	貼付剤
用法用量	最初の4週間はニコチネルTTS®30®から貼付し，次の2週間はニコチネルTTS®20，最後の2週間はニコチネルTTS®10®を1日1回1枚，24時間貼付する．最初の4週間に減量の必要が生じた場合は，ニコチネル®TTS®20を貼付する．10週間を超えて継続投与しない
特徴	本剤除去後の血漿中ニコチン濃度の消失半減期は，6～7時間

● 文献 ●

1) 厚生労働省 e-ヘルスネット：アルコール依存症の薬物療法（木村 充：2021年10月）
https://www.e-healthnet.mhlw.go.jp/information/alcohol/a-05-005.html
2) 厚生労働省 e-ヘルスネット：禁煙のおくすりってどんなもの？（中村正和，谷口千枝：2021年8月）
https://www.e-healthnet.mhlw.go.jp/information/tobacco/t-06-006.html

＜鈴木　匠，河野仁彦＞

第 3 部

疾患別処方の実際

1. 基本的な考え方

1. 合理的な薬物療法をしましょう — 188
2. 適切な説明をしましょう — 190
3. 十分な観察をしましょう — 191
4. 単剤で少量から開始し漸増する — 193
5. 十分な量，十分な期間用いる — 195
6. 薬剤は単剤で使用し，併用はせず切り替える — 196
7. 各カテゴリーの薬を1つか2つだけ選んで使いこなそう — 197
8. 専門医へ紹介するタイミング — 199

2. 処方の実際

1. 統合失調症 — 200
2. 不安症 — 209
3. 強迫症 — 224
4. うつ病とうつ状態 — 229
5. 躁状態と双極性障害 — 238
6. 認知症 — 244
7. せん妄 — 252
8. 不眠 — 261
9. 摂食障害 — 274
10. アルコール依存症（使用障害） — 282
11. 注意欠如・多動性障害（ADHD） — 290

1. 基本的な考え方

1 合理的な薬物療法をしましょう

POINT　医療介入を行うときの3原則

1) 合理的な理由がある
2) 十分な説明がなされ，同意が得られている
3) 適切な観察がなされている

● 合理的な理由とは
①効果があるという科学的なエビデンスがある
②予測されるメリット（益）がデメリット（害）を上回ると判断できる

　現在の医療においては，安全で効率的な医療が求められており，診察，検査，投薬，手術を含むあらゆる医療的介入が行われる際には，1) 医学的に合理的な理由があること，2) 患者・家族への十分な説明がなされ，同意が得られていること，3) 治療介入後の十分な観察がなされていること，の3つが守られることが求められている．

　この3原則は，医療事故が生じた際には厳しく確認されるが，日常の診療においても当然守られるべき原則である．薬物療法においても，この原則が守られた合理的な薬物療法がなされるべきであろう．

　薬物療法における合理的な理由とは，薬によって生じるリスクとベネフィットを勘案して，ベネフィットが十分に大きいことである．すべての医薬品には添付文書が作成されており，添付文書には薬の有効性（効果）と有害性（副作用，禁忌や使用上の注意など）が記載されている．薬物療法を行う前には，添付文書へ必ず目を通す習慣をつけたい．

　禁忌処方とは，添付文書の【禁忌】欄に記載されたもので，適応外処方とは，添付文書の【効能効果】【用法用量】欄の記載に従わない処方のすべてである．これらはリスクがベネフィットを上回ると考えられるので，基

本的に行ってはならない．

　有害性については，副作用の有無のみではなく，許容できるかという視点での評価が必要となる．精神科薬物療法は長期的な維持療法も必要となることが多いため，短期的な効果と副作用の許容度に加えて，長期的にも副作用を許容できるかという視点が必要であろう．

　また，副作用については，潜在的なリスクも含めて，リスクとベネフィットを評価するべきである．例えば，統合失調症の抑うつに対して，抗うつ薬を併用することはあるが，実は抗うつ薬の有効性については明確なエビデンスはない．むしろ副作用が一定の頻度で生じることは明確であるから，潜在的なリスクがあるといえる．患者さんや家族へもリスクとベネフィットを十分に説明し，治療に理解を得ることが重要である．

<稲田　健>

2 適切な説明をしましょう

> **POINT 十分な説明とは**
>
> - 得られるメリット
> - 生じうるデメリット
> - 薬物療法により,苦痛や生活がどう変化するのか

　薬物療法を行う合理的な理由について,患者・家族に対して十分な説明がなされるべきである.治療介入の合理性についてリスクとベネフィットから検討したのであれば,その説明が中心となる.

　得られるリスクとベネフィットの検討においては,治療効果としてどのような症状がどの程度軽減するのか,そして症状の軽減に伴って,どのような社会的アウトカムが得られるのかが,ポイントとなる.例えば統合失調症において抗精神病薬を使用すると,陽性・陰性症状評価尺度(positive and negative syndrome scale:PANSS)で評価されるような症状の軽快が得られること,服薬の継続が,就労や復学といった社会生活機能の向上,あるいは患者さんの望む生活が得られる可能性を高めることなど,治療が患者さんの生活をどう変化させるかについて説明するとよいだろう.

　リスクの説明は,生じうるすべての副作用をくまなくもれなく説明することは現実的ではない.添付文書を読み理解することは医療者にとって必要なことであるが,そのなかから,目の前の患者さんに必要とされる情報を伝える.時には説明のための冊子などを用いることも有用である.

　治療によって得られるメリットもリスクも,治療によって患者さんの苦痛がどのように改善されるのか,治療によって患者さんの生活がどのように変わるのかといった視点に立って情報を整理することも有用である.

　すなわち,適切な説明という点において重視すべき点は,「支持的な態度で,見立てと治療の方針を説明する」という精神科の心理教育で取り入れられる理念そのものである.

<稲田　健>

3 十分な観察をしましょう

POINT

観察するとは？

効果についての観察

- 評価尺度
  BPRS，PANSS：統合失調症
  HAM-D，MADRS：うつ病
  YMRS：躁病
- 期待した治療効果は得られているか
- 生活がどう変化したか？

YMRS：ヤング躁病評価尺度（young mania rating scale）

副作用についての観察

- 評価尺度
  DIEPSS：薬原性錐体外路症状
- 身体症状の評価
- 血液検査
- 心電図検査
- 見逃せない副作用
  悪性症候群，糖尿病性昏睡，重症薬疹，薬剤誘発性不整脈，リチウム中毒

DIEPSS：drug-induced extra pyramidal symptoms scale

　処方を行った後には，観察をする．観察とは，薬物療法の効果と副作用の両面をモニタリングすることである．精神科薬物療法においては，効果と副作用に配慮しながら，薬の継続や用量の調整を行うため，効果と副作用のモニタリングは重要である．

　効果については，症状評価尺度で評価することも1つの方法である．評価尺度を用いながら治療をすることは，尺度を用いずに治療をするよりも

治療効果が高いことも知られている．統合失調症の簡易精神症状評価尺度（BPRS），うつ病のハミルトンうつ病評価尺度（HAM-D），モントゴメリー・アスベルグうつ病評価尺度（MADRS），睡眠状況を把握するための睡眠日誌などはよく知られた尺度である．

　副作用についても副作用評価尺度が用いられることがある．薬原性錐体外路症状評価尺度のDIEPSSなどはよく知られている．

　副作用については，発見と対応が予後に大きく関連する，見逃せない副作用には注意する（p302第4部を参照）．

　最後に，患者さんにとって重要なことは，症状がどう変化するかもさることながら，「生活がどのように変化しているか」であることに注意する．

<　稲田　健　>

4 単剤で少量から開始し漸増する

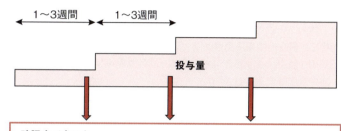

POINT 少しずつ開始し，確認し，少しずつ増やす

確認すべきこと
副作用はあるか？
・許容できるものか？
　例）抗うつ薬の軽度の嘔気は数日で軽快する
・重篤になるものではないか？
　例）抗精神病薬の悪性症候群，抗うつ薬の自傷行為誘発，
　　　抗てんかん薬の重症薬疹はすぐに中止
効果はあるか？
・患者さんが"楽になった"と感じられるところがあるか
・初期用量では，効果は全く感じられないこともある

　処方の基本は単剤で少量から開始し，漸増することである．効果と副作用のバランスを考慮し，最も効果の得られる用量（至適投与量）を見出して，継続する．

　いずれの薬剤も投与初期には，効果よりも副作用が目立つ．この段階で副作用が許容できるものであるかを見極める．副作用がない，あるいは許容できるものであれば，薬剤を漸増する．漸増する速度はさまざまであるが，通常1～3週間である．治療を急ぐ場合でも，薬剤が定常状態に達する半減期（$T_{1/2}$）の5倍程度の時間をあけた方が安全である．

<稲田　健>

血中濃度の話 Column

　薬剤は，体内に吸収され，分布し，代謝されて，排泄される．薬剤の血中濃度に関する指標に，最高血中濃度到達時間（T_{max}）と半減期（$T_{1/2}$）などがある．$T_{1/2}$に合わせて薬剤を反復投与すると，おおむね5回の反復投与で吸収と排泄が定常状態となり，血中濃度は安定する（図）．

　向精神薬の有効性は主に定常濃度と相関し，副作用は主にピーク濃度と相関する．十分な効果を得るためには，定常状態に達したときの最低血中濃度である定常濃度（トラフ値）を一定期間維持する必要がある．気分安定薬などの効果確認には，定常濃度（トラフ値）を確認する．

　定常状態に達する前に，投与量を増量すると，急激な血中濃度の増加により思わぬ副作用を生じることがある．

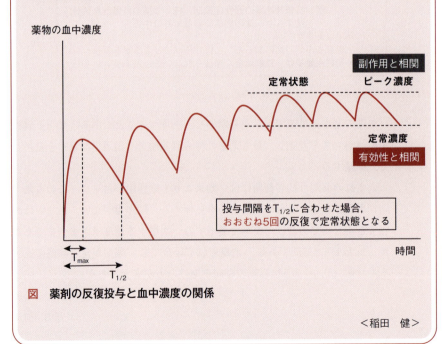

図　薬剤の反復投与と血中濃度の関係

＜稲田　健＞

1. 基本的な考え方

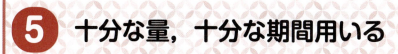
5 十分な量，十分な期間用いる

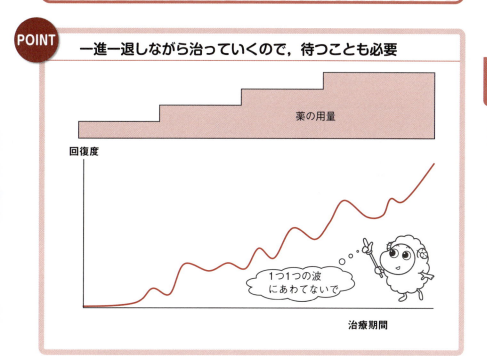

　精神疾患の薬物療法では，薬剤の効果を得るには一定の用量を投与する必要があり，薬剤の効果発現には一定の時間を要する．漸増中と漸増後にも効果発現を待つ必要がある場合もある．どの疾患でも，一進一退をくり返しながら治っていく．変化に一喜一憂しすぎずに待つことも必要で，この時間は，患者さんにとっても治療者にとってもつらい時間であるが，必要な時間であると考えるべきである．

　効果発現までの期間がどの程度の期間であるのかは，疾患によっても薬剤によっても異なるが，十分な用量にまで増量できてからの4週間（1カ月）は，1つの目安となる．

<稲田　健>

6 薬剤は単剤で使用し，併用はせず切り替える

POINT 目標の効果が得られない場合は切り替える

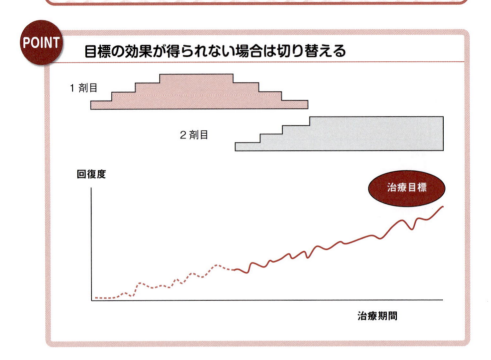

　薬物療法では，単剤での治療を基本とする．1つ目の薬剤で効果が得られなければ，2つ目の薬剤に切り替える．

　2剤以上を併用することは，副作用のリスクを増大させる．同じ作用機序の薬剤，例えばドパミンD_2受容体遮断作用が主作用である抗精神病薬の併用は，薬理学的に全く意味はなく不合理である．

　切り替えの途中で，不思議な安定が得られてしまうことはある．このような場合も，一度は単剤処方にするようにする．

<稲田　健>

7 各カテゴリーの薬を1つか2つだけ選んで使いこなそう

POINT 初心者が使いやすい精神科の薬の例

- 抗うつ薬：セルトラリン（ジェイゾロフト®）
- ベンゾジアゼピン系抗不安薬：ジアゼパム（セルシン®），ロフラゼプ酸エチル（メイラックス®）
- 睡眠薬：レンボレキサント（デエビゴ®）
- 抗精神病薬：リスペリドン（リスパダール®）
- 気分安定薬：バルプロ酸（デパケン®）
- 抗認知症薬：ドネペジル（アリセプト®）

かならず添付文書は熟読しよう

　各カテゴリーの薬を1つか2つだけ選んで使いこなすことは重要である．

　もしもあなたが，発展途上国に薬をもっていくとしたらどれをもっていくかと考えてみる．1つのカテゴリーについて1つ，特例でも2つの薬剤しかもっていけない．そのときもっていくのはどの薬だろうか．

　一例を上記にあげた．合理的な論拠があれば，薬剤の選択は上記以外でもよい．大切なことはこれら数種類の薬を使いこなすことである．1つの薬を使用し，工夫してうまくいかなければ専門医に紹介することが必要である．

　処方を始める前には，選んだ1つの薬の添付文書は熟読すべきである．向精神薬には少なくない副作用があり，投与方法や併用には注意が必要なものがある．すべての薬剤について把握することは難しくても，1つか2つの薬についてなら把握できる．

1 抗うつ薬

　三環系抗うつ薬は，効果は強いが，大量服薬時に中毒を生じる可能性があるので避けよう．副作用の少ない選択的セロトニン再取り込み阻害薬（SSRI）にしよう（p69）．このなかでは，25〜100 mg/日までと用量の幅があり調節しやすく，相互作用が比較的少ないセルトラリン（ジェイゾロフト®）が扱いやすい（p71）．

2 抗不安薬

抗不安薬であるベンゾジアゼピン（BZ）系薬剤はたくさんあるが，それぞれの薬に本質的な違いはない．抗不安，鎮静・催眠，抗けいれんのいずれの作用も求めるのであれば，用量幅が広く（2〜40 mg/日），剤形も豊富なジアゼパム（セルシン®，ホリゾン®）もよいだろう．投与回数を分割したり，用量を調整すれば幅広い疾患に対応できる（p99）．

しかし，ジアゼパムは呼吸抑制や依存形成の副作用も強く生じやすいため，比較的長時間作用型で依存形成をしにくいロフラゼプ酸エチル（メイラックス®）がよいかもしれない（p101）．

抗不安薬はロフラゼプ酸エチルを基本として，これではうまくいかないときにジアゼパムを使うことにしよう．

3 睡眠薬

睡眠薬は，以前はBZ受容体作動薬が主流であった．しかし副作用の問題から，使用頻度は減っている．これから新たに処方するとしたら，副作用のリスクが低いオレキシン受容体拮抗薬がすすめられる．オレキシン受容体拮抗薬は2剤があるが，用量設定の幅広さ（5〜10 mg/日），一包化できることなどからレンボレキサント（デエビゴ®）がよいだろう．

4 抗精神病薬

抗精神病薬のなかでは，少なくとも錐体外路系の副作用が少ないのは第二世代抗精神病薬である．第二世代抗精神病薬のなかでは使用実績もあり，剤形も豊富で，用量幅が広い（0.5〜12 mg/日）リスペリドンがよいだろう（p48）．

5 気分安定薬

安全域の広さから考えると，まずバルプロ酸ナトリウム（デパケン®）を選択するのが妥当であろう（p139）．

6 抗認知症薬

発売後からの歴史が長く，エビデンスが蓄積され，Alzheimer型とLewy小体型認知症の両者に適応を有するドネペジルの経口剤（アリセプト®）がよいだろう（p151）．

<稲田　健>

8 専門医へ紹介するタイミング

POINT 専門医へ紹介するタイミング（うつ病の場合）

- 第一選択の抗うつ薬で効果が得られない場合
  - 6〜8週間経過しても効果が得られない
- 診断に苦慮する場合
  - 認知症との鑑別に迷う場合
  - 他の精神障害の合併
    …統合失調症，パニック障害，アルコール依存症など
  - 二次性うつ病
    …甲状腺機能低下症，インターフェロンなどの薬剤によるうつ病など
- 躁状態が出現した場合
- 重症のうつ病
  - 遷延している，慢性化している，入院が必要
  - 自殺について深刻に悩んでいる
    …自殺念慮を強くもつ or 自殺企図があった
  - 妄想を有する
    …現実離れした心配をして，説得を聞き入れない
  - 家族が途方にくれている
- あなたが，聞き手としての限界を感じた

自分なりの基準を決めておくとよいでしょう

　一例として，うつ病の患者さんを専門医へ紹介するタイミングをPOINTにあげた．紹介するタイミングは，医師個人のみならず，施設としての実情，地域での実情に合わせて相対的に決まるものであるが，1つの参考にしてほしい．

　薬物療法を行うにあたり，専門医以外は，各カテゴリーから1つの薬剤を使いこなし（p197参照），効果不十分や副作用のために継続処方ができない場合には，専門医へ紹介する．

<稲田　健>

2. 処方の実際

1 統合失調症

> **POINT　統合失調症で認められる症状**
>
> **陽性症状**
> 幻覚（他人が経験していないような音や声が聞こえたり，ものが見えたりすること），妄想（真実でないことを信じてしまうこと），自我障害（自分が自分であるという意識が曖昧になること）といった症状
>
> **陰性症状**
> 気力ややる気が欠落している状態．
> 外出しなくなる，他人と会話しなくなる，容姿を気にしなくなる　など
>
> **認知機能障害**
> 学習や集中力に問題が生じる状態．初めての場所へはどう行けばよいかなど，新しい情報を習得するのに困難を感じる．
> 日常会話に集中できない，テレビ鑑賞や読書に集中できない，自分の考えがうまく説明できない　など
>
> それぞれの症状に，抗精神病薬は有効である

1 統合失調症とは？

　統合失調症は，主に思春期後期～青年期に発症し，幻覚や妄想，自我障害，認知機能障害などの特有の精神症状で診断される疾患である．発症しやすい素因（脆弱性）と心理社会的な因子の相互作用によって発症する．治療により回復するが，再発しやすく，多くは慢性に経過する．再発の予防には服薬を継続する維持治療が重要である．

2 アセスメントと鑑別

　POINTにあるように，幻覚とは対象のない誤った知覚，妄想とは訂正不能な誤った考えである．自我障害には，思考内容の異常と思考過程の異常がある．これらは統合失調症に特徴的な症状ではあるが，統合失調症だけでみられる症状ではない．つまり，「**この症状があれば統合失調症であ**

る」といえるような症状は存在しない.

　診断過程としては，統合失調症に特徴的な症状群を有するかを確認し，そのような症状群をきたす以下のような疾患を除外することによって診断される.

①医薬品を含む精神作用物質によって誘発される精神病症状
②脳腫瘍や脳炎など中枢神経系の障害に起因する精神病症状
③全身性エリテマトーデス（SLE）や甲状腺機能障害など身体疾患に起因する精神病症状
④双極性障害や単極性うつ病などの気分障害

　これらを除外したうえで，統合失調症の診断はなされる.
　治療を行うに際しては，表1に示すような項目について確認，評価する.
　精神病症状のアセスメントには，簡易精神症状評価尺度（brief psychiatric rating scale：BPRS）（表2）などが利用される.

表1　統合失調症のアセスメント

統合失調症の精神症状と既往・現症
現在の症状，症状発現時期，発病状況，経過，治療歴，薬歴
患者さんの知的水準と認知機能
身体疾患の罹患状況と身体状況
血液，生化学（血糖値，甲状腺機能），心電図，脳波，頭部画像検査
心理社会的状況
生育史，教育歴，就職状況，病前の性格・社会適応，家族歴，家族構成なども

表2　簡易精神症状評価尺度（BPRS）の評価項目

1. 心気的訴え	10. 敵意
2. 不安	11. 疑惑（被害妄想）
3. 感情的引きこもり	12. 幻覚
4. 思考解体	13. 運動減退
5. 罪業感	14. 非協調性
6. 緊張	15. 思考内容の異常
7. 衒奇（げんき）的な行動，姿勢	16. 情動鈍麻
8. 誇大性	17. 興奮
9. 抑うつ気分	18. 見当識障害

3 薬物療法の原則

　統合失調症治療の目標と対応（行うべきこと）を図1にまとめた．治療を段階的にとらえ，それぞれに対応した治療介入を行う．さまざまな治療技法と治療資源，リハビリテーションが用いられるが，これらは互いに個別のものではなく，協働する．薬物療法は包括的治療の基盤をなすが，他の治療を邪魔しないものである必要がある．

　薬物療法は，第二世代抗精神病薬の単剤治療を原則とする．多剤併用することで，副作用よりも多くの利益が得られることは少ない．特に，統合失調症の多彩な症状を多剤大量の抗精神病薬で改善させるのには無理がある．中核症状に対する至適用量の抗精神病薬に，周辺症状への補助治療薬を組合わせる（図2）．補助治療薬は，周辺症状の改善後は漸減して中止する．

4 治療の経過

▶ 急性期の治療

　幻覚妄想などの異常体験があり，疲弊状態や神経過敏状態となっている時期である．時には過敏状態から猜疑心，敵意を抱き，興奮や攻撃性を示

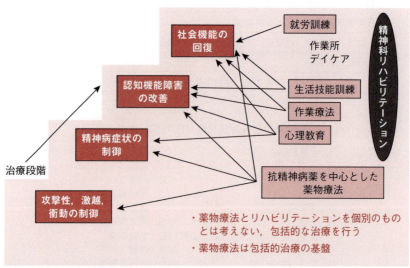

図1　統合失調症治療の目標と対応

2. 処方の実際

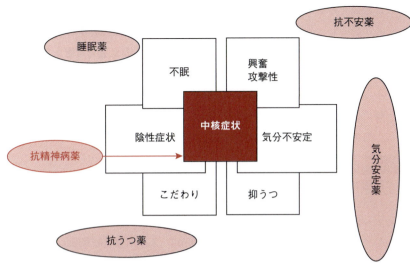

図2 《至適用量の抗精神病薬》＋《補助治療薬》が薬物療法の基本

すことがある．これらの興奮や攻撃性は，結果として患者さんの社会的機能をひどく損なう可能性があり，薬物療法の他，入院による保護も検討する．

▶ **薬物選択**

　抗精神病薬は，p35で述べたように，ドパミンD_2受容体を介する神経伝達を減少させるという点で共通の薬理作用を有するが，ドパミンD_2受容体への親和性や作用特性，ドパミンD_2受容体以外の受容体への作用は個々の薬物で異なり，これが，個々の薬物の作用と副作用の特徴と関連する．それぞれの薬剤の特徴と，アセスメントした患者側の要因を考慮して薬剤を選択する（p43参照）．

▶ **用量設定と治療評価**

　抗精神病薬の1剤を選択し，少量から開始し，数日間効果と副作用をみて適切と思われる投与量まで増量する．抗精神病薬の効果は，早ければ数日で効果が得られるが，その投与量における最大効果を得るためには，しばらくの日数を要する．この間に，**早まった増量や併用薬の追加を行わないことも大切で，不快な副作用がなければ，至適用量に調整後は2～4週間**

は経過をみるようにしたい．投与前には必ず効果，副作用について患者さんに説明し，十分な理解を得ることが治療維持につなげるポイントである．

　1つの薬剤が無効であった場合は，次の薬剤への変更を考慮する．薬剤の変更を急激に行うと，前薬の離脱の影響を受けて精神症状が不安定となる．このため，2剤目の薬剤を少量追加し，前治療薬を漸減する方法が無難である．

　処方例としては以下のようになる．

処方例

＜初回＞
　パリペリドン（インヴェガ®）　1回6 mg　1日1回（朝食後）
＜1～2週間後＞
　パリペリドン（インヴェガ®）　1回9 mg　1日1回（朝食後）
＜2～4週間後＞
　パリペリドン（インヴェガ®）　1回9～12 mgで調整
　　　　　　　　　　　　　　　1日1回（朝食後）
＜経過をみながら継続＞

処方後に確認すべきこと

● 副作用：流涎や振戦，ふらつきといった錐体外路症状の出現は，診察の際に必ず確認する．また，便秘や口渇，日中の眠気といった症状を確認することも大切である．

処方例

＜切り替え例＞
　パリペリドン（インヴェガ®）　1回9 mg　　1日1回（朝食後）
　オランザピン（ジプレキサ®）　1回5 mg　　1日1回（夕）
＜1～2週間後＞
　パリペリドン（インヴェガ®）　1回6 mg　　1日1回（朝食後）
　オランザピン（ジプレキサ®）　1回10 mg　 1日1回（夕）
＜2～4週間後＞
　パリペリドン（インヴェガ®）　1回3～6 mg　1日1回（朝食後）
　オランザピン（ジプレキサ®）　1回15 mg　 1日1回（夕）
＜2～4週間後＞
　オランザピン（ジプレキサ®）　1回20 mg　 1日1回（夕）

5 治療効果の確認

　薬剤により精神症状の改善が得られたかを確認する．前述のBPRSなどの評価尺度を用いて，症状の変化を確認することが大切である．患者さんの主観的な効果の実感，急性期症状を生じていた時期を振り返ることができるか否かは，臨床上有用である．

6 副作用の確認

　抗精神病薬にはさまざまな副作用が存在する．副作用を確認し対応することは，服薬の継続性と関係する．患者さんの主観的な副作用のほか，血圧，脈拍，体重変化，摂食状況，飲水状況，錐体外路症状など全身の状態を確認し，必要に応じて血液検査などを行う．一過性の副作用や対処可能な副作用であれば，患者さんと相談しながらそのまま処方を継続することもできるが，不快で持続的な副作用であれば，薬剤の変更を行う．

7 回復期から安定期の治療

　急性期症状の安定に引き続いて，社会機能の回復を目指す．社会機能の回復を目指すには，認知機能障害を改善することが必要である．しかし，認知機能や社会機能は，再発をくり返すごとに徐々に悪化し，回復が難しくなる．このため，**再発を防ぐことは何よりも重要**である．そして，統合失調症の再発を抑制する最もエビデンスのある方法は，**抗精神病薬の継続**である．通常は急性期に用いた薬物をそのまま継続するが，用量についてはさまざまな要因を考慮し調整していく．再発予防の用量と期間については，まだ結論は得られていない．

　文献的にも経験的にも，急性期よりは低用量で再発を予防できると考えられるし，服薬不要となる症例は存在する．しかし，現時点において，どのような症例にどの程度の用量が最適であるのかを決定しうる指標はない．

　服薬アドヒアランスを高めるための介入をおろそかにしないことが何より大切である．疾病教育，服薬指導等に医師，薬剤師，看護師など多職種でかかわることも重要である．また，回復期から安定期においても共同意思決定（Shared decision making：**SDM**）を心掛け，リスクとベネフィットを考慮し，十分相談したうえで用量の調節や薬剤の変更を行うことが大

切である．抗精神病薬はこれまでに錠剤，内用液，注射剤，貼付剤とさまざまな剤形の薬剤が開発されてきたため，いろいろな治療選択肢があることを医療者が提示することが重要である．

8 専門医へ紹介するタイミング

統合失調症の治療は，薬物療法やリハビリテーションなどを包括的に行うべきであり，包括的な治療方法を知る専門医が行うべきであろう．統合失調症が疑われる場合には，直ちに専門医へ紹介すると考えてよい．

Case Study

症例① 初発で精神科に入院となった症例

20代の女性．大学卒業後に就職したが，周囲との人間関係に負担を感じており，仕事上のミスも増えていった．徐々に仕事を休みがちとなり，職場の産業医との面接の際に"小さい物音でもうるさく感じる，誰かに監視されている気がする"と訴え精神科紹介となった．精神科初診時に，深刻な表情で"自分が変になってしまいそう，何か悪いことが起きそうだ"と訴え，職場復帰についての上司との話し合いを機に明らかな幻聴が出現した．"悪口が聞こえてきて辛い，このままでは生きていけない"と食事，睡眠もほとんどとれなくなり，精神科入院となった．

治療方針

身体検査や血液検査，脳波検査が施行されるも特記すべき所見はなく，違法薬物などの使用歴もないため，器質因による精神症状出現の可能性は乏しく，統合失調症の診断に至った．内服については"眠くなる薬は飲みたくない，1日何回も薬を飲みたくない"と訴えたため，服薬アドヒアランスを考慮しアリピプラゾール（エビリファイ®）1回6 mg，1日1回（朝内服）を開始した．症状への治療反応性と副作用の出現を確認しながらアリピプラゾール1回24 mg，1日1回（朝内服）まで4週間かけて増量したところ，"幻聴は聞こえなくなったが，下肢がムズムズする"とアカシジアを認め，アリピプラゾール18 mg，1日1回（朝内服）に減量した．その後も幻聴は時折認めるものの，入院時に感じていた"幻聴が辛く生きていてもしょうがない"といった気持

ちは緩和し，アカシジアの訴えも消失した．ストレスケアを含めた疾病教育と，治療継続・内服継続の必要性を十分に説明し，退院となった．

> 解説

　統合失調症の初発エピソードの典型例を提示した．服薬アドヒアランスは統合失調症の治療において大きな問題であるが，服薬継続に影響を与える要因は複数あり，丁寧に対応する必要がある．薬の飲み心地や副作用の程度（忍容性）も要因の1つであり，剤形（薬剤の大きさ・形状・色・味），効果（効果発現の速さ・効果の強さ），薬剤の特徴と不快な体験（眠気，鎮静など）等があげられる．これらのアドヒアランスをよくするための1つの方法として，さまざまな剤形の工夫がされているため，患者さんに合わせて選択していきたい．

　さらに統合失調症の治療において，心理的要素（服薬に対する患者さんの納得，医師－患者間の治療関係，病識）へのアプローチが重要である．今回のような統合失調症の初発エピソードでは，特にしっかりとした心理教育が必要であり，今後の再発予防や病状コントロールを行っていくために必須であるといえるだろう．

　今回のケースのように，幻覚や妄想といった症状の消長だけを治療ターゲットとするのではなく，副作用（今回のケースでいえばアカシジアなどの症状）の出現にも注意し，薬剤の選択や用量の調整を行っていくことも重要である．

症例② 治療中断により再発が疑われた症例

　20代の男子大学生．1カ月前から動悸，頭痛が出現し，ここ最近では頭痛のため外出もできなくなり，学校にも行けなくなった．徐々に食事量も低下し，母親に連れられて救急外来を受診した．

　救急外来で身体検査や血液検査が施行されるも特記すべき所見はなく，問診にて病歴を詳しく聴取すると，1年前に大学の校医から紹介された精神科クリニックで統合失調症と診断されていた．しかし半年前に外来通院を中断してしまい，母親もその状況を知らずにいた．

　さらに症状を詳しく聴取すると"外に出ると緊張や不安感が襲ってきて動悸や頭痛がする，誰かにみられている"と訴え，ここ数日は食欲不振から食事量が低下し，睡眠も2，3時間しか確保できていなかった．内服に関しては精神科クリニックからリスペリドン（リスパダール®）1回3 mg，1日1回（夕食後）を処方されていたが，通院中断後から内服も中止しており，手持ちの薬剤もない状態であった．

> **治療方針**

　救急外来で一通りの身体検査を施行するも異常所見は確認できなかった．統合失調症について本人に質問するも"どんな病気かは詳しく聞かなかった．周りが気になって外に出るのが怖いけど，以前のように声が聞こえてくることはない"と答え，疾病の理解が乏しい印象であった．

　以前内服していたリスペリドンに関しては"通院が必要ないと思ったので何となくやめてしまった．眠気がしたけれど特に飲んでいて気になることはなかった"と答えた．怠薬と通院中断による統合失調症の症状増悪の可能性を考え，再度精神科クリニックに通院することの必要性を説明し，リスペリドン1回1 mg，1日1回（夕食後）を処方し帰宅となった．

> **解説**

　治療中断による統合失調症の症状再燃が強く疑われるケースである．すでにクリニックで診断がついていることから，初発時にははっきりとした幻覚や妄想などの陽性症状があったと推測される．現在は食欲不振，不眠，動悸や頭痛といった症状が中心であるが，外出の際の"周りからみられている"といった感覚や"緊張や不安感"は，身体的異常がないことから判断すると治療中断による精神症状の悪化ととらえられるだろう．

　特に**食事や睡眠がいつも通りとれなくなることは，精神症状悪化の際によくみられる**ことである．

　ここでは以前内服していたリスペリドンを処方しているが，これはケースバイケースである．治療を中断した時点で，内服に対する抵抗があったのかもしれないため，**「なぜ内服と通院をやめてしまったのか？」**を確認することは大事である．内服による眠気の自覚はあったようだが，現在睡眠が2，3時間しかとれていないことを考えると，「内服することで睡眠がとれて，緊張や不安感も和らぐこともある」と説明し，内服再開を促すことも1つのテクニックである．なによりも精神科クリニックに再度通院するように説明することが大事である．統合失調症の精神症状の増悪に伴い，食事・睡眠のバランスが崩れ，身体的症状を訴えるケースは稀ではない．通院の再開に関しては，母親の協力を得ることも1つの手段である．

<河野仁彦>

2 不安症

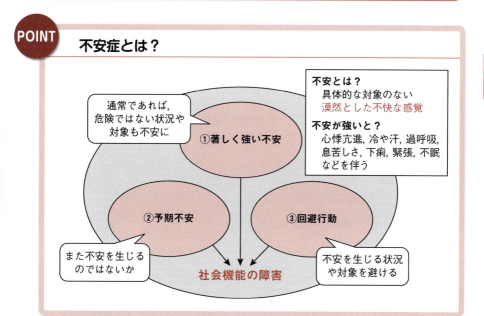

POINT 不安症とは？

1 不安症とは？

　不安とは具体的な対象のない漠然とした不快な感覚であり，生物が生存するうえで危険回避のために必要なものである．しかし，強い不安は心悸亢進，冷や汗，過呼吸，息苦しさ，下痢，緊張，不眠などを伴い，結果として社会的な機能の障害をきたす．これが不安症である．

　不安症にはさまざまなものがあるが，共通することは，①通常であれば危険ではない状況や対象に対して，**強い不安を感じる**，②再度不安を生じるのではないかという**予期不安**がある，③予期不安のために，不安を生じる状況や対象を避ける**回避行動**がある，といったことがあり，**社会機能の障害をきたしている**（POINT）．

2 アセスメントと鑑別

　不安症に共通する，不安の程度と社会機能の障害を確認する．不安症には，特徴的な不安症状を呈するものや，原因がトラウマ体験によるもの，身体の病気や物質によるものなど（図1）が含まれ，図2のようなものがあげられるので，これらのサブグループの特徴を確認し，鑑別をすすめる．

不安状態
- 物質誘発性のもの：アルコール，カフェイン，覚醒剤，鎮静薬，ベンゾジアゼピン（BZ）系薬剤，SSRI，甲状腺薬，アカシジア（抗精神病薬，制吐薬）
- 身体疾患に伴うもの：甲状腺機能亢進症，不整脈，低血糖症，パーキンソン病
- 気分障害に伴うもの
- 統合失調症に伴うもの
- 不安症によるもの

図1　不安状態のアセスメント

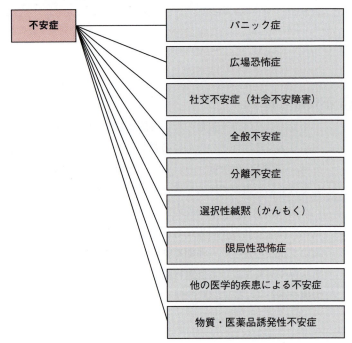

図2　いろいろな不安症

3 薬物療法の原則

不安症の薬物療法の第一選択は，抗うつ薬である．安全性の観点から，選択的セロトニン再取り込み阻害薬（SSRI）が好まれる．抗不安薬も併用されることがあるが，補助薬として位置づけられる．処方例は後述のパニック症（p213）や社交不安症（社会不安障害，p220）の項目を参照されたい．

4 薬物療法と心理療法

薬物療法と心理療法の組合わせが有効である（図3）．はじめに薬物療法によって，不安を軽減させることを目指す．並行して薬物療法に加えて，安心感を与え，不安を克服するように勇気づける支持的な精神療法を行う．可能であれば，有用性が明らかとなっている認知行動療法を併用する．認知行動療法は，対処方法を検討し，リラクゼーション法などを組合わせて，不安を克服するトレーニングである（図4）．これは患者さんにとっては精神的負荷を伴うものであり，薬物療法によってある程度の不安の軽減を図った方が導入しやすい．これらによって，自分で**コントロールできる感覚**を獲得することを目指す．

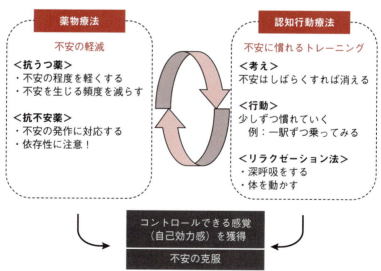

図3　不安症の治療

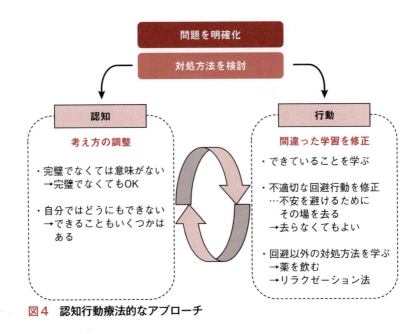

図4 認知行動療法的なアプローチ

5 専門医へ紹介するタイミング

　1つの抗うつ薬で十分な治療効果が得られない場合には，他の精神障害（とくにうつ病）との鑑別や，合併を考慮する必要があり，治療方法としては，心理療法や認知行動療法との組合わせを考慮する必要がある．このような場合には専門医に紹介する．

<稲田　健>

1 パニック症

POINT　パニック症とは？

① 突発性にくり返す**パニック発作**がある

② 発作がまた起きるのではと恐れる**予期不安**がある

③ そのため外出できない乗り物に乗れないなどの**回避行動**がある

パニック発作とは：
激しい恐怖感や不安感とともに次のような症状が突然生じる
- 動悸，冷や汗，胸痛
- 身体や手足のふるえ
- 呼吸困難感
- 胸の痛み
- 吐気，腹部不快感
- めまい，ふらつき
- 非現実感，自分が自分でない感じ
- 自己制御感の喪失

1 パニック症とは？

パニック症とは，パニック発作を主体とする不安症である．パニック発作とは，急性・突発性の不安の発作で，突然の激しい動悸，胸苦しさ，息苦しさ，めまいなどの身体症状を伴った強い不安に襲われるもので，患者さんは自己制御感を喪失する．

パニック発作を経験すると，二次的に発作の再発に対する**予期不安**を生じ，そのような状況や環境を回避する回避行動を伴う．**回避行動**は，パニック発作が生じたときに，そこから逃れられない，あるいは助けが得られないような状況を恐れ，避けるということから**広場恐怖**ともいう．

典型的なパニック症は，初期には強くかつ頻繁にパニック発作を生じるが，次第にその強さと頻度は低下する．一方，パニック発作がくり返されるに従って予期不安や広場恐怖は強化され，慢性化するとうつ病を併発することも少なくない（図1）．パニック症とうつ病は高い併存率を示し，**パニック症患者さんの2/3にはうつ病が併存している**とされる．

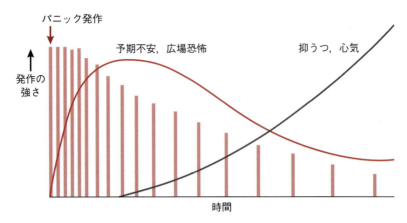

図1 パニック症の典型的な経過
パニック発作がくり返されるに従って予期不安や広場恐怖が強くなり，慢性化するとうつ病を併発することもある．
（文献1より引用）

2 アセスメントと鑑別

- パニック発作は，自律神経症状を伴うため，自律神経症状を生じる疾患を除外する．とくに，甲状腺機能亢進症，貧血，不整脈，薬物，アルコール，ニコチン，カフェインなどの影響を除外する
- パニック発作の有無，発作が誘発される状況を確認する
- パニック発作が慢性化している場合には，うつ病や強迫症，心的外傷後ストレス障害（post-traumatic stress disorder：PTSD）などを合併していることも少なくないので，その有無を確認する

3 薬物療法の原則

　　　抗うつ薬とベンゾジアゼピン（BZ）系抗不安薬が選択肢となる．BZ系抗不安薬は副作用，特に依存性の懸念があるため，第一選択はSSRIである．パニック症に適応承認を得ているSSRIは，パロキセチン（パキシル®）とセルトラリン（ジェイゾロフト®）である（p71も参照）．

　　　SSRIは低用量から開始し，漸増する．**少なくとも2～4週間継続する．十分な効果発現には8～12週間を要する**（図2）．抗うつ薬の用量としては，うつ病に対する用量より少なくても効果がみられることもある．

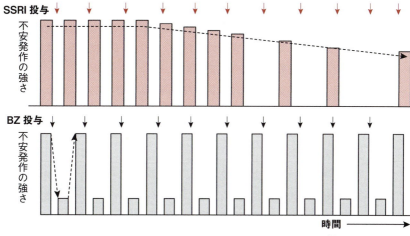

図2 SSRIとBZ系抗不安薬との効き方の違い（イメージ）

> **処方例**
>
> 〈開始〉
> 　セルトラリン（ジェイゾロフト®）1回25 mg　1日1回
> 〈1週間後〉
> 　消化器症状に注意しながら，1週間ごとに25 mg/日ずつ増量し，100 mg/日まで増量
> 〈頓用：不安発作時の緊急避難用〉
> 　アルプラゾラム（ソラナックス®）1回0.4 mg　不安発作時
> 　お守りとして，BZ系薬剤を処方する．依存形成への注意を指導する

　SSRIが効果を発現するまでの数週間の間は，不安を一時的に軽減させるBZ系抗不安薬を併用してもよい．ただし，BZ系抗不安薬はSSRIの効果がみられたら減量を開始し，2〜4週間に25％程度のペースで漸減していく．

　BZ系抗不安薬の頓用については，**あくまでも緊急避難**であり，原則週数回程度とする．それ以上に頓用を続けると，不安と頓用内服が条件づけされ，中止困難となるので注意する．

抗うつ薬は十分な効果がみられたら，6カ月〜1年間維持し，再燃がなければ，さらに6カ月〜1年間かけて漸減中止する．

薬物療法の開始前に，薬物の副作用と中止後に発現する症状について十分説明し，服薬指示の遵守を指導する．

- **副作用**：食欲不振，嘔気，便秘，性機能障害，体重増加
- **中止後発現症状**：頭痛など電撃が走るような疼痛，発汗，嘔気，不眠，振戦，悪夢，めまい

などが考えられる．

患者さんには服用前にはあらかじめ，「薬のせいで吐き気や便秘といったことが起こる可能性がある．言いづらいかもしれないが，性機能障害もきたすことがあるので，困ったことが起きたときには教えてほしい」といった旨の説明をしておくと，自己中断を防げる可能性がある．

また，薬剤中止時には，前述のような離脱症状が起こる可能性を話しておくと，症状出現時の患者さんの不安軽減に役立つ．

4 治療の経過

パニック症の治療は，薬物療法と精神療法の組合わせにより行われる（図3）．

薬物療法により，パニック発作の頻度と程度を軽減するとともに，パニック発作に**対処できるという感覚**（自己効力感）を獲得することを促す．

```
薬物療法
<抗うつ薬>
・不安の程度を軽くする
・不安を生じる頻度を減らす
<抗不安薬>
・不安の発作に対応する
・依存性に注意！
```

```
認知行動療法
不安に慣れるトレーニング
<考え>
・パニック発作で死ぬことはない
・しばらく経てば消えている
<行動>
・少しずつ慣れていく
   例）一駅ずつ乗ってみる
<リラクゼーション法>
・深呼吸をする
・体を動かす
・筋弛緩法
```

図3 パニック症の治療

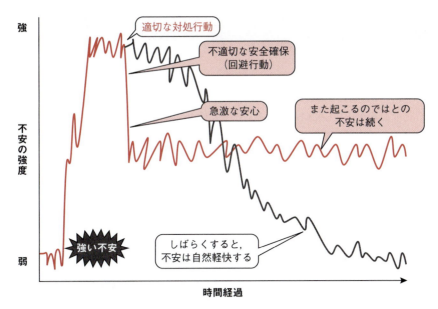

図4 不安・恐怖の経時的変化の特徴
(文献2をもとに作成)

　図4に不安・恐怖の経時的変化の特徴を示した．パニック症においては，強い不安を感じるが，しばらくすれば不安は自然軽快する．しかし，不適切な対処行動である回避行動をとると，急激な安心は得られるものの，また起こるのではないかとの不安は続く．このような不適切な対処行動をとらず，適切な対処行動をとって不安を自然軽快させ，パニック発作に対応できるという感覚を獲得していくことが治療の目標となる．
　このような感覚の獲得にはトレーニングが有用ではあるが，患者さんにとっては非常に大きな不安と苦痛が伴う．薬物療法はこのような不安を軽減するのに役立つ．

5 専門医へ紹介するタイミング

　症状が遷延し，社会機能の回復が図れない場合には専門医への紹介を考慮する．また，うつ病やアルコール依存症などを合併する場合にも，専門医に紹介する．

Case Study

症例　多忙をきっかけに発症した女性

25歳女性会社員．生育歴に問題なく，22歳より就職した会社で精力的に仕事をこなしていた．25歳になると徐々に責任ある仕事を任されるようになり，より多忙な日々となっていった．ある日，電車に乗ると息苦しい感覚に襲われ，動悸や過呼吸発作が出現した．「このままでは死んでしまうのでは」という恐怖感に襲われ，電車を途中下車し，30分ほど安静にしていたら改善した．翌日以降も電車に乗ると同様の症状が出現することがしばしばあり，また会社でも発作を起こしたため，精神科受診となった．パニック症と診断され，加療開始となった．

治療方針

本人は，「発作が起きるとものすごい恐怖感に襲われる」と，緊張した面持ちで話していた．医師は「発作が起きても死ぬことはありません．発作出現後，数十分の間には改善しますから，落ち着いて対応しましょう．発作が起きたときのためにお薬を出しておきましょう」と説明し，アルプラゾラム（ソラナックス®）1回0.5 mgを発作時の頓用として処方し，経過観察とした．電車に乗る前の予防的な内服で，電車通勤は可能となったが，仕事でのプレゼンテーションの際などにも発作が起こるようになり，頻度も徐々に増えていった．精神科を再受診されたため，SSRIのパロキセチン（パキシル®）1回10 mg，1日1回（夕食後）から開始となった．「吐き気などの消化器症状が起こることがありますが，慣れることもありますので，1週間我慢して飲み続けてください」と説明をし，1週間以上の間隔をあけて，10 mg/日ずつ漸増．30 mg/日まで増量したところでパニック発作は出現しなくなり，アルプラゾラムの頓用使用回数も減っていった．最終的にアルプラゾラムは中止，パロキセチン1回30 mg，1日1回（夕食後）のみで加療することができた．

解説

典型的なパニック症の症例である．発作出現時は，"死の恐怖を感じる"ほどであり，見慣れない医師からすると大げさに訴えているようにみえることもある．患者さんへは，発作のピークが必ずきて，その後は落ち着いていくことをくり返し説明し，安心を与える．

薬物治療としては，BZ系抗不安薬は有用ではあるが，依存や耐性の問題を考慮すれば，抗うつ薬が第一選択となる．また，パニック症には，うつ状態

が重畳することも少なくない．うつ病やうつ状態の合併の有無を確認し，合併がみられれば抗うつ薬を積極的に使用していくことが望まれる．

● 文　献 ●

1）竹内龍雄：パニック障害とは何か：経過と見通し．こころの科学，107：24-28，2003
2）坂野雄二：不安障害に対する認知行動療法-エクスポージャー法をどのように導入するか，そのコツを探る．精神神経学雑誌，115：421-428，2013

＜稲田　健＞

2 社交不安症

POINT 他人から注目されることに対する不安を主とする不安症

以下のような場面で強い不安を感じる
1. 会議などで発表したり，意見をいったりする
2. 人前で電話をかける
3. 趣味のサークル，PTA，ゼミなどのグループ活動に参加する
4. レストラン，喫茶店，居酒屋などで飲食する
5. 権威ある人（学校の先生，職場の上司）やよく知らない人と話をする
6. 職場や学校など人前で仕事をしたり字を書く
7. 多くの人の前で話をしたり，歌を歌ったりする
8. 会議やゼミなどの他の人達がいる部屋に入る
9. 人と目をあわせる
10. 来客を迎える
11. 自分を紹介される

1 社交不安症とは？

他人から注目されることに対する不安を主とする不安症の1つである．

人前で話すなどの注目される場面において，不安を感じ，声が震える，声が出ない，手足の震え，動悸や吐き気などさまざまな身体症状を呈する．この結果，ごくわずかな衆目場面，あるいは実際には注目されていないような場面をも，次第に回避するようになり，日常生活に支障をきたす．いわゆる"ひきこもり"や不登校などを主訴に来院する患者さんの一部は，社交不安症であることがある．

社交不安症の診断には，以下のようなことを確認する．
①他人からみられたり，**注目を浴び**たりすることに**恐怖**や戸惑いを感じたか

②その恐怖に対して，自ら怖がりすぎているとの**不合理感を自覚**しているか
③その**状況の回避**があるか
④**社会生活上の困難**を生じているか

2 アセスメントと鑑別

　有病率は12％と頻度は高い．人前であがってしまうなど，典型的な症状のほかに，飲食の際に緊張感が強いなど，漠然とした訴えの際に本疾患を疑うことが重要である．

　全般性不安症やうつ病を併存していないかの確認が必要であり，統合失調症の被注察（誰かに見張られている）感や過敏性亢進の時期と誤診されることがあるので注意する．

3 薬物療法の原則

　薬物療法と心理療法の併用が有用である（図）．

　薬物療法としては抗うつ薬が有用とされ，わが国においてはSSRIである，パロキセチン（パキシル®），フルボキサミン（デプロメール®，ルボックス®），エスシタロプラム（レクサプロ®）が適応承認を取得している（p70参照）．薬物療法のみで不安感が消失することは稀である．むしろ，心理療法を円滑に進めるための補助として，薬物療法を用いると考えてもよい．

　心理療法としては曝露療法や認知行動療法，ソーシャルスキルトレーニ

図　社交不安症の治療

ングなどが用いられる．具体的には，他人からの注目を集める場面に自ら出てみて，思ったより不安は強くなかった，不安に対処できた，という実感をくり返し得てもらう．社交不安症の場合，この第一歩が大きな苦痛を伴うものであるが，薬物療法を併用することで，不安は軽減される．

4 治療の経過

> **処方例**
>
> **＜初回＞**
> パロキセチン（パキシル®）1回10 mg　1日1回（夕食後）
> **＜1週間後＞**
> パロキセチン（パキシル®）1回20 mg　1日1回（夕食後）
> 以降1週間ごとに10 mg/日ずつ増量し，40 mg/日まで増量
> **＜頓用：特定のごく限られた場面で不安が高まる場合＞**
> ロラゼパム（ワイパックス®）1回0.5 mg　不安発作時
> この頓用は依存を生じやすいため，あくまでもお守りであり，継続的に使用するものではないことを説明しておく

5 専門医へ紹介するタイミング

　他の不安症を合併している場合，他の不安症との鑑別が問題になる場合には，専門医に紹介する．

Case Study

> **症例　友人に笑われたことをきっかけに発症した例**
>
> 　16歳の男子高校生．高校進学により，友人関係も新しくなり，ストレスを感じていた．
> 　授業中に答えを間違い，友人らに笑われた後から，人前で話す際に動悸や手の震え，発汗を自覚するようになった．学生食堂で，見知らぬ学生らのなかで食事をすることにも緊張を覚えるようになり，日常生活に困難が生じ，徐々に学校に行くことが億劫となったため精神科受診となった．

> **治療方針**

　初診時はうつ状態を呈していたが，病歴から社交不安症の存在を考え，パロキセチン（パキシル®）1回10 mg，1日1回（夕食後）からの薬物療法開始となった．内服薬を漸増（40 mg/日）したところ，うつ状態は改善し，登校は可能となった．依然として人前では声が震えるなどはあるものの，その後はうつ状態を呈することなく卒業となった．

> **解説**

　社交不安症が問題となるのは，その不安が原因となり，必要な日常生活動作に制限がかかることである．そのため，制限の緩和を目標として治療を行う必要がある．有用な治療法としては，薬物療法と認知行動療法があげられる．薬物療法としてはSSRIが第一選択薬であり，症状緩和の後は再燃予防として，1年程度は内服継続が望まれる．

<稲田　健>

3 強迫症

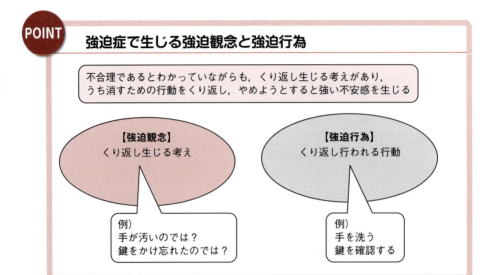

POINT　強迫症で生じる強迫観念と強迫行為

不合理であるとわかっていながらも，くり返し生じる考えがあり，うち消すための行動をくり返し，やめようとすると強い不安感を生じる

【強迫観念】
くり返し生じる考え

例）
手が汚いのでは？
鍵をかけ忘れたのでは？

【強迫行為】
くり返し行われる行動

例）
手を洗う
鍵を確認する

1 強迫症とは？

　強迫症とは，強迫観念と強迫行為からなる疾患である．

　強迫観念とは，本人の意思と無関係に反復性に生じる，不快感や不安感を生じさせる思考である．強迫行為とは，不快な存在である強迫観念を打ち消したり，振り払うための行為で，強迫観念同様に不合理なものだが，それをやめると不安や不快感が伴うために，中止することには大きな苦痛を伴う（POINT）．

　強迫観念や強迫行為は，強迫症以外にも統合失調症やうつ病，発達障害などでも生じる（図1）．強迫症においては，**強迫症状が奇異であったり，不合理であると患者さん自身が認識している**ことが特徴的である．この不合理感の自覚から，患者さんは人知れず思い悩んだり，恥の意識をもっている場合もあり，自分だけの秘密として，周囲にわからないように秘密裏に強迫行為を行ったり，理不尽な理由をつけてごまかそうとすることがある．逆に自身で処理しきれない不安を払拭するために，周囲に強迫行為を

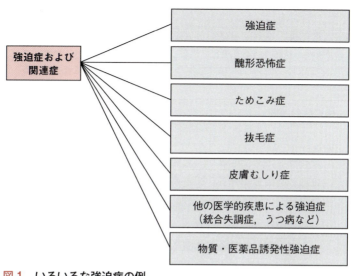

図1 いろいろな強迫症の例

強要する場合もある．

2 アセスメントと鑑別

　強迫観念と強迫行為を確認する．患者さん自らが強迫観念と行為が不合理であると感じていることを確認するが，不合理感を欠くこともある．

　強迫行為は，統合失調症の初期症状であることも少なくない．幻覚や妄想など他の精神症状の有無を確認することで鑑別する．

3 薬物療法の原則

▶ 強迫症の治療

　他の不安症と同様に，抗うつ薬による薬物療法と精神療法，特に行動療法や認知行動療法が有効である（図2）．

　認知行動療法としては，エクスポージャー法と反応妨害法が知られている．エクスポージャー法とは，強迫行為を生じる状況に自ら意図的に曝露するもので，反応妨害法とは，不安や不快感が発生しても，それを低減するための強迫行為を抑制する方法である．さらにエクスポージャー法と反応妨害法を一連の流れで行うものを曝露反応妨害法という．これらは単独

薬物療法	行動療法（＝トレーニング）
・抗うつ薬（SSRI，クロミプラミン）を基本に抗不安薬，抗精神病薬を組合わせる	・曝露反応妨害法 ・強迫観念を止めてみる ・強迫行為を止めてみる ・止めたときに生じる不安を乗り越える

図2 強迫症の治療

で行うこともできるが，患者さんは不快に立ち向かう必要があり，導入には多くの困難を伴う．したがって，通常は薬物療法導入後に行った方が成功する．

　薬物療法として，セロトニン系に作用する抗うつ薬が有効で，選択的セロトニン再取り込み阻害薬（SSRI）や三環系抗うつ薬のクロミプラミンの有効性が証明されている．SSRIとしては，フルボキサミンとパロキセチンが適応承認を取得している（p70）．

　強迫症に対するSSRIの投与量は，抗うつ薬として用いるよりも高用量を要することが多い．

処方例

＜初回＞
　パロキセチン（パキシル®）1回10 mg　1日1回（夕食後）
＜1週間後＞
　パロキセチン（パキシル®）1回20 mg　1日1回（夕食後）
　以降1週間ごとに10 mgずつ増量し，50 mg/日まで増量
＜改善が乏しい場合＞
　アリピプラゾール（エビリファイ®）1回1.5 mg　1日1回を追加し経過をみる（適応外）

---

4 治療の経過

　抗うつ薬全般にいえることであるが，消化器症状の出現が多いため，必要時には制吐薬を適宜用いることも有用である．

上記の副作用の出現を避けるためにも、抗うつ薬は低用量から開始し、適宜漸増する．

効果判定には、最大用量に増量するまでの時間も考慮し、8～12週間を要する．

効果不十分時には、抗うつ薬の併用や置換を検討する．また、保険適用外ではあるが、抗精神病薬による増強療法は、リスペリドンなど一部の薬剤においてその効果が期待されている[1]．

内服薬中止にあたっては、減量後に半数近くが再発する可能性があるため、症状が安定した状態を1～2年は維持できた際に、減薬・中止を検討する．

5 専門医へ紹介するタイミング

重症の強迫症では、抗精神病薬の併用が必要となることがある．この場合は専門医に紹介する．

Case Study

症例　人間関係をきっかけに、"洗浄強迫"が顕著になった例

20歳女性会社員．もともと本人曰く"潔癖性"であったが、日常生活には困ることなく暮らしていた．18歳で就職をし、以後仕事をこなしていたが、徐々に人間関係などで悩むようになっていった．半年前より、家に帰ってくると"外から汚いものをもち込んでしまった"とすぐに風呂に入り、入念に身体を洗うようになった．職場でも、コピー機に触るたびに手洗いをしないと気がすまなくなるなど、日常生活に支障が出るようになった．家族の勧めもあり、精神科に受診となった．

治療方針

"自分でもおかしいと思うけれども止められない"と不合理感を訴えていた．外来主治医は強迫症と診断し、抗うつ薬による薬物療法を勧めた．パロキセチン（パキシル®）を1回10 mg、1日1回から処方．1週間ごとに10 mg/日ずつ増量し、50 mg/日まで増量した．徐々に手洗いの回数などが減り、"汚いと思っていたものに近づけるようになった"と話すようになった．そのた

め，外来主治医は，積極的に汚いと思うものに触れていき，手を洗わないで我慢する練習を開始するように指導した．当初は，つり革を触ることさえも抵抗感が強かったが，徐々に触れられるようになっていった．

解説

　強迫症は抗うつ薬が有用な疾患の1つである．また，エクスポージャー法など，認知行動療法も有用であり，忙しい外来診療のなかでも，"汚いものランキングをつくって，下位のものから触る練習をしていく"などは簡便に行うことができ，継続的な治療を行うことが可能となる．強迫症もうつ病を併存することが多く，その可能性を疑い診察することが必要である．

●文　献●

1）Dold M, et al：Antipsychotic augmentation of serotonin reuptake inhibitors in treatment-resistant obsessive-compulsive disorder: a meta-analysis of double-blind, randomized, placebo-controlled trials. Int J Neuropsychopharmacol, 16：557-574, 2013

<稲田　健>

4 うつ病とうつ状態

POINT

うつ病・うつ状態で認められる症状

うつ病エピソード

① 気持ちが落ち込む
② 趣味など，楽しかったことが楽しめない
③ 食欲が落ちている
④ 眠れない
⑤ 焦りが著しく強い
⑥ 億劫でやる気が起きない
⑦ 自分を責め，価値がないと考える
⑧ 仕事などでささいなミスが増える
⑨ 死にたい気持ちになる

普段と異なる状態が2週間以上！

1 うつ病・うつ状態とは？

　うつ状態は，**気分・感情の障害**であり，抑うつ感，悲観的気分に，気力低下，易疲労，精神運動制止などの全般的活動性の変化を伴って，社会生活に支障をきたした状態である（**POINT**）．うつ状態には日常のちょっとした落ち込みのように，程度も持続期間も短いものから，長期にわたり自殺を招くような重篤なものまでさまざまあり，その原因も多様である．うつ状態をきたす障害のうち，次ページの**表1**に示すように原因を除外したものが，うつ病である．

2 アセスメントと鑑別

　うつ状態は，さまざまな原因によって引き起こされる．DSM-5の大うつ病性障害エピソード診断基準は**表2**のとおりである．大うつ病性障害エピ

表1　うつ状態のアセスメントと鑑別

治療の緊急性	うつ状態
高　↓　低	薬剤によるもの：ステロイド，インターフェロン，抗がん薬，高血圧治療薬，アルコール
	身体疾患によるもの：脳外傷，脳腫瘍，脳血管障害，内分泌疾患（甲状腺機能低下症など），膠原病（SLEなど）
	統合失調症
	気分障害によるもの：双極性障害，単極性うつ病
	心因性や環境因性のもの：適応障害，パーソナリティ障害，不安障害など

SLE：全身性エリテマトーデス

表2　DSM-5の診断基準（抜粋）

以下のうち①もしくは②を含む5つ以上が2週間の間に存在し，臨床的に著しい苦痛または社会機能障害を生じている．
　①ほとんど1日中，ほとんど毎日の抑うつ気分
　②ほとんど1日中，ほとんど毎日の，興味，喜びの著しい減退
　③体重減少または増加あるいは食欲の減退または増加
　④不眠または睡眠過多
　⑤精神運動焦燥または制止
　⑥疲労感または気力の減退
　⑦無価値感，不適切な罪責感
　⑧思考力や集中力の減退，決断困難
　⑨自殺念慮または自殺企図

（文献1を参照して作成）

ソードの診断基準に合致するなら，次にどのような原因・疾患によって，うつ病エピソードが引き起こされているのかを考察し，鑑別する．その際，**①薬剤や身体疾患に起因するうつ状態，②統合失調症，③双極性障害，④単極性うつ病，⑤心因性や環境因性のうつ状態（適応障害やパーソナリティ障害）**，の順に鑑別診断を考えるとよい（**表1**）．この順番は治療の緊急性を要する順番であり，かつ，治療としてまず行うべきことが定まっている順番でもある．

　これらの鑑別のためには，本人のみならず家族などからも情報を得ることが非常に有用である（**表3**）．特に，うつ状態が難治化，遷延するときに

2. 処方の実際

表3 鑑別のために把握すべき情報

- 身長，体重，バイタルサイン（栄養状態）
- 一般神経学的所見（パーキンソン症状，不随意運動）
- 既往歴（糖尿病と閉塞隅角緑内障の把握）
- 家族歴（精神疾患，自殺者の有無を含む）
- 現病歴〔初発時期，再発時期，病相の期間，きっかけ，悪化要因，生活上の不都合（人間関係，仕事，家計への影響）〕
- 生活歴（発達歴，学歴，職歴，結婚歴，飲酒歴，薬物使用歴）
- 病前のパーソナリティと適応状態（もともとどんな人だったのか？対人関係，家庭や学校・職場ではどのような人だったのか？）
- 睡眠状態
- 食欲と栄養状態
- 意識障害，認知機能障害，知能
- 女性では月経周期と気分変動の関係，妊娠出産・閉経と気分変動の関係

は，症状性を含む器質性精神障害や双極性障害の鑑別も併せて診断の見直しや再確認を行うべきである．

うつ病の治療薬選択においては，表4のような項目を確認する．

3 薬物療法の原則

うつ病の治療を始めるときは，表5に示すような内容を患者さんに伝え，治療の導入を図る．

▶ うつ病の薬物療法の原則（表6，7）

うつ病治療においては，まず寛解を目指す急性期治療，寛解を維持し再燃を防ぐ継続治療，寛解状態を16～20週間続けた回復状態を維持し，再発を防ぐ維持治療，そして終結期治療を行う（図1）．

抗うつ薬は単剤で少量から開始し，効果と副作用を確認しながら，徐々に増量する．まずは急性期治療として十分な量を投与し，寛解を目指す．

寛解導入後は，これを維持して再燃を防ぐための継続治療を行ってさらなる社会機能の回復を目標にする．その後，再発を防ぐための維持治療を行う．維持治療の期間は，寛解導入後，初発うつ病で半年から1年間，反復性のうつ病ではそれ以上の期間を要する．治療の終結には徐々に減量していく（表7，図1）．

表4　うつ病治療薬選択のための評価項目

	評価項目	評価のポイント
1	年齢	高齢者への三環系抗うつ薬は，副作用が多く使いにくい
2	自殺や衝動行為の危険性	自殺のリスク評価は必須
3	入院か外来か	外来環境で本人の保護が図れるか
4	合併する身体疾患やその治療薬	薬物相互作用への注意
5	合併する精神疾患	特に薬物乱用，不安障害，精神病性症状の合併
6	過去のうつ病エピソードの治療歴や治療（薬剤）の有効性	過去に有効であったものは有効である可能性が高く，過去に無効であったものは無効である可能性が高い
7	遺伝素因および親族の治療歴やその治療（薬剤）の有効性	遺伝的に効きやすい薬剤があるかもしれない
8	薬剤の安全性と忍容性	
9	発症前，現在の心理社会的適応レベル	
10	周囲の支援システム	
11	薬価	
12	本人の好み	最終的に"好み"となるとしても，推奨されるものは何か検討する

表5　うつ病の治療導入に際して伝えるべきこと

- うつ病という診断を伝える
- うつ病とは何かを伝える
- うつ病の治療方法について伝える．脳（心）の休息と薬物療法と睡眠の確保が重要という点を説明する
- 物事の極端なとらえ方に基づく療養中の大決断を避け，重要な事項に関する判断は延期するよう伝える
- 自殺行為をしないことを約束してもらう
- 患者さんの周囲の家族・関係者に，うつ病の急性期ははげましと気晴らしの誘いが逆効果になることを理解してもらう
- 生活習慣の改善など，患者さん側での治療的対処行動を適宜要請する．特に睡眠・覚醒リズムの改善
- 飲酒は控えること

2. 処方の実際

表6　うつ病の薬物療法 - 原則 -

- 単剤で少量から開始
- 効果と副作用を見極めながら，徐々に増量
- 寛解を目指す**急性期治療**は約6～8週間続ける．寛解が得られない場合には，他剤への変更や増強療法を行う
- 寛解が得られたときには，寛解を維持し，再燃を防止するための**継続治療**を16～20週間続ける
- 寛解を維持し，再発を防止するための**維持治療**を行う（半年～）
- 徐々に減量していく

表7　うつ病の薬物療法

- 副作用の少ないSSRI，SNRI，NaSSAを第一選択薬とし治療を開始する（p197も参照）
- 第一選択薬を十分量・十分期間使用し，反応がない場合には増強療法か併用か，主剤の変更を検討する
- 増強療法を検討する場合には，第一選択薬を使用し，2週間でHAM-Dの20％以上の改善があるかを目安にする．リチウム（血中濃度0.4 mEq/L以上を目安に増量する）や少量の抗精神病薬の併用を行う
- 併用や変更の場合には，多くはクラスの違う抗うつ薬を用いる

HAM-D：ハミルトンうつ病評価尺度

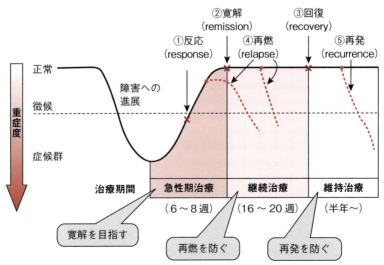

図1　うつ病の治療の流れ

4 治療の経過

> **処方例**
>
> ＜初回＞
> セルトラリン（ジェイゾロフト®）1回25 mg　1日1回（夕食後）
> ＜2週間後＞
> セルトラリン（ジェイゾロフト®）1回50 mg　1日1回（夕食後）
> ＜4週間後＞
> セルトラリン（ジェイゾロフト®）1回75 mg　1日1回（夕食後）
> ＜6週間後＞
> セルトラリン（ジェイゾロフト®）1回100 mg　1日1回（夕食後）
> 2週間ごとの再診時において，以下（効果と副作用）を確認し，用量を調整していく

処方後に確認すべきこと

● 効果：本人の主観としての効果を確認する．

> **質問例**
> 「よくなったと思える点はどこでしょうか」
> 「初診日につらかった○○といった症状はどうなりましたか」
> 「だいたい元の自分をとり戻せたでしょうか．あとのあたりがまだ足りないと感じますか」
>
> ➡ 医師自身が見た患者さんの服装や表情，話しぶり，態度から客観的な改善を確認する．可能であれば，家族からの評価を聴取し，家庭での様子を確認する．
> ハミルトンうつ病評価尺度（Hamilton rating scale for depression：HAM-D），モントゴメリー・アスベルグうつ病評価尺度（Montgomery Åsberg depression rating scale：MADRS）などの評価尺度を用いると，効果の確認は行いやすい．

● 副作用：頻度の高い副作用〔消化器症状（嘔気，便秘）〕と，頻度は少なくとも重大である副作用〔抗利尿ホルモン不適合分泌症候群（SIADH）など〕がないかを確認する（p62も参照）．

> **質問例**
> 「服薬を開始して悪いことは生じていませんか」
> 「今までになく不安になったことはありませんでしたか」

▶ 1剤目の抗うつ薬で効果がなかった場合

2剤目の薬に徐々に切り替えることが基本（図2）．

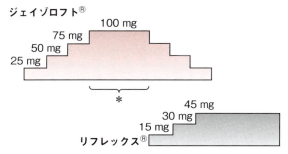

図2　段階的な増量と薬剤の切り替えのイメージ
＊初発であれば半年程度，反復であれば1年以上を考慮

処方例

＜切り替え初回＞
セルトラリン（ジェイゾロフト®）1回75 mg 1日1回（夕食後）
ミルタザピン（リフレックス®）1回15 mg 1日1回（就寝前）

＜2週間後＞
セルトラリン（ジェイゾロフト®）1回50 mg 1日1回（夕食後）
ミルタザピン（リフレックス®）1回30 mg 1日1回（就寝前）

＜4週間後＞
セルトラリン（ジェイゾロフト®）1回25 mg 1日1回（夕食後）
ミルタザピン（リフレックス®）1回45 mg 1日1回（就寝前）

＜6週間後＞
ミルタザピン（リフレックス®）1回45 mg 1日1回（就寝前）

このような切り替えをくり返し，寛解を目指す．

▶ 維持治療

寛解状態の量を維持する（セルトラリン100 mg/日など）．ただし，主剤となる抗うつ薬以外の抗不安薬や睡眠薬は適宜中止する．初回エピソードの場合であれば，半年ほど寛解状態を維持しているならば，1週間以上の間隔をあけて，少量ずつ（セルトラリンであれば25 mgずつ）減量していく．前述の離脱症状や症状の再燃に注意し，出現するようであれば再度

増量を検討する．

また，薬剤中止時には，離脱症状が起こる可能性を話しておくと，症状出現時の患者さんの不安軽減に役立つ可能性がある．

5 専門医へ紹介するタイミング

表8に専門医へ紹介するタイミングを示した．

特に，自殺念慮への配慮は忘れないようにしたい．専門医を受診するまでは，家族に目を離さないようにしてもらう．危険行動がある場合には，緊急での入院（措置入院）の相談をする．

表8　専門医へ紹介するタイミング

- **第一選択の抗うつ薬で効果が得られない場合**
  - ・6～8週間経過しても効果が得られない
- **診断に苦慮する場合**
  - ・認知症との鑑別に迷う場合
  - ・他の精神障害の合併
    （統合失調症，パニック症，アルコール依存症など）
  - ・二次性うつ病
    （甲状腺機能低下症，インターフェロンなどの薬剤によるうつ病など）
- **躁状態が出現した場合**
- **重症のうつ病**
  - ・遷延している，慢性化している，入院が必要
  - ・自殺について深刻に悩んでいる
    （自殺念慮を強くもつ or 自殺企図があった）
  - ・妄想を有する
    （現実離れした心配をして，説得を聞き入れない）
  - ・家族が途方にくれている
- **あなたが，聞き手としての限界を感じた**

自分なりの基準を決めておくとよいでしょう

Case Study

症例　うつ病の典型例

50代の男性．会社員．職場の異動により管理職となり，他の課と業績を競い合うようになった．仕事は多忙で，疲労が重なり不眠となり，食欲は低下した．絶望的な考えばかりが浮かび，週末も楽しみがなくなり，気分の晴れるときは全くなかった．出勤はするものの，常にうわの空で，判断できず，指示が出せない．このような状態が続くため，病院へ来院した．

治療方針

初診時，意識は清明で，疎通性に問題はなかった．身体理学所見，血液検査所見に異常はなかった．薬剤，アルコールの使用歴はなかった．うつ病と診断し，セルトラリン（ジェイゾロフト®）1回25 mg，1日1回の投与を開始した．さらに1週間後に再診，副作用がないことを確認し，セルトラリン1回50 mg，1日1回に増量した．さらに1週間後に再診，再び副作用がないことを確認した．効果は，「睡眠がとれるようになり，どうにもならないという考えや焦る気持ちが減った」と不眠と不安感，焦燥感の軽減を確認した．しかしながら，抑うつ気分や意欲の低下，集中力の低下は持続していた．そのためセルトラリン1回75 mg，1日1回に増量した．2週間後に再診，効果と副作用を確認し，1回100 mg，1日1回に増量した．2週間後（初診から6週間後）の再診時には，抑うつ気分や集中力の低下も改善，新聞を読むといった活動が行えるようになった．セルトラリンは1回100 mg，1日1回でそのまま継続とした．

3カ月後，友人と気分転換に出かけるほどではないものの，仕事や日常生活はおおむね元通りに行えるようになった．

薬物療法はこのまま初診日の1年後まで継続した．その後，1カ月ごとに25 mg/日ずつ減量し，4カ月をかけて漸減中止，終診とした．

解説

うつ病治療の典型例を提示した．このように順調な経過をたどることは実際には30～40％程度と考えられる．1剤目の薬物療法において寛解（「おおむね元の自分をとり戻せた」と実感できる程度の改善）が得られない場合には，2剤目，3剤目への変更を要する．薬剤は変更することはあるが併用は行わない．

●文　献

1）「Diagnostic and Statistical Manual of Mental Disorders, 5th Edition」（American Psychiatric Association），American Psychiatric Publishing, 2013

<村岡寛之>

5 躁状態と双極性障害

POINT 躁状態で認められる症状（躁病エピソード）

躁病エピソード

- 爽快・愉快な気分（気分高揚）
- 自分が一番偉い，正しいと感じる（自尊心の肥大）
- 眠らなくても平気（睡眠欲求の減少）
- 口数が多く早口，誰にでも話しかける（多弁）
- アイデアや考えが次々に浮かぶ（観念奔逸）
- 気が散りやすい（注意散漫）
- 非常に活動的（目標指向性の活動の増加）
- 無分別・無謀な行動（困った結果につながる活動への熱中）

普段とは異なる期間が1週間以上！

1 躁状態とは？

躁状態とは，気分の高揚に伴い，自我意識の肥大，過活動を伴う感情の障害である．気分は高揚し，爽快・愉快であり，自分が一番偉い，正しいと感じ尊大な態度をとる．口数は多くなり，早口で，誰にでも話しかける．アイデアや考えが次々と浮かぶ一方で，気は散りやすい．非常に活動的で短時間の睡眠でも充足する．また，無分別・無謀な行動をとり，ときに浪費し，多額の借金をかかえたり，社会的に逸脱した行為に至ることもある（POINT）．

躁状態だけを生じることはとても稀で，**通常は躁状態の後にうつ状態をきたす**．躁とうつの両極の感情状態を呈することから，**双極性障害**とよばれる．

2 アセスメントと鑑別

　明らかな躁病の診断は難しくない．しかし，軽度の躁病の場合には，患者さんにとっては「調子がいい」と感じられ，"病気"と認識されることは少ない．躁状態の確認には，「これまでの人生で，気分が高揚し，ハイテンションで，怒りっぽく，普段の調子（100％）を超えた時期が数日以上続いたことがありますか？」という1つの質問が，スクリーニングとして十分使用できる（**図**）[1]．

　また，**本人以外に，家族など周囲の人からの情報収集が大切**である．

　躁病の誇大性や過活動により，社会的逸脱をきたしている場合には，患者さん本人を保護するために入院を考慮する．

以下の質問があなたにあてはまりましたら「はい」に○を，あてはまらなければ「いいえ」に○をつけてください．

質問1
　これまでの人生で，気分が高揚し，ハイテンションで，怒りっぽく，普段の調子（100％）を超えた時期が数日以上続いたことがありますか？

　・はい　・いいえ

質問1で「はい」に○をつけた方は以下の質問にお答え下さい．
質問2：そのとき，いつもより自信がありましたか？
質問3：そのとき，あまり寝なくても平気でしたか？
質問4：そのとき，いつもよりよくしゃべれましたか？
質問5：そのとき，いろいろな考えが次々に思いつきましたか？
質問6：そのとき，次々に関心や興味がうつりましたか？
質問7：そのとき，活発・精力的に活動できましたか？
質問8：そのとき，買い物・賭け事・投資・異性との交際などが多くなりましたか？

質問1のみで，感度 0.75　特異度 0.93　とスクリーニングに十分に役立つ

図　北大式躁病エピソードスクリーニング質問紙
HOkkaido **U**niversity **M**ania **E**pisode **S**creening Questionnaire：HOMES
（文献1，2を参考に作成）

3 薬物療法の原則（表）

　気分安定薬（炭酸リチウム，バルプロ酸）を基本とし，第二世代抗精神病薬を併用する．気分安定薬（特に炭酸リチウム）が躁病治療の第一選択薬となるが，気分安定薬の抗躁効果はあくまで自然寛解の形に近く，行動や運動レベルの症状の改善には抗精神病薬が優れる．効果発現も抗精神病薬の方が早い．

　ただし，双極性障害の患者さんに抗精神病薬を使用する場合は，統合失調症の患者さんに対して使用する場合と異なり，**過鎮静・錐体外路症状を中心とした副作用**が発現しやすく，**その使用量には注意が必要である**．同様の観点から，第一世代抗精神病薬よりも第二世代抗精神病薬が望ましい．

　また，しばしば睡眠は短縮傾向にあることが多い．その際には鎮静効果の強い抗精神病薬（リスペリドン，クエチアピン，オランザピンなど）が効果的である（p48）．

　なお，気分安定薬においては炭酸リチウム，バルプロ酸，カルバマゼピンの3剤の抗躁効果が十分に示されている一方，ラモトリギンは抗躁効果に乏しいため基本的には用いない（p136）．

　躁状態への薬物治療の「はじめの一歩」としては，バルプロ酸（デパケン®）がよい．本来，躁状態に対して使用する気分安定薬としては炭酸リチウムが第一選択薬となることが多いが，その安全域の広さを考慮して，ここではバルプロ酸をあげさせていただいた．

　さらにしばしば併用される抗精神病薬については，アリピプラゾール（エビリファイ®）が鎮静作用が少ないという点において優れる．抗躁作用の発現には比較的高用量が必要であり，添付文書には，躁状態に対して1回24 mg，1日1回より開始するよう記載されている．

表　躁状態に対する処方の原則

- 気分安定薬（炭酸リチウム，バルプロ酸）を基本とし，抗精神病薬を併用する
- 行動や運動レベルの症状の改善には，抗精神病薬が優れる
- 効果発現も抗精神病薬の方が早い
- 抗精神病薬を使用する際は，統合失調症の患者さんと異なり，副作用が発現しやすい（過鎮静・錐体外路症状など）ので，その用量には注意を要する

2. 処方の実際

> **処方例**
>
> バルプロ酸（デパケン®）　1回200 mg　1日2回（朝夕食後）
> <1週間後>
> ・躁病症状を確認する
> ・副作用を確認する．皮膚症状，過鎮静，肝機能障害など
> ・血中濃度を確認する．50～100μg/mLが有効域であり，躁状態の極期をバルプロ酸単独で改善するには80μg/mL以上が目安となる
> <副作用が対応可能で効果不十分なとき>
> バルプロ酸（デパケン®）　1回300 mg　1日2回（朝夕食後）
> 　↓1～2週間あけて増量
> バルプロ酸（デパケン®）　1回400 mg　1日2回（朝夕食後）
> 　↓1～2週間あけて増量
> 以下くり返し1,200 mg/日（1回600 mg）程度まで増量する
> <副作用が強かった場合>
> 　副作用が強い場合は以前の用量に戻す．もしくは他剤（炭酸リチウムなど）への変更が望ましい．専門医へ相談を
> <躁状態が著しい場合>
> オランザピン（ジプレキサ®）　1回10 mg　1日1回（寝る前）
> <睡眠が短縮傾向にある場合>
> オランザピン（ジプレキサ®）　1回5 mg　1日1回（寝る前）

4 専門医に紹介するタイミング

躁状態が疑われた場合は，早期に専門医への紹介を考慮していただきたい．

Case Study

> **症例　過去に入院歴のある双極性障害の患者**
>
> 58歳男性．28歳より双極性障害Ⅰ型と診断されており，計8回の入院歴がある．最近10年ほどは，バルプロ酸（デパケン®）600 mg/日の服薬にて症状は安定しており，2カ月に1回の外来通院を継続し，就労も問題なく続けていた．約半年前の受診を最後に，外来通院を自己中断し，以降は「残った薬を定期的に服用していた」という．

最近1カ月間，仕事のストレス負荷が大きい状況にあった．3日前より，口数が多くなり，夜間何度も起きるようになり，次第に深夜でもしゃべり続けるようになった．

　家族に伴われ来院したが，診察室では，終始落ち着かない様子で立ったり座ったりをくり返していた．質問に対してすぐに返事をするが，次々に浮かんでくるアイデアを話し続けるため，話題はころころ変わった．「私は神だ」などといった誇大的な言辞が目立ち，「地球と太陽，水，自然界だけが生きている．平々凡々と生きている平民にはわからない」などと声高に話し続けた．易刺激性が顕著で，時に興奮し大声を出すこともあった．入院適応の躁状態と考えたが，病識はなく，本人の同意を得ることはできない状態であった．

治療方針

　家族の同意を得て医療保護入院とした．オランザピン（ジプレキサ®）1回10 mg，1日1回を処方した．普通錠は吐き出したため，口腔内崩壊錠を用意した．翌日からは，服薬に同意できたため，バルプロ酸1回200 mg，1日2回（400 mg/日）を併用した．5日後，多弁と易刺激性は持続するものの，興奮はみられなくなった．バルプロ酸の血中濃度を確認すると，60 μg/mLであった．

　バルプロ酸を1回300 mg，1日2回（600 mg/日）として，1週間後にさらに1回400 mg，1日2回（800 mg/日）まで漸増した．血中濃度が81 μg/mLとなったところで，易刺激性，多弁も改善した．病棟で穏やかに過ごし，「仕事でストレスがたまっちゃっていた．今はもう大丈夫」と振り返った．約1カ月で退院となった．

　以降も外来通院を継続し，躁病相，うつ病相の再燃を認めず，退院3カ月後より仕事にも復帰した．

解説

　28歳発症，複数回の躁病およびうつ病エピソードで入院歴があり，双極性障害Ⅰ型と診断されているが，ここ10数年は安定していた症例である．本ケースでは，服薬が不規則となったことを背景に，就労におけるストレス負荷が契機となり，急性の躁病エピソードが発現したと考えられた．

　本ケースは病識が乏しく，普通錠では投与困難であったことから，オランザピン口腔内崩壊錠で対応した．服薬の同意がなされてからは，バルプロ酸を併用し，十分な血中濃度まで漸増した．

　日本うつ病学会治療ガイドラインでは，躁病エピソードに対して最も推奨される治療として，躁状態が中等度以上の場合は炭酸リチウムと非定型抗精

神病薬（オランザピン，アリピプラゾール，クエチアピン，リスペリドン）の併用をあげているが，これは炭酸リチウム単剤では，即効性が期待できないためである．本ケースの場合，過去にバルプロ酸で安定が得られていたことと，炭酸リチウムよりもバルプロ酸の方が安全域が広いことなどから，バルプロ酸を選択した．バルプロ酸の漸増を比較的早いペースで行えたのは，入院環境下であったからである．

　躁病の治療においては，本ケースのように，極早期に治療介入することで，短い期間で著明な改善を得られることもある．したがって，躁状態が疑われたときには，すみやかに専門医へのコンサルトを考慮していただきたい．

● 文　献 ●

1) Kameyama R, et al：Development and validation of a screening questionnaire for present or past (hypo)manic episodes based on DSM-IV-TR criteria. J Affect Disord, 150：546-550, 2013
2) 井上 猛，小山 司：躁状態．「精神科専門医のためのプラクティカル精神医学」（山内俊雄／総編集，岡崎祐士，他／編），pp35-39，中山書店，2009

＜村岡寛之＞

6 認知症

> **POINT** 認知症とは

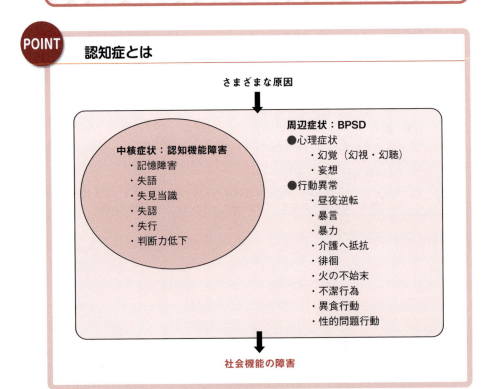

1 認知症とは？

　認知症の**中核症状は認知機能障害**であり，これには記銘・記憶障害をはじめ見当識障害，実行機能障害，判断力低下などが含まれる．一方，このような認知機能障害を有する患者さんが，周囲の環境や人々とのかかわり合いのなかで示すさまざまな症状が随伴症状あるいは周辺症状であり，認知症の行動・心理症状（behavioral and psychological symptoms of dementia：BPSD）とよばれる．精神症状として抑うつ，不安，焦燥，幻覚，妄想などが，行動異常として暴言・暴力，拒絶，徘徊，不潔行為などがある．

表　認知症や認知症様症状をきたす主な疾患・病態

1. 中枢神経変性疾患
Alzheimer型認知症
前頭側頭型認知症
Lewy小体型認知症／Parkinson病
進行性核上性麻痺
大脳皮質基底核変性症
Huntington病
嗜銀顆粒性認知症
神経原線維変化型老年期認知症
その他

2. 血管性認知症（VD）
多発梗塞性認知症
戦略的な部位の単一病変によるVD
小血管病変性認知症
低灌流性VD
脳出血性VD
慢性硬膜下血腫
その他

3. 脳腫瘍
原発性脳腫瘍
転移性脳腫瘍
癌性髄膜症

4. 正常圧水頭症

5. 頭部外傷

6. 無酸素性あるいは低酸素性脳症

7. 神経感染症
急性ウイルス性脳炎
（単純ヘルペス，日本脳炎など）
HIV感染症（AIDS）
Creutzfeldt-Jakob病
亜急性硬化性全脳炎・亜急性風疹全脳炎
進行麻痺（神経梅毒）
急性化膿性髄膜炎
亜急性・慢性髄膜炎（結核，真菌性）
脳膿瘍
脳寄生虫
その他

8. 臓器不全および関連疾患
腎不全，透析脳症
肝不全，門脈肝静脈シャント
慢性心不全
慢性呼吸不全
その他

9. 内分泌機能異常症および関連疾患
甲状腺機能低下症
下垂体機能低下症
副腎皮質機能低下症
副甲状腺機能亢進または低下症
Cushing症候群
反復性低血糖
その他

10. 欠乏症疾患，中毒性疾患，代謝性疾患
アルコール依存症
Marchiafava-Bignami病
一酸化炭素中毒
ビタミンB_1欠乏症（Wernicke-Korsakoff症候群）
ビタミンB_{12}欠乏症，ビタミンD欠乏症，葉酸欠乏症
ナイアシン欠乏症（ペラグラ）
薬物中毒
　A）抗癌薬（5-FU，メトトレキサート，
　　　シタラビンなど）
　B）向精神薬（ベンゾジアゼピン系抗うつ薬，
　　　抗精神病薬など）
　C）抗菌薬
　D）抗けいれん薬
金属中毒（水銀，マンガン，鉛など）
Wilson病
遅発性尿素サイクル酵素欠損症
その他

11. 脱髄疾患などの自己免疫性疾患
多発性硬化症
急性散在性脳脊髄炎
Behçet病
Sjögren症候群
その他

12. 蓄積症
遅発性スフィンゴリピド症
副腎白質ジストロフィー
脳腱黄色腫症
神経細胞内セロイドリポフスチン［沈着］症
糖原病
その他

13. その他
ミトコンドリア脳筋症
進行性筋ジストロフィー
Fahr病
その他

（文献1より引用）

2 アセスメントと鑑別

　認知症の治療に先立ち，認知症の原因疾患を鑑別し，臨床症状と生活機能障害を評価したうえで介入を行う．認知症の原因となる疾患を表に示した．認知症の原因疾患としては，Alzheimer型認知症（Alzheimer's disease：AD）が最も多い．かつては血管性認知症が2番目に多いとされていたが，近年の報告によってはLewy小体型認知症（dementia with lewy bodies：DLB）がADに続き多く，3番目に血管性認知症（vascular dementia：VD）が多いとされている場合もある．これらのほかに，介入によって改善の見込める"治療可能な"認知症が存在するため，これらを見逃さないことは重要である．

　認知機能の評価では，ミニメンタルステート検査（mini-mental state examination：MMSE）や改訂長谷川式簡易知能評価スケール（Hasegawa's dementia scale-reviced：HDS-R）などが広く用いられ，薬物治療の効果判定には，アルツハイマー病アセスメントスケール認知機能下位尺度（Alzheimer's disease assessment scale-cognitive subscale：ADAS-cog）などが用いられる．またBPSDの評価には，NPI（neuropsychiatric inventory）などが用いられる．

3 薬物治療の原則

　高齢の認知症患者さんでは過剰反応や有害事象を生じやすい．薬物療法は少量で開始し，緩やかに増量し，若年者の用量より少なく（small），薬効を短期間で評価し（short），服薬方法は簡易（simple）にする（3S）．

▶ 中核症状に対する薬物療法

　中核症状に対する薬剤は，ドネペジル（アリセプト®），ガランタミン（レミニール®），リバスチグミン（イクセロン®パッチ，リバスタッチ®パッチ），メマンチン（メマリー®）などがある（p151）．

> **処方例**
>
> ＜初回＞
> ドネペジル（アリセプト®）　1回3 mg　1日1回
> ＜2週間後＞
> 副作用のないことを確認して，有効用量の5 mg/日に増量し，軽症・中等症ではこの量で継続する

> **＜重症AD・DLBでは＞**
> 5 mg/日で4週間維持し，10 mg/日まで増量

■ 処方後に確認すべきこと

- **副作用**：嘔気や嘔吐などの消化器症状が多く，10〜20％にみられるが，通常は数日で落ち着く．また，稀に興奮や焦燥などを呈する場合がある．

　効果は，およそ2/3の患者さんで期待できる．患者さんによっては，服用開始後の比較的早期から，目立った改善効果が現れることもある．効果が得られた場合には，数カ月から1年間にわたり投与前と比べ臨床的改善を示すが，やがて投与時点に戻り，その後は次第に進行へと向かう．服薬継続期間について明確な指針はないが，**服用しても症状がすみやかに進行する場合には，中止を検討する**．

▶ BPSDに対する治療

　さまざまな症状への対症療法となるため，ほとんどすべての向精神薬が使用されうる．**いずれの薬物を使用するにしても，低用量から開始し，ゆっくりと増量し，維持量も成人より低用量とする**．また，症状が多岐にわたる場合でも，標的症状を定め，処方薬剤数を最小限とし，症状の消失後には中止を検討する．

① 幻覚・妄想

　抗精神病薬が有効である．錐体外路症状の少ない第二世代抗精神病薬（SGA）が適切であり，用量は通常，統合失調症の半分以下でよい（p48も参照）．リスペリドン（リスパダール®）0.5 mg/日から開始し，0.5 mg/日ずつ増量する．

> **処方例**
> リスペリドン（リスパダール®）　1回0.5 mg　1日1回（就寝前）
> に加えて，
> リスペリドン（リスパダール®）　1回0.5 mg　頓用
> 数日続けてみて，必要な用量を決定する

■ 処方後に確認すべきこと

● **副作用**：過鎮静，低血圧，脱力による転倒や，便秘，口渇などの抗コリン作用に留意する．稀ではあるが，高熱，筋強剛，自律神経症状などを主症状とする悪性症候群や，QT延長症候群を生じる可能性があるため，注意が必要である．

　症状が改善したら適宜漸減し，中止を試みる．統合失調症と異なり，BPSDに対する抗精神病薬の継続内服のメリットは証明されていない．むしろ死亡率が上昇するという報告がある[2]．

　ADでみられる物盗られ妄想は，記憶障害と結びついているため，ドネペジルが有効なことがある．

② 焦燥，脱抑制，攻撃性，暴力行為

　抗精神病薬が有効であり，錐体外路症状の少ないSGAが推奨される．また，抗てんかん薬のバルプロ酸（デパケン®）も有効である．

　高齢者にSGAを用いると錐体外路症状を生じ，転倒や誤嚥性肺炎を生じるリスクがあるため，高用量になる前にバルプロ酸を検討する（p139）．ベンゾジアゼピン（BZ）系薬剤は，転倒のリスクを増加させ，脱抑制やせん妄を誘発することがあり推奨されない．メマンチンが焦燥，脱抑制，攻撃性などに有効なことがある．

■ 処方例

リスペリドン（リスパダール®）　1回0.5 mg　1日1回（夕食後）
に加えて，
リスペリドン（リスパダール®）　1回0.5 mg　頓用
数日続けてみて，必要な用量を決定する

■ 処方例

バルプロ酸（デパケン®）　1回200 mg　1日1回（就寝前）

■ 処方後に確認すべきこと

● **副作用**：傾眠，ふらつきや，悪心・嘔吐などの消化器症状に留意する．肝障害，高アンモニア血症を生じることがあるので注意する．

③ 抑うつ

　病的な抑うつ症状に対しては，抗うつ薬を用いる．選択的セロトニン再取り込み阻害薬（SSRI）やセロトニン・ノルアドレナリン再取り込み阻害薬（SNRI），ノルアドレナリン作動性・特異的セロトニン作動性抗うつ薬（NaSSA）は副作用が少なくすすめられる（p69）．うつ病による仮性認知症は抗うつ薬により劇的に改善することがある．抑うつ気分を伴わない無気力・無感動には，ドネペジルが奏効することがある．また他の薬剤による過鎮静などには十分留意する．

処方例

セルトラリン（ジェイゾロフト®）　1回25 mg　1日1回（夕食後）
うつ病治療に準じて，漸増する

処方後に確認すべきこと

● **副作用**：悪心・嘔吐や軟便などの消化器症状に留意し，場合によっては対症療法を行う．稀ではあるが，不安，焦燥などの精神症状と，発汗，振戦，頻脈などの自律神経症状，筋強剛などの神経・筋症状を呈するセロトニン症候群を生じる可能性があるため，注意が必要である．

④ 不安，不眠

　不安や不眠に対し，抗不安薬と睡眠薬が用いられる．しかし，BZ系薬剤では，持ち越し効果による眠気と活動性の低下，筋弛緩作用による転倒，健忘作用による記憶障害の増悪やせん妄誘発の危険がある．したがって，副作用がより少ないと考えられるオレキシン受容体拮抗薬のレンボレキサント（デエビゴ®）が選択肢となる．さらに安全性を求めるなら，メラトニン受容体作動薬のラメルテオン（ロゼレム®）がある．（p122）．

処方例

レンボレキサント（デエビゴ®）　1回5 mg　1日1回（就寝前）

処方後に確認すべきこと

● **副作用**：日中の傾眠，転倒，誤嚥，嚥下障害，呼吸抑制などに留意する．

> **処方例**
>
> ラメルテオン（ロゼレム®）　1回8 mg　1日1回（就寝前）

■ **処方後に確認すべきこと**

- 副作用：日中の傾眠

4 治療の経過

　認知機能障害に対する薬物療法は，アセチルコリンエステラーゼ（AChE）阻害薬単独もしくはNMDA受容体拮抗薬との併用が推奨される（p150）．定期的にMMSEなどで認知機能をチェックし，全体的，機能的，行動的に評価する．症状がすみやかに進行する場合や，副作用が問題となる場合には，変更や中止を検討する．

　BPSDは，心理的要因や薬剤の副作用で発現していることが多い．環境の見直しや投与中の薬剤の見直しなどをまず行うことが必要である．それでも改善しない場合は，向精神薬による薬物療法を検討する．

　BPSDに対する薬物療法は，SGAや抗うつ薬を適宜使用する．定期的に標的症状や副作用を評価し，適宜用量の調節を行う．標的症状が軽快した後は，漫然と投薬しないことが重要である．

5 専門医へ紹介するタイミング

　どのタイプの認知症か診断が難しい場合，1つ目の薬を処方しても効果が得られない場合には，専門医に紹介する．

Case Study

症例　物忘れが目立ってきた高齢女性の例

　75歳の女性．5年前に夫と死別し，一人暮らし．1年ほど前から物忘れが増えたと自覚していた．最近，同じものをいくつも買ってきたり，何度も同じ話をくり返すことに別居している娘が気づいた．以前は料理が得意であったが，最近は品数が減っていた．趣味の絵画教室を休みがちになり，頻繁に

不安を訴えたり，イライラしがちであった．心配された家族に付き添われて精神科外来を受診した．

治療方針

改訂長谷川式簡易知能評価スケール（HDS-R）で19/30と，認知機能の低下が認められた．頭部CT検査で，側頭～頭頂葉の軽度萎縮が認められた．これらの検査結果と，経過とをあわせてAlzheimer型認知症と診断した．

ドネペジル（アリセプト®）1回3 mg，1日1回の内服を開始し，2週間後に5 mg/日へ増量した．服用開始当初に軽度の嘔気と食思不振が出現したが，数日でこれらの症状は軽快した．

徐々にイライラは軽減したものの，不安は依然残っていたため，セルトラリン（ジェイゾロフト®）1回25 mg，1日1回から内服を開始し，1週間後には50 mg/日まで増量したところ，徐々に不安の訴えは減少した．ドネペジルを10 mg/日まで増量し，セルトラリンは漸減中止とした．現在はドネペジル10 mg/日のみ内服しており，絵画教室にも再び通うようになるなど，娘家族とともに穏やかに生活している．

解説

Alzheimer型認知症の典型的な症例である．認知機能障害のなかで最も中核的な症状は近時記憶障害であり，約束を忘れていたり，ものの置き場所がわからなくなったり，同じことを初めてのようにくり返し話したりすることで周囲に気づかれる．老年期に発症することが多いため，例えば配偶者と死別し独居となっているケースなどでは，発見が遅れることがある．

一方，BPSDを伴うケースも多く，本症例では不安，意欲低下や自発性低下がみられたため，これらの症状をターゲットに，SSRIであるセルトラリンを処方した．抗不安薬などのBZ系薬剤は，健忘や筋弛緩作用などの副作用があるため，使用を避けた方がよい．

● 文 献 ●

1）「認知症疾患診療ガイドライン2017」（日本神経学会/監，「認知症疾患治療ガイドライン」作成委員会/編），医学書院，2017
2）Schneider LS, et al：Risk of death with atypical antipsychotic drug treatment for dementia: meta-analysis of randomized placebo-controlled trials. JAMA, 294：1934-1943, 2005

＜押淵英弘＞

7 せん妄

POINT せん妄とは？

身体疾患や外的要因により，脳の機能不全をきたした状態
①軽度～中等度の意識障害
― 注意の集中，維持，転導の障害　　例：会話に集中できない
例：すぐにうとうとしてしまう
②認知の変化
― 記憶欠損　　　　例：記憶がところどころ曖昧
― 失見当識　　　　例：入院して何日たったか思い出せない
― 言語の障害　　　例：発語が上手くできない
③知覚の変化
― 錯覚　　　　　　例：布団のひだが生きもののようにみえる
― 幻覚　　　　　　例：いないはずの人がみえる
― 妄想　　　　　　例：幻覚から妄想（誤った考えを信じる）を抱く
これらが短期間のうちに出現し，変動する
例：昨日から突然言動がおかしくなった．朝と夜で話していること，態度が全く異なる

1 せん妄とは？

　せん妄とは，脳の機能不全に基づく軽度から中等度の意識混濁と意識変容，認知の変化を呈する症候群である．単一の疾患ではなく，さまざまな原因が複雑に関係して生じる．

　せん妄は複数の要因が複合して生じ，その出現は中枢神経系が機能不全を生じていることを意味する．中枢神経系が十分に機能するためには，中枢神経そのものと，全身状態，患者さん個人をとり巻く環境，心理的負荷などが適切に調整されている必要があり，逆に，せん妄が誘発される状況においては，これらが破たんをきたしている．

2. 処方の実際

せん妄は，一般の入院患者さんの10〜20％程度と高頻度にみられる．準備因子として，高齢者，男性，術後，身体的基礎疾患，薬物療法中などがあり，これらの該当者ではさらに発症頻度が高い．

せん妄の治療の要点は，中枢神経系の機能不全を生じている要因を考え，これらの要因に対応することである．

2 アセスメントと鑑別

せん妄発症の原因となりうる要因を図に示した．これらの要因は，**準備因子，促進因子，直接因子**の3つに分けると考えやすい．モデル的に説明するならば，これらの要因が重なり，合計の重さが一定以上になると，

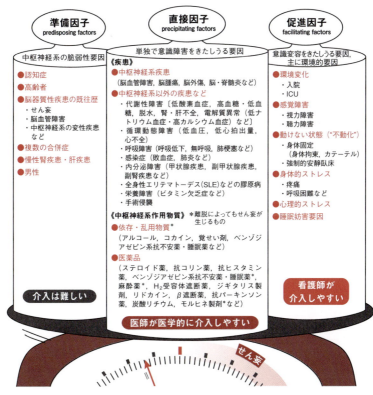

図　せん妄の原因となる因子
（文献1より改変して転載）

せん妄を発症する.

　準備因子とは，中枢神経系の脆弱性を反映したものである．通常，介入や治療は難しい．直接因子は，薬物（表1）など単独で意識障害をきたしうるもので，医学的な介入がしやすいところである．促進因子は，主として環境にかかわるもので，看護的に介入しうるものが多い．

表1　せん妄の原因となりうる薬剤

分類		一般名	商品名
抗菌薬	セフェム系	セファゾリン	セファメジン® α
		セファレキシン	ケフレックス®
		セフロキシム	オラセフ®
		セフタジジム	
	キノロン系	オフロキサシン	タリビッド®
		シプロフロキサシン	シプロキサン®
	抗結核薬	イソニアジド	イスコチン®
		エタンブトール	エサンブトール®
		リファンピシン	リファジン®
		エチオナミド	ツベルミン®
抗ウイルス薬		ビダラビン	アラセナ-A
		アシクロビル	ゾビラックス®
		ガンシクロビル	デノシン®
		ラミブジン	エピビル®
		リトナビル	ノービア®
抗真菌薬	ポリエンマクロライド系薬	アムホテリシンB	ファンギゾン®
抗がん薬	アルキル化薬	イホスファミド	イホマイド®
		プロカルバジン	塩酸プロカルバジン
	代謝拮抗薬	シタラビン	キロサイド®
		フルオロウラシル	5-FU
		テガフール	フトラフール®
		メトトレキサート	メソトレキセート®
	アルカロイド	ビンクリスチン	オンコビン®
		ビンブラスチン	エクザール®
	その他	シスプラチン	ランダ®
		L-アスパラギナーゼ	ロイナーゼ®

表1 (続き)

分類		一般名	商品名
免疫強化薬	インターフェロン製剤		
免疫抑制薬	カルシニューリン阻害薬	シクロスポリン	サンディミュン®, ネオーラル®
NSAIDs		アスピリン	アスピリン
		スリンダク	クリノリル®
		インドメタシン	インダシン®
		イブプロフェン	ブルフェン®
ステロイド薬		プレドニゾロン	プレドニン®
抗ヒスタミン薬		ジフェンヒドラミン	レスタミンコーワ
ホルモン剤	下垂体ホルモン	バソプレシン	ピトレシン®
強心薬	ジギタリス製剤	ジゴキシン	ジゴシン®
抗不整脈薬		プロカインアミド	アミサリン®
		キニジン	キニジン硫酸塩
		ジソピラミド	リスモダン®
		リドカイン	キシロカイン®
降圧薬	β遮断薬	プロプラノロール	インデラル®
	交感神経抑制薬	クロニジン	カタプレス®
		メチルドパ	アルドメット®
利尿薬		スピロノラクトン	アルダクトン®A
気管支拡張薬		テオフィリン	テオドール®
		アミノフィリン	ネオフィリン®
鎮咳薬	中枢性麻薬性鎮咳薬	コデイン	コデインリン酸塩
消化性潰瘍治療薬	抗コリン薬	アトロピン	硫酸アトロピン
		ブチルスコポラミン	ブスコパン®
	H₂受容体遮断薬	シメチジン	タガメット®
止瀉薬	ビスマス製剤	次硝酸ビスマス	次硝酸ビスマス
鎮痛薬	モルヒネ製剤		
	その他	ペンタゾシン	ソセゴン®
		ブプレノルフィン	レペタン®

表1 (続き)

分類		一般名	商品名
パーキンソン病治療薬	レボドパ含有製剤	レボドパ	ドパストン®
	ドパミン受容体作動薬	ブロモクリプチン	パーロデル®
	抗コリン薬	トリヘキシフェニジル	アーテン®
		ビペリデン	アキネトン®
	その他	アマンタジン	シンメトレル®
筋弛緩薬		バクロフェン	リオレサール®
泌尿器用薬	抗コリン薬	プロピベリン	バップフォー®
向精神薬	抗精神病薬	レボメプロマジン	レボトミン®
	抗うつ薬（三環系）	クロミプラミン	アナフラニール®
	抗不安薬	エチゾラム	デパス®
	睡眠薬（特に短時間型）	トリアゾラム	ハルシオン®
		ゾルピデム	マイスリー®

※赤字はせん妄発症頻度の高い薬剤，またはせん妄発症頻度は低いが頻繁に処方されるので注意が必要な薬剤
（文献2を参考に作成）

3 薬物療法の原則

　せん妄の治療では，誘発の要因を見極め，解消していくことがまず重要である．

　せん妄の誘発の要因は，除去し難いものが少なくなく，要因の除去が困難である場合には，対症療法的であるが，薬物による鎮静が必要となる．

　せん妄への薬物療法は，**適応外使用であること**，場合により投与経路が限られること，身体状況が悪化している症例において，薬物療法によってさらに悪化する場合がありうることなどへの配慮が必要である．

　通常次のような薬物療法が行われる（表2～4）．抗精神病薬（p48），抗うつ薬（p84），気分安定薬（p139）も参照．

2. 処方の実際

表2　せん妄に用いる場合の抗精神病薬の投与量と特徴

一般名（商品名）	投与量（／日）	特徴
ハロペリドール（セレネース®）	0.75〜3 mg（錠剤） 5〜10 mg（筋注，静注）	錐体外路系副作用が最も強い．筋注，静注が可能．QTc延長による不整脈に注意
リスペリドン（リスパダール®）	0.5〜4 mg	内用液あり（不穏時に使いやすい），腎障害に注意（腎機能に応じて減量）
ペロスピロン（ルーラン®）	4〜16 mg	半減期が最も短い
クエチアピン（セロクエル®，ビプレッソ®）	25〜300 mg	錐体外路系副作用が最も少ない．糖尿病で禁忌
オランザピン（ジプレキサ®）	2.5〜10 mg	ザイディス錠（口腔内崩壊錠）あり，糖尿病で禁忌
アリピプラゾール（エビリファイ®）	3〜12 mg	低活動型せん妄で有用な可能性あり
ブロナンセリン（ロナセン®）	2〜12 mg	鎮静作用は弱いが，全般的に副作用が少ない

（文献3より改変して転載）

表3　せん妄に用いる場合のその他の薬剤の投与量

種類	一般名（商品名）	投与量（／日）
抗うつ薬	トラゾドン（レスリン®，デジレル®） ミアンセリン（テトラミド®）	25〜100 mg 10〜30 mg
気分安定薬	バルプロ酸ナトリウム（デパケン®）	100〜1,000 mg
漢方薬	抑肝散	7.5 g

（文献3より改変して転載）

表4　薬物療法の具体例

経口不可	・ハロペリドール（セレネース®）1回2.5〜5 mg（0.5〜1 mL）＋生理食塩液50〜100 mL（夕食後もしくは就寝前）を点滴静注 ・上記を2回施行しても十分な鎮静が得られない場合 　フルニトラゼパム（サイレース®）1回1〜2 mg（0.5〜1 mL）＋生理食塩液50〜100 mLを点滴静注（入眠したら中止）
経口可	・リスペリドン（リスパダール®）内用液1回0.5〜1 mg（0.5〜1 mL），夕食後もしくは就寝前 ・高齢者や腎障害がある場合 　ペロスピロン（ルーラン®）1回4 mg，夕食後もしくは就寝前 ・糖尿病がない場合 　クエチアピン（セロクエル®）1回25 mg，夕食後もしくは就寝前 　オランザピン（ジプレキサ®）1回2.5 mg，夕食後もしくは就寝前 ・抑うつ症状を伴う場合 　トラゾドン（レスリン®）1回25 mg，夕食後もしくは就寝前 　ミアンセリン（テトラミド®）1回10 mg，夕食後もしくは就寝前 ＊上記の効果を1〜2日で評価し，効果が不十分であれば漸増する

（文献3より改変して転載）

> **処方例**
>
> ここではリスペリドン（リスパダール®内用液）による対応を紹介する．
> **＜初回＞**
> リスペリドン　1回1 mg　1日1回（夕食後）
> に加え，
> リスペリドン　1回0.5 mg　不穏時頓用（2時間以上あけてくり返し）
> 上記を数日行うと，1日に必要な用量の目安がわかる．
> 例えば，毎日頓用を3回ずつ使用しているならば，
> リスペリドン　1回2 mg　1日1回（夕食後）
> リスペリドン　1回0.5 mg　不穏時頓用（2時間以上あけてくり返し）
> として経過をみる．
> **＜数日して，日中の過鎮静がみられるようであれば＞**
> リスペリドン　1回1 mg　1日1回（夕食後）
> リスペリドン　1回0.5 mg　不穏時頓用（2時間以上あけてくり返し）
> **＜さらに経過をみて＞**
> リスペリドン　1回0.5 mg　1日1回（夕食後）
> リスペリドン　1回0.5 mg　不穏時頓用（2時間以上あけてくり返し）
> と漸減
> **＜さらには＞**
> リスペリドン　1回0.5 mg　不穏時頓用（2時間以上あけてくり返し）
> として，中止していく．

■ **処方後に確認すべきこと**

- **副作用**：過鎮静，低血圧，脱力による転倒や，便秘，口渇などの抗コリン作用に留意する．稀ではあるが，高熱，筋強剛，自律神経症状などを主症状とする**悪性症候群**や，**QT延長症候群**を生じる可能性があるため，注意が必要である（p302，308も参照）．

4 治療の経過

　治療の基本は，誘発の要因を把握し，直接因子の除去と促進因子の調整を目指すことであり，安易な薬物投与は慎むべきである．薬物療法は，精神症状や睡眠覚醒リズムの改善を目標に行う．徘徊や点滴抜去などの逸脱行為がみられることがあり，安全性の確保が重要であるため，一時的に身体固定を行うことがある．家族へ説明し理解してもらうことで，よりよく

治療にかかわってもらえる可能性がある．筆者は家族に対して「ひどい寝ぼけのようなもの」と説明することもある．

5 専門医に紹介するタイミング

身体状況の改善後もせん妄が遷延している場合，1つ目の薬を処方しても改善が得られない場合などには専門医（精神科医など）に紹介する．

Case Study

症例　術後に意識障害，興奮が出現した例

70代後半の男性．以前より不眠がちであり，近医でブロチゾラム（レンドルミン®）を処方され連日内服していた．2日前に自宅で転倒し，大腿骨頸部骨折を受傷した．整形外科に入院し，人工骨頭置換術が施行されたが，術後，夜間不眠で経過した．翌日午前，意味不明な内容の独語がみられ，表情は硬く，話しかけても要領を得ず疎通がとれなかった．午後にはそれなりに会話ができるようになったが，いくぶんぼんやりとした印象であった．夕方，「天井に虫がいるじゃないか，追い払ってくれ」と幻視を疑わせる発言や，「息子に会いに行く」と起き上がろうとするなど，辻褄の合わない言動が出現した．制止しようとしたスタッフに大声をあげるなど精神運動興奮もみられ，消灯時間を過ぎても体動が多く入眠できない様子であった．せん妄が疑われ，精神科医にリエゾン依頼された．

治療方針

日内変動のある意識障害と認知の変化がみられ，せん妄と診断した．大部屋から個室に移動し，興奮抑制と夜間の睡眠確保を目的として，抗精神病薬であるリスペリドン（リスパダール®）を0.5 mg投与し，1時間後にも入眠が得られなかったため，もう0.5 mgを追加投与したところ，ほどなくして入眠した．翌日からは，リスペリドン1回0.5 mg，1日1回（夕食後）を定時内服し，不穏・興奮時にリスペリドン1回0.5 mg追加頓用（1日3回まで）の指示とした．内服開始後，精神運動興奮はみられなくなり，見当識は徐々に改善した．日中は家族の面会を多くし，なるべく臥床しないように促した．3日後には睡眠覚醒リズムも整ってきたため，リスペリドンは内服中止とし，リエゾン介入を終了とした．

解説

　せん妄の典型的な一症例を示した．せん妄は，一般の入院患者さんの10～20％程度と高頻度にみられる．準備因子として，高齢者，男性，術後，身体的基礎疾患，薬物療法中などがあり，これらの該当者ではさらに発症頻度が高い．

　本症例は，高齢男性であるという準備因子に，骨折と手術という身体的状況が直接因子となり，臥床が強制されている拘束状態であることが促進因子となって発症した術後せん妄である．

　通常，治療は直接因子の解除が最も重要で，環境調整も重要である．精神運動興奮や夜間睡眠の確保のため，抗精神病薬を少量から用いることもある．抗精神病薬のうち，クエチアピン（セロクエル®，ビプレッソ®）やオランザピン（ジプレキサ®）は，糖尿病には禁忌なので注意が必要である．経口摂取が不能である場合は，ハロペリドール（セレネース®）の点滴を施行する．

　睡眠薬や抗不安薬などのベンゾジアゼピン系薬剤は，認知機能低下や脱抑制をきたし，それ自体がせん妄の直接因子となりうるため，使用を避ける．

● 文　献 ●

1）稲田 健：病態生理と病因．看護技術，57（5）（増刊：せん妄ケアを極める）：369-376，2011
2）堀川直史：薬剤精神障害．「総合病院精神医学マニュアル」（野村総一郎，保坂 隆／編），医学書院，pp57-70，1999
3）竹内 崇：薬物療法．看護技術，57（5）（増刊：せん妄ケアを極める）：407-411，2011

＜押淵英弘＞

 不眠

POINT 不眠症鑑別のために確認するポイント

①生活リズムは？
②午睡（昼寝）の有無？
③実際の睡眠時間はどれくらい？
④睡眠時無呼吸の有無？
⑤本当に睡眠薬は必要か？

1 不眠症とは？

　入眠困難，中途覚醒，早朝覚醒の3つの夜間症状のいずれかが「週3回以上」，「少なくとも3カ月の間」持続し，かつ日中の機能障害が生じている（不眠のため自らが苦痛を感じるか，社会生活または職業的機能が妨げられている）場合，これを不眠障害と診断する[1]．

2 不眠のアセスメント

　上記の3つの不眠症状を確認するために，以下のような問診を行う．

入眠困難：「寝つきが悪く，ふとんに入ってから30分以上時間がかかりますか？」

中途覚醒：「睡眠の途中で何度も目覚めて，再度寝つくのに30分以上かかりますか？」

早朝覚醒：「目覚まし時計のアラームが鳴る前に，2時間以上早く目が覚めてしまって，それっきり眠れないということがしばしばありますか？」

　不眠の原因や鑑別疾患を考えるためにも，上記の3つの項目は必ず聴取すべきである．特に「いつから」「どれくらいの頻度で」生じているか，の聴取が診断において必須である．

日中の機能障害とは，翌日の疲労や眠気の残存，社会生活上の機能障害などのほか，眠りに対する強い不安や不満なども含まれる，比較的広い概念である．逆に言うと，機能障害を伴わない不眠，例えば加齢に伴って自然に出現する夜間中途覚醒などについては，患者さん自身があまり気にせず日中元気に過ごせている限りは不眠症に含まず，治療対象とはならない．

▶ 不眠症の鑑別

①生活リズムに問題はないか？

眠れないのは生活リズムの乱れが原因ではないだろうか．

例1） 深夜までPCゲームをやっている学生 → **睡眠・覚醒相後退障害**

例2） 夕方19時頃に寝てしまい，3時頃にどうしても目覚めてしまうが家族がまだ寝ているため不安になってしまう高齢者
→ **睡眠・覚醒相前進障害**

例3） 交代勤務のためどうしても就寝時間，起床時間が安定しない看護師
→ **交代勤務障害**

例4） 海外を行き来し時差ぼけのため就寝できないフライトアテンダント
→ **時差障害**

以上を**概日リズム睡眠・覚醒障害**という．

概日リズム睡眠・覚醒障害においては，リズムの是正を治療目標とすべきである．就労などによりそれが不可能な場合は，患者満足度を上げるための最良の道を探していくほかない．その際は睡眠薬の使用が許容されるが，あくまでも補助的な使用にとどめるべきである．また上記のうち，睡眠・覚醒相後退障害では，後述するラメルテオン（ロゼレム®）が有効である可能性がある．

②午睡（昼寝）の有無

長い昼寝はかえって日中の眠気，倦怠感の原因となる．午睡は20〜30分以内が原則である．また，夕方以降の午睡は夜間の入眠困難の原因となる．

さらに，日中も寝床で過ごしがちな人では，それ自体が夜間不眠の原因となりうる．寝床では眠る以外の行動をしない，眠れないときは寝床から離れるなどの決まりを守り，寝床に就けば眠れるという状態の条件づけを行うこと（これを刺激制御法という）も大切である．

③実際の睡眠時間はどれくらい？

通常，成人の正味の睡眠時間は7時間程度であるが，高齢者では睡眠時間は短縮し，60歳以上では6時間ほどで十分である[2]．にもかかわらず，例えば8時間の睡眠を確保したいという思いから，起床予定時刻の8時間以上前に寝床に就くことが中途覚醒や早朝覚醒の訴えの原因となることがある．それに対して中〜長時間作用型の睡眠薬を投与しても，その効果は乏しい．さらに薬剤の増量に伴い副作用の方が目立つこととなる．このような場合は，患者さんの「8時間の睡眠を確保したい」という認知を是正しなくてはならない．本人がどれくらいの時間寝たいと思っているのか，実際の睡眠時間がどれくらいであるのか，の聴取が重要となる．

また，正常な睡眠時間を連夜確保できているにもかかわらず，連日の不眠を訴えるケースが存在する．客観的データ（終夜睡眠ポリグラフ検査やアクチグラフなど）と，睡眠日誌による自己報告に解離がみられるケースである．これを睡眠状態の誤認という．このようなケースでは，気分障害や不安障害群との鑑別を考慮すべきであり，睡眠薬による依存形成に注意する必要がある．

④**睡眠時無呼吸の有無**

閉塞性睡眠時無呼吸（obstructive sleep apnea：OSA）は，上気道閉塞が原因で，睡眠中にくり返し起こる呼吸停止と日中過眠を伴う．OSAは肥満患者さんに多いが，小顎，下顎後退，咽頭狭小，扁桃肥大など上気道の形態学的狭窄により明らかな肥満傾向を認めない患者さんにもOSAは認められうる．

OSAの患者さんにおいては，ベンゾジアゼピン（BZ）系薬剤の使用により，軟口蓋や舌根が後方に沈下することによる無呼吸症状の増悪と，それによる不眠（特に中途覚醒や熟眠障害）や日中の傾眠傾向の増悪をきたしうる．したがってOSAが疑われた場合には，専門機関での診断確定，加療開始が先決であろう．いびきや無呼吸の有無についても外来で問診を行うべきである．

⑤**本当に睡眠薬は必要か？**

なるべく睡眠薬を使用しない気構えをもとう．上記の①〜④を確認したうえで，睡眠薬だけでは治らない疾患，もしくは家庭環境や生活習慣の問題をきちんと鑑別しよう（表1）．

表1　睡眠薬の必要性を評価する

- 精神疾患が隠れていないかを確認
- 身体疾患が隠れていないかを確認
- 睡眠習慣を確認
  (昼寝を30分以上していないか，寝る前に過度な運動をしていないか，カフェインやタバコなどの刺激物の摂取をしていないか，ベッドの周囲にパソコンやスマートフォンなどを置いていないか，部屋を明るくして寝ていないか)
- 寝る時間ではなく，起きる時間を一定にするように指導する
- 上記で改善しない場合，もしくは，上記を試しながら，睡眠薬の処方を検討する

3 薬物療法の原則

▶ 入眠困難

入眠困難に対しては，超短時間～短時間作用型の睡眠薬を使用し，治療を開始することが多い．睡眠・覚醒相後退障害が疑われる例では，後述するラメルテオン（ロゼレム®）の使用を考慮する．入眠困難が難治性である場合は，不適切な睡眠衛生（夜遅くまでパソコンをしているなど）の存在や概日リズムの問題を意識すべきである．安易に睡眠薬を増量して対応することは，望ましくない．また，うつ病や統合失調症などの精神疾患では，入眠困難から症状が顕在化することもあるので注意が必要である．

▶ 睡眠維持困難

睡眠維持困難に対しては，従来では短時間～中時間作用型の睡眠薬の使用が考慮されてきたが，現在は，ゾルピデムやエスゾピクロンといった非ベンゾジアゼピン（BZ）系睡眠薬や，オレキシン受容体拮抗薬の使用が推奨されている[3, 4]．長時間臥床が睡眠維持困難の直接の原因となっていることが少なからずあり，患者さん本人の生活習慣や，他の疾患の合併には十分に注意したい．鎮静作用をもつ，抗うつ薬や抗精神病薬を使用するケースがある．いずれの場合も持ち越し作用（翌朝の眠気やふらつき）に注意が必要である．

中途覚醒はあるが，再入眠が可能であるケースでは薬物治療は必要ないことが多い．したがってきちんと問診を行い，不必要な投薬は避けるべきである．中途覚醒時に超短時間作用型のBZ系薬剤を頓用使用するケースがあるが，その場合も持ち越し作用には注意が必要である．

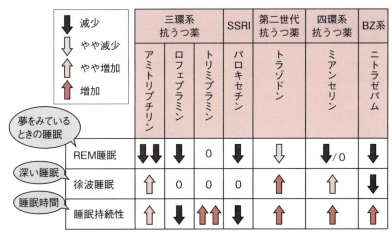

図1 抗うつ薬が睡眠に及ぼす影響
(文献7を参考に作成)

▶ 熟眠障害

　熟眠障害は最新の不眠症の診断基準から外れた[1]が,「ぐっすり寝られた実感のなさ」自体の臨床的な重要性については近年も報告がある[5,6].図1は各種薬剤がREM睡眠,徐波睡眠,睡眠持続性に対して与える影響を示したものである[7].熟眠障害の治療には,深いノンレム睡眠である徐波睡眠を増加させる作用のある薬剤がよいとされ,トラゾドン,ミアンセリン,またノルアドレナリン作動性・特異的セロトニン作動性抗うつ薬(NaSSA)であるミルタザピンを睡眠薬の代わりに少量使用するケースがある(p80).ω_1受容体選択性の高い非BZ系睡眠薬であるゾルピデム,エスゾピクロンも同様の徐波睡眠増加作用が期待される(p119).

　また,図1で示した通り,ニトラゼパムをはじめとしたBZ系薬剤は徐波睡眠を減らす薬剤が多いため,睡眠薬そのものが熟眠障害の一因となることがあり注意が必要である.

4 不眠への処方例

　ここでは超短時間作用型睡眠薬としてしばしば用いられるエスゾピクロン(ルネスタ®)と,若年者の不眠に多い睡眠相後退型の概日リズム睡眠-覚醒障害への効果が期待できるラメルテオン(ロゼレム®),さらに新しい作用機序をもつレンボレキサント(デエビゴ®)について紹介する(p117).

> **処方例**
>
> <初回>
> エスゾピクロン(ルネスタ®) 1回2mg 1日1回(就寝前)
> <状況に応じて>
> エスゾピクロン(ルネスタ®) 1回3mg 1日1回(就寝前)まで増量可能
> (高齢者では1回1mgより開始し,最大2mg/日)

処方後に確認すべきこと

- **効果**:入眠困難の改善

 非BZ系睡眠薬であるエスゾピクロンは,睡眠潜時(就床から実際に眠るまでの時間)を短縮し,総睡眠時間を延長させる[8].非BZ系睡眠薬のなかではふらつきによる転倒リスクが低く[9],離脱症状も出にくい[8]と考えられている.

- **副作用**:服用直後の一過性の健忘やもうろう状態には注意が必要である.

 翌日の眠気やだるさ,ふらつきなどの持ち越し効果が出現することがある.苦味が少なからず出現するので,その点は処方の際に説明するとよいだろう.

> **処方例**
>
> <概日リズム前進作用を期待して投与する場合>
> ラメルテオン(ロゼレム®) 1回2mg(0.25錠) 1日1回(希望就寝時刻の2〜3時間前,図2を参照のこと)
> <睡眠導入薬として使用する場合>
> ラメルテオン(ロゼレム®) 1回8mg(1錠) 1日1回(就寝前)

処方後に確認すべきこと

- **効果**:入眠困難の改善(ただし鎮静作用はそれほど強くない),睡眠覚醒リズム位相の前進

 ラメルテオンはBZ系睡眠薬,非BZ系睡眠薬と比較すると,その睡眠導入効果は明らかに弱い.しかし,依存性・耐性の問題がない点や,転倒リスクの高い高齢者にも安全に使用できる点[11]は特筆すべき点である.

 睡眠・覚醒相後退障害の治療薬として,希望就寝時刻の約2〜3時間前

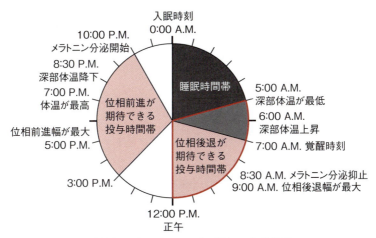

図2　メラトニン製剤に期待されるリズム位相の変動作用
（文献10より引用）

に投与することで，概日リズム位相の前進に寄与する[10]．位相変動作用を期待しラメルテオンを使用する場合，投与量は1〜4 mg/日がよいと考えられている[11]．臨床の現場では，入眠困難・起床困難を訴える若年患者さんに対し，ラメルテオンを1回1〜4 mg/日（0.125〜0.5錠）で投与するケースがある．

● **副作用**：翌日の眠気やだるさ，頭痛など

処方例

＜初回＞
レンボレキサント（デエビゴ®）　1回5 mg　1日1回（就寝前）

処方後に確認すべきこと

● **効果**：入眠困難の改善，睡眠維持効果

　レンボレキサントはオレキシン受容体拮抗薬という新規の作用機序をもつ睡眠薬である．睡眠潜時の短縮，総睡眠時間の延長，中途覚醒時間の短縮が示されている．筋弛緩作用をもち合わせず，転倒リスクとはなりにくい．抗不安作用もないため，依存や耐性リスクも低いと考えられている[12]．

● **副作用**：翌朝の眠気やだるさ，悪夢

5 睡眠障害に対する非薬物療法と生活指導

表2に「睡眠障害対処 12の指針」を示した[13]．不眠症に対して薬物療法は有効であるが，薬物療法からの離脱すなわち治療の終結を見据えて，生活指導は治療開始時点から行う．

6 治療の経過

加齢により睡眠の質・時間はともに低下するため，特に高齢の患者さんでは，本人の希望するレベルまで到達しないことが多い．したがって，「日中の眠気で困らない程度」の睡眠を目標として，薬物療法・生活指導を行っていく．

治療が奏効し，比較的よい睡眠がとれるようになった後も，ある程度の量の服薬を続ける．中止することが難しいケースが多いため，適切な使用量であれば安全であることを伝えるのも大切なことである．

7 専門医に紹介するタイミング

BZ系薬剤は，一般に**連用により次第に効果が減弱する**という特徴がある．不眠が遷延すると，患者さんの強い希望からその都度薬剤の増量・追加がなされ，結果，高用量・多剤併用でBZ系薬剤が処方されているケー

表2 睡眠障害対処 12の指針

① 睡眠時間は人それぞれ，日中の眠気で困らなければそれでOK
② 刺激物を避け，眠る前には自分なりのリラックス法
③ 眠たくなってから床に就く，就寝時刻にこだわりすぎない
④ 同じ時刻に毎日起床
⑤ 光の利用でよい睡眠
⑥ 規則正しい3度の食事，規則的な運動習慣
⑦ 昼寝をするなら15時前の20〜30分
⑧ 眠りが浅いときはむしろ積極的に遅寝早起きに
⑨ 睡眠中の激しいいびき・呼吸停止や足のぴくつき，むずむず感は要注意
⑩ 十分眠っても日中の眠気が強い場合は専門医に
⑪ 睡眠薬代わりの寝酒は不眠の元
⑫ 睡眠薬は医師の指示で正しく使えば安全

（文献13より引用）

スを散見する．

　そのような睡眠薬の使用は根本的な解決には至らない．**不眠の治療に難渋した場合には薬剤の増量や追加を行う前に，生活面での問題を今一度聴取し，適切な睡眠衛生指導を行う必要がある**．

　また，通常の不眠症治療が無効である場合には，うつ病・統合失調症などの精神障害や，閉塞性睡眠時無呼吸（OSA）やレストレスレッグス症候群など，背景となる基礎疾患が存在することも少なくない．この場合には，基礎疾患に対する治療が必要であるため，不眠をきたしうる疾患のアセスメントや，それに対する薬剤の投与に自信がない場合には，専門医への紹介を考慮していただくのがよいだろう．

Case Study

症例① 大学院入学をきっかけに睡眠リズムが崩れた例

　23歳女性．大学院入学後より，不規則な生活リズムとなり，寝たい時間に寝られなくなった．夜は午前3〜4時まで寝られず，その後，昼の12時頃まで寝てしまう．

　一時期近医にてゾルピデム（マイスリー®）1回5 mgの処方を受けたが，眠気が残るため自己中断した．初診時は内服は特になし．

治療方針

　本人と相談のうえ，0時台に就寝，8時起床のリズムを目指すこととし，ラメルテオン（ロゼレム®）1回4 mgを処方，21時（希望就寝時刻の3時間前）に内服とした．同時に，夜遅くまでパソコン作業やスマートフォンの操作などをしないこと，起床時間を一定とし，午前中に日の光を浴びるよう生活指導を行った．

　治療開始後より次第にリズムは前進し，治療開始より2カ月後には，午前1時頃に自然な眠気で就寝，8時頃に起床できるようになったが，ときに昼まで寝てしまい，それをきっかけにリズムを崩すということをくり返していた．

　初診より約半年後に就職，その後は平日0時就寝，7時起床のリズムで安定し，ラメルテオンは自己中断としていたが，その後も入眠困難，起床困難の増悪はなく経過した．

> **解説**
>
> 　睡眠・覚醒相後退障害の典型的な症例である．若年者で入眠困難・起床困難があった場合はぜひ，睡眠・覚醒相後退障害の可能性を考慮してほしい．
> 　ラメルテオンは睡眠相の前進に効果を示すことが多いが，同時に生活指導が非常に重要である．生活習慣の改善なくば，症状改善はないといっても過言ではない．治療が奏効すれば前述のようにラメルテオン単剤でうまくいくケースもあるが，入眠へのアシストを目的にゾルピデムやエスゾピクロン（ルネスタ®）のような超短時間作用型の睡眠薬を併用することもある．またスボレキサント（ベルソムラ®）の併用が有効だったとの症例報告[14]もあり，オレキシン受容体拮抗薬の併用もよいかもしれない．
> 　なお，ラメルテオンは本ケースのように自己中断に至るケースが多い．BZ系薬剤と異なり，依存性や離脱症状の発現がないことを物語っている．ただし睡眠・覚醒相後退障害の患者さんでは，服薬を中断して数カ月〜1年ほど経った後，入眠困難や起床困難が再燃して再度来院することも少なからずある．

> **症例②　不眠により長期間服薬を続けている高齢男性**
>
> 　72歳男性．10数年来の不眠症状があり，次第に服薬量が増えた．初診時にはブロチゾラム（レンドルミン®）0.25 mg/日，フルニトラゼパム（サイレース®）2 mg/日，トリアゾラム（ハルシオン®）0.25 mg/日，クロルプロマジン（コントミン®）10 mg/日，プロメタジン（ヒベルナ®）25 mg/日が近医より処方されていた．
> 　服薬により入眠は可能であるが，中途覚醒後の再入眠が困難．「途中で起きてしまってつらい，もっと深く眠りたい」とのこと．
> 　睡眠習慣を確認したところ，21時頃就床，6時頃離床するという生活リズム．21時過ぎに服薬し30分以内に就寝できるものの，午前2時頃目覚めてしまった後は再入眠が困難．朝6時までうとうとすることはあるものの，ほとんど起きているとのこと．
> 　日中眠気があり，午後には1時間ほど午睡をとっている．

> **治療方針**
>
> 　総臥床時間が9時間と長く，そのことが中途覚醒および再入眠困難，熟眠障害の原因となっていることが疑われた．そのため，就床時刻を23時以降とし，5時台に起床するように生活指導を行った．また，午睡をできるだけ避けるよう，併せて指導を行った．

1カ月後の再診時には中途覚醒はあるものの，再入眠困難は著明に改善．熟眠感も改善．以降は次第に減薬を行い，1年後には，ゾルピデム1回5 mg/日，フルニトラゼパム1回1 mg/日のみ使用し良眠が得られるようになった．日中のだるさもよくなった，と本人も満足した様子であった．

解説

　初診時には種々のBZ系薬剤に加え，鎮静作用をもつ抗精神病薬であるクロルプロマジン，抗ヒスタミン薬であるプロメタジンが使用されるも，不眠症状の残存していた難治性の症例である．総臥床時間を短くすることを中心とした生活指導のみで中途覚醒，熟眠障害は著明な改善がみられ，減薬も可能であった．本来であればもう少し薬剤の減量を進めたいところではあるが，本人の希望から前述のような処方で落ち着く形となった．

　60歳以上では必要な睡眠時間は6時間前後である[2]．定年後より時間のゆとりが生まれ，早い時間に寝てしまい（高齢者では，夜遅くまで起きていても手持ちぶさたであったりする），総臥床時間と実際に寝ていられる時間との解離が表面化し，不眠症状の発現したケースでは，BZ系薬剤の増量は一般に無効である．薬剤調整においては，生活面の聴取が非常に重要であることを常に念頭に置くべきである．

●文　献●

1）「Diagnostic and Statistical Manual of Mental Disorders, 5th Edition」（American Psychiatric Association），American Psychiatric Publishing, 2013
2）Ohayon MM, et al：Meta-analysis of quantitative sleep parameters from childhood to old age in healthy individuals: developing normative sleep values across the human lifespan. Sleep, 27：1255-1273, 2004
3）Sateia MJ, et al：Clinical practice guideline for the pharmacologic treatment of chronic insomnia in adults: An american academy of sleep medicine clinical practice guideline. J Clin Sleep Med, 13：307-349, 2017
4）Rosenberg R, et al：Advances in the treatment of chronic insomnia: A narrative review of new nonpharmacologic and pharmacologic therapies. Neuropsychiatr Dis Treat, 17：2549-2566, 2021
5）Matsui K, et al：Association of subjective quality and quantity of sleep with quality of life among a general population. Int J Environ Res Public Health, 18：doi:10.3390/ijerph182312835, 2021
6）Yoshiike T, et al：Mortality associated with nonrestorative short sleep or nonrestorative long time-in-bed in middle-aged and older adults. Sci Rep, 12：189, 2022
7）Sharpley AL & Cowen PJ：Effect of pharmacologic treatments on the sleep of depressed patients. Biol Psychiatry, 37：85-98, 1995

8) Monti JM & Pandi-Perumal SR：Eszopiclone: its use in the treatment of insomnia. Neuropsychiatr Dis Treat, 3：441-453, 2007
9) Tom SE, et al：Nonbenzodiazepine sedative hypnotics and risk of fall-related injury. Sleep, 39：1009-1014, 2016
10) 三島和夫：Clinical Trend リズム障害による不眠症治療におけるラメルテオンの使い方．日本臨牀，70：1069-1078，2012
11) Richardson GS, et al：Circadian phase-shifting effects of repeated ramelteon administration in healthy adults. J Clin Sleep Med, 4：456-461, 2008
12) Michelson D, et al：Safety and efficacy of suvorexant during 1-year treatment of insomnia with subsequent abrupt treatment discontinuation: a phase 3 randomised, double-blind, placebo-controlled trial. Lancet Neurol, 13：461-471, 2014
13) 内山 真：厚生労働省精神・神経疾患研究委託費 睡眠障害の診断・治療ガイドライン作成とその実証的研究総括研究報告書（平成13年度研究報告書）．2002
14) Izuhara M, et al：Prompt improvement of difficulty with sleep initiation and waking up in the morning and daytime somnolence by combination therapy of suvorexant and ramelteon in delayed sleep-wake phase disorder: a case series of three patients. Sleep Med, 80：100-104, 2021

＜松井健太郎＞

睡眠薬を飲んでいるとボケる？

「先生，睡眠薬を飲んでいるとボケるって言われたんですが，本当ですか…？」不眠症で睡眠薬を飲んでいる患者さんからよく聞かれる質問の1つである．

睡眠薬の服用と認知症との関連については多くの研究により検証され，睡眠薬の服用が認知症のリスクと考えられてきた[1]．しかし，認知症の前駆症状として不眠が出現し，それに対して睡眠薬が投与されがちであるという可能性が考慮され，このような初期症状バイアスに注目した研究では，睡眠薬が認知症に及ぼす影響が否定されてきている[2][3]．以上から，睡眠薬が認知症の直接の原因になるとは考えにくい，というのが近年の理解である．

一方で，睡眠分断そのものが認知症発症リスク，認知機能の低下リスクとなることが示されている[4]．不眠の悩みを放っておくのがよくないのは間違いないだろう．

以上を踏まえて，私は「睡眠薬を使ってよく眠れるほうが，眠れないのを我慢して過ごすよりよいです．無理にやめようとしなくて大丈夫」と答えることにしている．

●文 献●

1) Billioti de GS, et al : Is there really a link between benzodiazepine use and the risk of dementia? Expert Opin Drug Saf, 14 : 733-747, 2015
2) Imfeld P, et al : Benzodiazepine use and risk of developing Alzheimer's disease or vascular dementia: A case-control analysis. Drug Saf, 38 : 909-919, 2015
3) Gray SL, et al : Benzodiazepine use and risk of incident dementia or cognitive decline: prospective population based study. BMJ, 352 : i90, 2016
4) Lim AS, et al : Sleep fragmentation and the risk of incident Alzheimer's disease and cognitive decline in older persons. Sleep, 36 : 1027-1032, 2013

＜松井健太郎＞

⑨ 摂食障害

> **POINT 摂食障害においてみられる症状**
>
> | 精神症状 | 身体像の障害 | 常に太っていると感じる |
> |---|---|---|
> | | 肥満恐怖 | 太ることへの恐怖 |
> | | 痩せ願望 | 太ること, 食べることへの不安 |
> | | 抑うつ
不安 | 強迫症状 |
> | 行動異常 | 摂食行動異常 | 不食や過食 |
> | | 排出行動 | 自己誘発性嘔吐
下剤乱用
利尿薬乱用 |
> | | 活動性 | 過活動（神経性食欲不振症：AN） |
> | | 問題行動 | 万引き
自傷行為
自殺企図
薬物乱用 |
> | 身体症状 | 体重減少
月経異常 | 倦怠感, 易疲労感, めまい, ふらつき,
冷え症, 肩こり, 貧血 |

1 摂食障害とは？

　摂食障害には神経性食欲不振症（anorexia nervosa：AN）と, 神経性過食症（bulimia nervosa：BN）の2つがある.

　ANは, 身体像（ボディ・イメージ）の障害, 強い痩せ願望や肥満恐怖に基づく摂食制限, あるいは過食嘔吐をくり返すために, 著しい痩せと種々の身体・精神症状を生じる症候群である. 一方, BNは体重が正常範囲内でANほど痩せをきたさず, 強迫的に多量の食物を摂取し続け, 自制困難な過食のエピソードをくり返し, 嘔吐や下剤の乱用などにより体重増加を防ぐ症候群である.

2 アセスメントと鑑別

摂食障害の臨床症状は,「精神症状」,「行動異常」,「身体症状」の3つからなる(POINT). 精神症状については,痩せ願望と肥満恐怖が存在し,身体像の障害からいかに痩せていても,「まだ太っている」と考え,病識はしばしば欠如している.

行動異常としては,不食や過食などの摂食行動の異常がしばしばみられる. 同時に自己誘発性嘔吐や下剤の乱用といった排出行動がみられることもある. AN患者さんでは,排出行動の有無にかかわらず摂食を拒否しているケースが多い. また,BN患者さんでは過食の後に嘔吐を自己誘発して排出するケースが散見される.

加えてAN患者さんでは,摂食量の極端な低下にもかかわらず,カロリー消費のため運動を頻繁に行うなど,過活動傾向となる. 逆にBN患者さんでは活動性は低下傾向となることもある. 両者に共通した問題行動としては,自傷行為,自殺企図,万引き,薬物乱用があげられる.

AN患者さんの身体症状としては,痩せに伴うさまざまな症状(月経異常,易疲労,貧血,寒気など)が目立つ. なお,BN患者さんでは体重が標準値であることもあり,AN患者さんのような表立った身体症状は認めないことが多い.

3 薬物療法の原則

摂食障害の治療における薬物療法は,栄養療法や精神療法の補助あるいは対症療法として,身体合併症や合併する精神症状の治療において用いられる. 注意すべき点は,**極低体重・低栄養状態においては,薬剤の副作用を強く生じやすい**という点である. 例えば,向精神薬によるQT延長症候群は,摂食障害の患者さんによくみられる低カリウム血症において,致死的不整脈へ移行することがある. また,摂食障害の身体症状や精神症状の大部分は体重増加によって改善するので,**薬物療法は体重が回復するまで待つことも重要である**.

表1に,対象となる合併症と使用薬剤の例を示した.

消化管機能が低下している場合には,対症的に胃粘膜保護薬や整腸剤,大建中湯などの漢方薬を使用する. またしばしば便秘をきたすため,下剤の使用はやむをえない. 適切かつ十分量の下剤投与が必要である. さらに,

表1　摂食障害に伴う合併症への薬物療法

- 極低体重では電解質異常などを生じていることがあり，十分な注意が必要

〈標的症状と薬物療法〉
蠕動促進：六君子湯，大建中湯
便秘：酸化マグネシウム，センナ
逆流性食道炎：H_2受容体遮断薬
不安，不眠：BZ系抗不安薬，第二世代抗精神病薬
抑うつ，強迫：選択的セロトニン再取り込み阻害薬（SSRI）

身体的合併症の治療として，例えば浮腫対策として利尿薬，骨粗鬆症治療薬なども状況に応じ使用する．合併する精神症状としては，不眠，抑うつ，強迫症状，不安症状などが多く，睡眠薬や抗うつ薬の投与も考慮される．ただし，摂食障害に対する治療の軸は栄養療法および心理教育であり，薬物療法はあくまでも補助的なものにすぎない点は常に念頭におくべきである．

4 治療の経過

摂食障害の治療においては，次の①〜③の順で治療を進めていく．
①疾患についての情報提供と心理教育により，治療への動機づけを行う（ただし，低体重による認知機能の低下，認知の偏りがある間は，精神療法，心理療法は有効ではない）
②摂食行動と排出行動を正常化し，適正体重を回復する．身体症状や精神症状に応じて，薬物療法や経鼻経管栄養などを行う
③安定後，発病に関係した個人的な課題（多くは進路や対人関係，社会不安など）の克服を目指す．偏った認知を修正し，適切なコミュニケーションスキルを獲得することが回復と安定につながる（表2, 3）

▶治療の進め方

まず，現在の体重と必要な体重を説明する．
アセスメント（表4）であげた項目を確認し，低体重によって生じている身体の障害を説明する．おおむね標準体重の80％に達すれば，多くの身体症状，精神症状の回復が期待できることを説明する．治療目標は，日常生活に支障をきたさない体力をとり戻すことである．
これらの説明をしても体重減少が認められる場合には，一定の限界値（標

表2 摂食障害における治療の原則

- 治療の動機づけ：
  疾患についての情報提供と心理教育
- 行動の正常化により適正体重の回復
- 発病に関係した個人的な課題（多くは進路や対人関係，社会不安など）の解消：
  ・偏った認知の修正
  ・適切なコミュニケーションスキルの獲得など

（文献1より引用）

表3 心理教育

- 犯人探しをしない：「母親の育て方」「親子関係」など
- 「痩せ願望」と仲よく付き合うこと
- 本来の性格と「症状としての強迫傾向」を混同しない
- 「考えを語る」ことより「身体感覚を感じる」ことを重視する
- 治療をあきらめない

（文献2より引用）

準体重の70％程度）を設定し，下回ったら入院とする．

　AN患者さんに対する栄養療法においては，経口摂取を基本とする．だが，患者さんの治療意欲の問題や，長らく拒食が続いた場合では腸管の蠕動運動が不十分であり，身体的にも食事を受け付けないという場合も少なからずある．その場合は経管栄養，中心静脈栄養が選択肢としてあがる．低体重がかなり重篤であり，電解質異常も生じているようなケースでは，中心静脈栄養の方が管理しやすい．しかし，腸管を動かすことができ，より生理的であるという点から，可能であれば経管栄養をおすすめしたい．経管栄養にてある程度のカロリーが摂取可能であれば，以降の食事の経口摂取再開にあたってもかなりスムーズな移行が期待できる．この点も，経管栄養の優れた面である．

　入院下で体重増加を目指す場合，摂取カロリーに関しては，20 kcal/kg程度からの開始が無難であろう．**リフィーディング症候群（refeeding syndrome）** に注意しつつ，3〜4日ごとに300〜400 kcal/日ずつ増量する．十分な体重増加のためには3,000 kcal/日を目指したいが，実際は困難であ

表4 アセスメントすべき項目

標準体重の算出
標準体重＝（身長）m×（身長）m×22　身長160 cmで56 kg 診断基準　　標準体重×0.8　身長160 cmで45 kg以下 緊急入院適応　標準体重×0.6　身長160 cmで33 kg以下

注意すべき異常所見	
バイタル	低血圧（収縮期血圧70 mmHg以下），徐脈（50回/分以下），低体温，呼吸促迫，意識障害
理学所見	るいそう，皮膚・口腔の乾燥，浮腫，背部の産毛，肌黄染（カロチン血症），月経異常（無月経），吐きだこ，ぼろぼろの歯，顎下腺腫脹
神経学的所見	眼球運動障害，体幹失調，腱反射亢進・減弱，筋強剛
精神症状	身体像障害，痩せ願望，肥満恐怖，抑うつ，不安，希死念慮，衝動制御障害，自傷行為，薬物依存 →これらの症状と関連する"ストレスとなっていること"は何か
検査所見	貧血，白血球減少，血小板減少（血算） 低タンパク質血症（TP，Alb） 肝機能障害（T-Bil，AST，ALT，LDH，ALP，γ-GTP） 腎機能障害（BUN，Cre） 電解質異常（Na，K，Ca，P，Mg，Fe） アミラーゼ高値（AMY） 低血糖（BS） 甲状腺機能低下（TSH，FT_3，FT_4） 脂質代謝異常（中性脂肪，HDL，LDL） ビタミンB_1，B_6，B_{12}低下 - 心電図 頭部CT 胸腹部単純X線

るケースが多い．

　refeeding syndromeは，飢餓状態にある患者さんに十分量の栄養療法を始めた際に起こってくる各種症候群であり，カリウム・マグネシウム・リンを中心とした電解質低下，それに起因する不整脈，心不全，ビタミンB_1低下によるWernicke脳症などがある．低体重のAN患者さんの栄養療法開始に際しては，頻回の血液検査による電解質のモニタリング，ビタミンB_1の予防投与を行う．

5 専門医に紹介するタイミング

　ANの診断基準には，体重が標準体重の80％以下という項目が含まれる．

60％以下では不整脈などによる突然死のリスクが高まり，早急な入院治療が必要となる．現在の日本においては，摂食障害の治療を専門的，積極的に引き受け治療している施設はきわめて限られ，病床が不足しているのが現状である．したがって，入院適応となる可能性のあるケースでは，早期に専門医に紹介するのが望ましい．

Case Study

症例　過去に数回入院歴のある女性

40代女性．20歳代から167 cm，45 kgと痩せ型であった．38歳頃から次第に体重が減り始め，40歳時に27 kgまで体重が減少したため，1年間で計3回の入院加療を行った．その後は摂食障害の専門外来を受診継続し，一時は38 kg前後まで回復していた．半年前に夫とのいさかいをきっかけに体重が再度減少，1カ月前より立ち仕事は困難，ほとんど臥床し過ごしていた．他院にて入院を勧められ，当院紹介受診．

初診時の身長167 cm，体重23.2 kg，BMIは8.3（標準体重の38％）．血圧は収縮期で63 mmHg，心拍数は91回/分．るいそうは著明であるが，意識ははっきりとしており，会話はよどみなくできた．ふらつきが強く，長時間の立位保持は困難．嘔吐はしないが，市販の便秘薬を大量に使用していた様子であった．

血液検査ではNa 126 mEq/L，K 3.4 mEq/L，Ca 8.8 mg/dL，P 4.0 mEq/dL，Mg 2.1 mg/dLと電解質異常を認めたほか，BUN 56.7 mg/dL，Cre 1.42 mg/dLと腎機能障害あり，脱水による腎前性腎不全と思われた．なお，脱水を反映してか，Alb値は3.2 g/dLであった．肝機能障害はなし．

胸部X線では心胸郭比41％，その他特記所見なし．腹部X線ではところどころ小腸の拡張像はあるも，niveauはなし．骨盤周囲に安全ピンあり（これは服を留めていたもの，と本人は説明したが，後に市販の下剤をもち込んでいたことが判明）．

心電図異常は特に認めなかった．

治療方針

BMIが標準体重の40％未満であり，生命の危機にあるレベルである旨，本

人および家族に説明．入院での加療開始とした．

　入院当日より常食1,500 kcal/日を提供し，どの程度摂取可能か確認した．長期の食事摂取の不良状態にあったことを考慮し，総合ビタミン薬の経口投与を行った．さらに脱水の補正のため，乳酸リンゲル液を中心に使用し点滴加療を行った．本人の治療意欲は高く，初日より1/3ほど摂取が可能であった．

　入院3日目に市販の下剤を大量にもち込んでいること，また，食事を捨てようとしていたことが発覚し，本人の同意を得て，モニター下に監視することとなった．摂取の具合をみながらカロリーは3～4日ごとに400 kcal/日の上昇を目指し，濃厚流動食を併用．本人の意欲もあり，濃厚流動食は経口にて摂取することが可能であった．入院3日目より腹満，排便困難があり，大建中湯7.5 g/日を投与．またセンナ，ピコスルファートなどの下剤も適宜使用した（下剤は乱用の恐れがあり，病院管理とした）．

　以降は週に2～3回の血液検査にて電解質をモニタリングした．脱水・低栄養の改善に伴いリン・マグネシウム値の低下を認め，その都度，経静脈的に補充を行った．また，下肢浮腫が次第に著明となり，胸部X線上も胸水貯留を認めたため，入院10日目よりフロセミド20 mg/日を開始とした．

　入院2週間後に食事を経口で1,700 kcal/日，濃厚流動食800 kcal/日，末梢点滴150 kcal/日で計2,650 kcal/日を摂取することができた（なお，3,500 kcal/日までのカロリー増を目指していたが，結局それが1日の摂取カロリーの最大量となった）．そのころより立位での収縮期血圧が90 mmHg以上となり，起立，歩行訓練を開始．入院3週間後には立位での軽作業も可能となり，本人の早期退院の希望もあって，入院22日目に退院となった．退院時の体重は34.8 kg（BMI 12.4），Alb値は2.4 g/dLであった．

　以降は外来通院を継続している．

解説

　致死的なレベルにあったANの症例である．今ケースでは本人が当初より早期退院を望んでいたことから，摂食への意欲は比較的高い印象を受けたが，一方で下剤を使用しての排出行動がみられるなど，AN患者さんらしい二面性をみせた．本症例では経口摂取を軸にカロリーアップを図ったため，摂取カロリーの増量は3～4日あたりに400 kcal/日を目安に臨機応変に行ったが，経鼻経管栄養にてカロリーアップをすれば，よりコントロールされた栄養計画の実施が可能であろう．

　栄養状態の改善に伴い，カリウム，リン，マグネシウムが細胞内に取り込まれ，refeeding syndromeを発症する原因となるが，頻回に電解質異常のチェックを行い，適宜これら電解質の補充をすることで未然に防ぐことがで

きた.

　本文中でも述べたように，AN患者さんに対しての薬物治療はあくまでも補助的なものにすぎない．本症例では入院初日より総合ビタミン薬を投与したほか，下剤や整腸剤の使用，下肢浮腫への利尿薬投与，不眠時の睡眠薬使用にとどまった.

　なお，不安が強い場合には抗不安薬やSSRIなどの抗うつ薬を使用することもあるが，低体重のため，副作用が強く出る恐れがある．抗不安薬，抗うつ薬などは投与する必要のないケースも多いため，その使用にあたっては専門医へのコンサルトが望ましいと考えられる．

● 文　献 ●
1) 鈴木眞理：摂食障害．治療，91：1286-1290, 2009
2) 鈴木廣子：摂食障害の心理教育－患者と家族に伝えるべきこと－．臨床精神医学，39：795-799, 2010

＜押淵英弘＞

⑩ アルコール依存症（使用障害）

POINT 精神依存性物質による依存形式

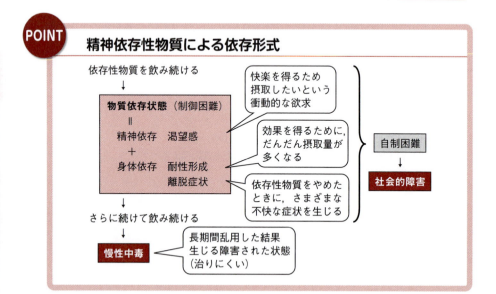

1 アルコール依存症とは？

　アルコール依存症は，物質依存症の一種で，アルコールへの依存である．物質依存では，精神依存性物質を反復して摂取することにより，**精神依存**と**身体依存**を形成する．精神依存は物質の摂取を望む**渇望感**を生じ，身体依存は物質の効果を得るために要する物質の量が増加する**耐性形成**と，物質使用の中止時に不快な症状を生じる**離脱症状**を生じる．これらの精神依存と身体依存のために物質使用の中止はきわめて困難となり，自身でのコントロールを喪失し，身体的，社会的信用を障害する．一部の薬物や物質では，さらなる長期間の使用により，難治性の慢性中毒状態となる（**POINT**）．

　近年のDSM-5の診断基準においては，物質依存について"依存"というネガティブな印象を与える用語は用いず，使用障害という病名となった．また古典的な渇望・耐性・離脱の3要素だけではなく，制御障害，薬理学的基準，危険な使用，社会的障害の4要素について11の項目を設定し，2つ以上が当てはまれば診断するとしている（**表1**）．物質による問題をより

2. 処方の実際

表1　DSM-5の物質使用障害の診断基準項目と診断のために確認すべき具体例

診断基準項目 カテゴリ	診断基準項目	具体例
制御障害	意図していたよりも多量，長期の使用	一杯だけのはずがつい飲みすぎてしまう
	使用中断の失敗	今日は飲まないつもりが飲んでしまう
	物質の獲得，使用，回復に時間	お酒を探し，わざわざ買いに行く
	渇望	どうしても飲みたいと感じる
薬理学的基準	耐性	酒量が徐々に増えた
	離脱	飲まない日にはイライラする，手が震える
危険な使用	身体的に危険な状況で物質使用する	医師から酒をやめるよう言われたのに飲んでいる
	身体的，精神的に悪化しても使用を続ける	
社会的障害	職場，学校，家庭での役割を果たせない	仕事に遅刻する，欠勤する
	対人関係上の問題	酒のうえでのトラブルがある
	重要な社会的，職業的活動の放棄	仕事・家事・学業ができない

広範にとらえて適切に医療介入することにより，回復を支援しようという考えに基づく．

2 アセスメントと鑑別

　アルコール依存症（使用障害）のアセスメントは，**表1**に示した診断基準に合致する所見があるかを確認していく．

　アルコール依存症の本態が自制困難にあるとすれば，家族や同僚，かかりつけの医師などからアルコールをやめるように指示されても飲酒をやめられなかったような場合を，自制困難と判断できるので，アルコール依存症である，ととらえる考え方もある．

　アルコールの有害使用やアルコール依存症のスクリーニングに，アルコール依存症スクリーニングテスト（alcohol use disorders identification test：AUDIT）が有用である．AUDITは過去1年間の飲酒に関する10の質問で構成されており，各質問の回答の合計点数が15点以上の場合には依存症のアセスメントを行い，専門医療機関の受診につなげる．また，8～14点であっても減酒支援を行うことが推奨されている．

表2 物質依存の治療

	使用量低減	依存からの回復
問題となること	治療脱落	再摂取の危機
目標	減酒,減薬の継続 社会的機能の回復	断酒,断薬の継続 社会的機能の回復
行うこと	使用量低減を支援する心理社会的治療 薬物療法（減酒） 断酒に向けたモチベーションを支援する支持的精神療法	断酒,断薬の継続を支援する心理社会的治療 薬物療法（断酒） 自助グループ 集団精神療法

3 薬物療法の原則

　　物質依存の治療は，使用量低減または解毒（断酒・断薬），関連障害の治療，依存からの回復からなる．アルコール依存症においては，減酒（飲酒量低減），急性中毒からの断酒，関連する身体障害，抑うつなどの精神症状の治療，断酒の継続などが治療目標となる（表2）．

　　アルコール依存症の治療の主体は心理社会的治療であり，薬物療法は補助的な役割を担う．心理社会的治療には，動機付け面接法，認知行動療法，集団精神療法〔断酒会やアルコホーリクス・アノニマス（alcoholics anonymous：AA）などの自助グループへの参加も含む〕，家族療法などがある．

　　減酒（飲酒量低減）に対しては，ナルメフェン（セリンクロ®）を使用する．飲酒による快・不快と関連するオピオイド受容体系（μオピオイド受容体・κオピオイド受容体）の作用を減弱することにより飲酒量の低減作用を発揮すると考えられているが，明確な機序は不明である．飲酒量低減治療の意思のある患者さんにのみ使用すること，心理社会的治療と併用することが必要である．

　　減酒（飲酒量低減）治療の心理社会的治療として，飲酒日記を用いて以下の5ステップを行う．
①飲酒量の目標設定（患者さんに共感しながら，達成可能な目標を患者さんと設定）
②飲酒量の確認（治療継続を褒める）
③服薬状況などの確認（副作用や断酒の意向も確認）

④全体的な改善の評価（改善した点を見つけてポジティブに伝える）
⑤治療目標の再評価（達成している場合は努力を認め治療継続を励まし，達成していない場合でも批判せずにサポートし，断酒が必要な場合は断酒への移行をすすめる）

> **処方例**
>
> ナルメフェン（セリンクロ®）　1回10 mg　1日1回（飲酒の1〜2時間前，服薬せずに飲酒し始めた場合には気づいた時点で直ちに服薬，ただし飲酒終了後には服薬しない）
> 20 mg/日まで増量可能
> 薬剤料の算定には，医師，メディカルスタッフの「アルコール依存症の診断と治療に関するeラーニング研修」（日本アルコール・アディクション医学会および日本肝臓学会が主催）の修了が求められる．

処方後に確認すべきこと

- **効果**：飲酒量の低減
- **副作用**：悪心，浮動性めまい，傾眠，頭痛，嘔吐，不眠症，倦怠感に留意する．

解毒時におけるアルコール離脱せん妄の予防の薬物療法として，以下のような処方が考えられる．

> **処方例**
>
> ＜内服可能な場合＞
> 　ジアゼパム（セルシン®，ホリゾン®）　1回5 mg　1日3回
> ＜内服ができない場合＞
> 　ジアゼパム（セルシン®，ホリゾン®）注　1回10 mg（2 mL）を1日3回ゆっくり静注または筋注
> - 注射剤を用いる際は，投与後の呼吸状態に注意しSpO_2測定などもあわせて行う
> - 通常3〜4日間の投与でよい．その後，24時間ごとに総量の25％ずつを毎日減量し，1週間ほどで投与終了とする
> - 肝障害がある場合は，半量など減量して投与を開始する

処方後に確認すべきこと

- **効果**：ジアゼパムの使用は，アルコール離脱せん妄の予防が主な目的となる．
- **副作用**：内服により多少の倦怠感が出現することがあるが，多くは経過観察で十分である．

自律神経症状出現の際は，早めに専門医にコンサルトが必要である．

　ただし，離脱せん妄を生じた場合には，ベンゾジアゼピン（BZ）系薬剤はせん妄を逆に増悪させるため，抗精神病薬の投与が必要となることもある（p48参照）．

処方例

リスペリドン（リスパダール®）　1回1mg　1日2回

4 治療の経過（表3）

▶ 患者の希望に沿った治療目標を支持

　アルコール依存症の治療目標は，継続した断酒が最も安定かつ完全な目標である．そのためには治療の継続が重要であり，治療脱落を防ぐため，患者さんが減酒（飲酒量低減）を希望した場合は，減酒から治療を開始することも検討する．患者さんの断酒治療参加へのモチベーションを支持することが大切である．

表3　アルコール依存症の治療

1）患者さんの希望に沿った治療目標を支持
断酒が望ましいが，患者さんが減酒を希望した場合は減酒から開始する
2）解毒時の対応
せん妄の発症予防：BZ系薬剤の内服 せん妄時の対応：抗精神病薬
3）関連障害の治療
身体合併症：肝機能障害，腎機能障害，低栄養状態など 精神合併症：アルコール幻覚症，アルコール嫉妬妄想，アルコール性気分障害，記憶障害（Wernicke-Korsakoff症候群）
4）回復の支援
心理社会的治療，薬物療法などを利用し，断酒のモチベーションを維持する

▶減酒（飲酒量低減）時の対応

患者さんとの合意のうえで，ナルメフェン（セリンクロ®）を心理社会的治療と併用する．患者さんに共感を示し，励まし，褒めて，治療継続を促し，断酒への移行を常に念頭において治療を進める．治療効果の判定を3カ月ごとに行い，効果が認められない場合には薬剤の増量を検討する．治療効果の判定に迷う場合，治療開始後6カ月目でも効果がない場合は専門医療機関に紹介する．12カ月時点で薬剤の投与中止を検討する．

▶断酒時の対応

患者さんに断酒が望ましいことを伝え，断酒の同意を得て，専門医療機関に紹介する．医療者は支持的にかかわり続ける姿勢が必要となる．専門医療機関では断酒プログラムや断酒会への参加などをすすめ，薬物治療の導入についても患者さんと相談し検討していく．

▶解毒時の対応

BZ系薬剤はアルコールと交叉耐性を有し，BZ系薬剤の予防内服は，離脱せん妄の発症予防に有用である．離脱せん妄を生じた場合，BZ系薬剤はせん妄を逆に増悪させるため，抗精神病薬の投与が必要となる．離脱せん妄状態では，脱水など身体状況が悪化していることや，肝機能障害などの身体合併症を有することが多く，入院が必要となる．飲酒歴の長さなどによっては，ビタミンB_1（チアミン）の不足によって起こるウェルニッケ（Wernicke）脳症とその後遺症であるコルサコフ（Korsakoff）症候群を呈していることもあるので，治療開始時にビタミン値の測定をしておくことも重要である．

離脱時の栄養障害は，せん妄発症のリスクとなるため，栄養障害の改善を図る．葉酸，ビタミンB_1（チアミン），B_6，B_{12}，ニコチン酸を含む総合ビタミン薬（パンビタン®など）を投与する．栄養状態が悪い場合は，脱水，低タンパク質血症，低カリウム血症，低マグネシウム血症などを伴うことが多いため，必要に応じて補液を行う．

▶関連障害の対応

アルコール依存症においては，**表4**に示すように合併症が多いため，適宜対応する．

表4　アルコール依存症に関連する身体合併症

症　状	治療法
脱水	→ 補液
循環虚脱	→ 補液
組織の低酸素	→ アシドーシスの補正，酸素投与
横紋筋融解症	→ 補液
腎不全，電解質異常	→ 補液，補正，透析
胃食道逆流症，消化性潰瘍	→ 消化性潰瘍治療薬の投与
貧血	→ 鉄剤の投与，輸血
肝障害	→ 肝庇護薬の投与，専門科へコンサルト
膵炎	→ ガベキサート（エフオーワイ®）の投与
心筋障害，不整脈	→ 専門科へコンサルト
暴れたことによる外傷	→ 外科的治療
硬膜下血腫	→ 脳外科的治療
栄養障害：特にチアミン，ニコチン酸，葉酸	→ 栄養補充，総合ビタミン薬の投与

　アルコール依存症には，うつ病，双極性障害などの気分障害，不安障害，他の物質への依存など，精神障害の合併が多い．併存する精神障害を治療することは，依存性物質の再摂取予防の観点から重要であり，積極的な薬物療法が望まれる．

▶ **依存からの回復支援**

　心理社会的治療，薬物療法などを利用し，断酒のモチベーションを維持する．コントロールを喪失した酒びたりの生活から，1つ1つ回復した点を評価していくことが回復につながる．

　抗酒薬であるシアナミド（シアナマイド）やジスルフィラム（ノックビン®）は飲酒欲求を抑える薬剤ではなく，摂取時に血中アセトアルデヒド濃度を上昇させ，悪心，嘔吐，頭痛，動悸などいわゆる二日酔い状態をつくり出し，多量飲酒を難しくするものである．内服時に多量にアルコールを摂取すると，不整脈を引き起こすなど生命にかかわる場合もあるため，専門医以外は処方しないのが無難である．

　前述の2つと異なる薬効をもつ薬剤として，断酒補助薬のアカンプロサート（レグテクト®）がある．作用機序ははっきりしていないものの，グル

タミン酸受容体であるNMDA受容体の阻害作用や，GABA$_A$受容体作用の増強により，依存の形成にかかわる報酬系へ作用し，飲酒欲求自体を軽減させると考えられている．

　断酒の意思がある患者さんに限り使用する必要があり，心理社会的治療との併用が効果的である．

> **処方例**
>
> アカンプロサート（レグテクト®）　1回666 mg　1日3回（毎食後）

5 専門医への紹介

　アルコール依存症の治療では，治療の継続が重要であり，治療脱落を防ぐため，患者さんが希望した場合はすぐに専門医につなぐ．また，AUDITで合計点数が15点以上の場合には，依存症のアセスメントを行い，専門医療機関の受診につなげる．

● 文　献 ●

- 「新アルコール・薬物使用障害の診断治療ガイドライン」（新アルコール・薬物使用障害の診断治療ガイドライン作成委員会／監，樋口 進，他／編），新興医学出版社，2018
- 「飲酒量低減治療マニュアル ポケット版（第1版）」（日本アルコール・アディクション医学会，他），2019
  https://j-arukanren.com/pdf/201911_inshuryouteigen_chiryou_poket.pdf
- 「新アルコール・薬物使用障害の診断治療ガイドラインに基づいたアルコール依存症の診断治療の手引き（第1版）」（日本アルコール・アディクション医学会，他），2018
  https://www.j-arukanren.com/pdf/201907_shin_al_yakubutsu_guide_tebiki_201907.pdf

<鈴木　匠，河野仁彦>

11 注意欠如・多動性障害（ADHD）

POINT

注意欠如・多動性障害（ADHD）

多動性
・過度なおしゃべり
・姿勢が悪い
・離席，目的のない動き
・落ち着かない

不注意
・忘れ物や失くし物が多い
・不注意な間違いが多い
・ボーっとして話を聞いていない
・気が散りやすい

衝動性
・思いついたら即行動
・順番待ちが苦手
・衝動買い

1 注意欠如・多動性障害（ADHD）とは？

　発達障害者支援法の対象疾患の1つであり，『注意欠如・多動症－ADHD－の診断・治療ガイドライン　第5版』[1]でも発達障害と位置づけられている．『精神疾患の分類と診断の手引き（DSM）』においても，2013年に発表されたDSM-5からは，ADHDは幼児期から成人期まで一貫して心理的な特性を保持する神経発達障害群の1つとして位置づけられ（p155参照），2018年に公表されたICD-11でも神経発達障害群の1つとなった．

　ADHDの主症状は，**不注意**と**多動性**，**衝動性**の3症状と定義されている．成人になるにしたがって，不注意に関してはある程度症状が代償され，多動性に関しては落ち着きのない状態が減弱する傾向がみられる．しかし，

成人期の衝動性は，衝動買いや交通事故，頻回な転職などといったより深刻な結果を招くことが多い．各症状の表現形はライフステージごとに大きく変わるため，その時々に応じたサポートが必要である．

2 アセスメントと鑑別

ADHDの診断や評価は，面接や言動観察，種々の身体検査，心理検査など総合的な評価とアセスメントのもとで判断する．『注意欠如・多動症−ADHD−の診断・治療ガイドライン　第5版』では「子どものADHD臨床面接フォーム」に沿った半構造化面接や，幼児期には「行動特徴のチェックリスト」を取り入れて診断することが推奨されている．

▶ 本人や家族，観察者との面接，言動観察

まず，受診動機や目的を確認する．家族や関係者ばかりから情報を収集するのではなく，低年齢でも本人から本人なりの受診動機や目的を聴取することが大切である．

家族歴や家庭環境，現在の生活環境，そして，発達歴（母子手帳の健診などの記録も参照），保育園や幼稚園での様子（連絡帳も参照），学童期，思春期での様子（通知表や連絡帳，作文なども参照），青年期，成人期の様子を本人と家族，周囲の方々（学校の先生，職場の同僚や上司など）から聴取する．受診時，病院に来てから病院を出るまでにおける本人の言動，家族や医療スタッフとのやりとりからも多くの情報が得られる場合が多い．

▶ 鑑別診断

疑わしい身体疾患に応じて検査（血液検査，頭部画像検査，脳波，心電図など）を行い鑑別し，面接や行動観察での情報，必要に応じた心理検査の結果も含め，ADHDと他精神疾患を鑑別していく（表1）．

知能検査（知能指数IQを算出）は，知的能力障害群の鑑別に用いられ，また，知的・認知的側面を評価し，ADHDの診断の補助に用いられる．必要に応じて，学習や認知機能を評価できるK-ABC心理・教育アセスメントバッテリーなどを追加することもある（表2）．

5歳未満の乳幼児では，発達検査（発達指数DQを算出）である新版K式発達検査を用いることもある．

表1 鑑別すべき疾患

精神疾患	身体疾患
●自閉スペクトラム症 ●知的能力障害群 ●虐待関連（脱抑制型対人交流障害，反応性アタッチメント障害，複雑性心的外傷後ストレス障害など） ●抑うつ障害群，双極性障害 ●秩序破壊的・衝動制御・素行症群（反抗挑発症，間欠爆発症，素行症など） ●不安症群 ●統合失調症 ●物質使用障害 ●パーソナリティー障害 ●睡眠－覚醒障害群（むずむず脚症候群，睡眠時無呼吸症候群，ナルコレプシーなど）	●小児神経疾患 ・てんかん，脳腫瘍，モヤモヤ病，脳奇形など ・聴力障害 ・視力障害 ・染色体異常症 ●内科的疾患 ・甲状腺機能障害 ・貧血 ・アトピー性皮膚炎 ・食物アレルギー ●薬物関連 ・喘息などの内服薬の副作用 ●脳外傷

表2 知能検査

知能検査		対象	所要時間
田中ビネー知能検査		2歳～成人	60～90分
K-ABC心理・教育アセスメントバッテリー		2歳6カ月～12歳11カ月	30～60分
ウェクスラー式	幼児用（WPPSI：ウィプシー）	2歳6カ月～7歳3カ月	40～70分
	児童用（WISC：ウィスク）	5歳～16歳11カ月	60～90分
	成人用（WAIS：ウェイス）	16歳～89歳	60～95分

▶ **ADHD症状の評価**

　ADHDの評価尺度としては**表3**のようなものがあげられる．

　18歳以下の子どもが対象であるADHD rating scale-Ⅳ（ADHD-RS-Ⅳ）はADHDのスクリーニング，診断，治療成績の評価として，Conners 3™は中核症状である不注意・多動性・衝動性，および併存する可能性の高い問題や障害を綿密に評価できるようになっている．

　18歳以上の成人が対象であるConners' adult ADHD diagnostic interview for DSM-Ⅳ（CAADID™）は診断面接ツールとして，成人期と小児期の両方における症状によってADHDを診断できるように構成され，Conners' adult ADHD rating scales（CAARS™）は重症度や周辺症状の評価に用いられる．

表3 ADHDの評価

ADHD評価尺度	対象	項目数	所要時間	回答者	目的
ADHD rating scale-Ⅳ (ADHD-RS-Ⅳ)	5～18歳	18 家庭版/学校版	10分	家庭版：養育者 学校版：教師	スクリーニング
Conners 3™ 日本語版	本人用：8～18歳 保護者用：6～18歳 教師用：6～18歳	本人用99問 保護者用110問 教師用115問	20分	本人用：本人 保護者用：養育者 教師用：教師	診断と周辺症状の診断評価
Conners' adult ADHD rating scales (CAARS™)	18歳以上	各66 「自己記入式」 「観察者評価式」	15～30分	本人 観察者：家族, 同僚など	重症度や周辺症状の評価
Conners' adult ADHD diagnostic interview for DSM-Ⅳ (CAADID™)	18歳以上	診断面接ツール パートⅠ生活歴 (20ページ) パートⅡ診断基準 (20ページ)	パートⅠ・Ⅱ 各60～90分	臨床家（医師,心理士など）	診断

3 薬物療法の原則

薬物療法に際し，身体状態や成長発達，副作用発現の評価のために，血圧，脈拍，心電図，身長，体重などの検査は重要である．

『注意欠如・多動症－ADHD－の診断・治療ガイドライン　第5版』は2022年に第5版が発表され，6歳から18歳未満で併存症をもたないADHDに対する薬物療法の進め方が以下のように改訂された（図1も参照）．

本邦における成人期ADHDに関しては，今後のガイドラインの発表が待たれるが，以下の薬物療法の導入や，海外のガイドライン（p167「ADHD治療薬」）を参照する．

6歳から18歳未満の薬物療法の導入としては，

▶ 第1段階

メチルフェニデート徐放錠（OROS-MPH）（流通規制あり，第1か2段階のどちらかで積極的に検討），グアンファシン（GXR），アトモキセチン（ATX）のいずれかの薬剤を単独で用いる．

▶ 第2段階

至適用量の最大量まで投与しても効果が不十分な場合には，第1段階で選択しなかった他の2薬剤のうちのいずれかを単独で用いる．

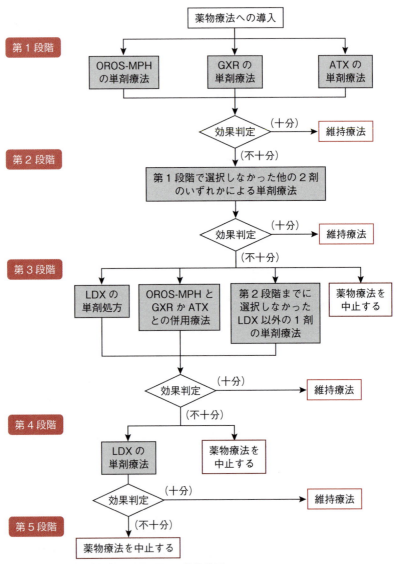

図1 依存症を伴わないADHDの薬物療法

OROS-MPH：メチルフェニデート徐放錠，GXR：グアンファシン，
ATX：アトモキセチン，LDX：リスデキサンフェタミン
「注意欠如・多動症-ADHD-の診断・治療ガイドライン 第5版」(齊藤万比古，飯田順三／編)，p34，じほう，2022 より転載

▶第3段階

第2段階でも効果不十分な場合は，①～④のいずれかの選択肢から選択する．

① リスデキサンフェタミン（LDX）の単剤療法（流通規制あり．現在本邦では，小児の適応のみであり，他のADHD治療薬が効果不十分の場合にのみ使用可能）
② メチルフェニデート徐放錠とグアンファシンの併用療法あるいはメチルフェニデート徐放錠とアトモキセチンの併用療法
③ 第2段階までに選択しなかったリスデキサンフェタミン以外の最後の1剤による単剤療法
④ 第2段階まででADHD治療薬による薬物療法を中止し，治療・支援システム全体の再検討を行う

▶第4段階

第3段階でも効果不十分な場合は，①～②のいずれかの選択肢から選択する．

① 第3段階で選択しなかった場合，リスデキサンフェタミン単剤療法
② 第3段階まででADHD治療薬による薬物療法を中止し，治療・支援システムの再検討を行う

- **ADHD適正流通管理システム**

2016年にメチルフェニデート徐放錠が，適正使用および薬物依存に関する教育を受講し，**登録された医師および薬剤師のみが処方および調剤可能**となる世界で唯一のシステムが稼働した．

その後，2019年12月にリスデキサンフェタミンの小児適応が承認となり，同年同月に**患者情報の登録義務化や医師の登録要件厳格化**がなされた新たな**ADHD適正流通管理システム**が開始され，中枢刺激薬（メチルフェニデート徐放錠，リスデキサンフェタミン）の処方が管理されるようになった．

4 処方の実際

ここでは，ADHD治療薬のなかで第一選択薬の1つとされ，処方の際に流通規制のないアトモキセチンについて紹介する．

アトモキセチンは先発品と後発品があり，剤形としてはカプセル，錠剤，内用液がある．カプセルと錠剤は5 mg，10 mg，25 mg，40 mgの規格があるが，ADHDの特性上起きやすい，薬の管理ミスや内服ミス，内服忘れなどをできる限り減らすため，内服する個数をできる限りシンプルにするよう心がける．剤形や内用液の味の選択肢については，p170「アトモキセチン」を参照してほしい．

> **処方例**
>
> **18歳未満の場合**
> ＜初回＞
> アトモキセチン　1日0.5 mg/kg　2回に分服（朝・夕）
> ・体重30 kgであれば，1日15 mg（例：朝5 mg錠を1錠，夕10 mg錠を1錠）
>
> ＜1週間後＞
> アトモキセチン　1日0.8 mg/kg　2回に分服（朝・夕）
> ・体重30 kgであれば，1日24 mg（例：朝10 mg錠を1錠，夕10 mg錠を1錠）
>
> ＜2週間後＞
> アトモキセチン　1日1.2 mg/kg　2回に分服（朝・夕）
> ・体重30 kgであれば，1日36 mg（例：朝10 mg錠を1錠，夕25 mg錠を1錠）
>
> ＜状況に応じて＞
> 1日1.8 mg/kgか，1日120 mgまでのいずれか少ない量を超えない2回に分服（朝・夕）
> ・体重30 kgであれば，1日54 mg（例：朝25 mg錠を1錠，夕25 mg錠を1錠）

処方後に確認すべきこと

- **副作用**：悪心，食欲減退，頭痛，傾眠，動悸などの症状がみられないか確認する．詳しくは副作用の項（p164）を参照していただきたい．

5 治療の経過

ADHDの治療は，総合的な治療プログラムが重要と考えられ（図2），支援を含めた環境調整，心理社会的治療，ADHDの主症状に対する薬物療法

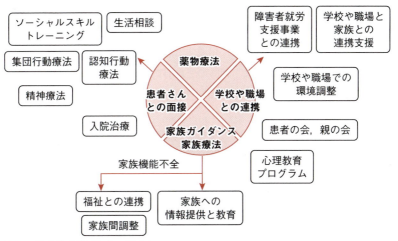

図2　総合的な治療プログラム
（文献2を参考に，小児から成人まで対応した形に作成）

が行われる．環境調整や心理社会的治療が優先されるが，将来の夢などを含め治療の目標設定を一緒に考え，さまざまな治療を本人と家族の生活スタイルにあわせて検討することが重要である．

精神・心理療法，親や家族へのガイダンス，学校や職場などとの連携による環境調整を基本として行い，ライフステージや状況に応じてペアレントトレーニングやソーシャルスキルトレーニング（SST）を考慮する．挫折体験のくり返しから自尊心が著しく低下している場合や心理社会的治療の導入が困難な症例では，薬物療法を早めに考慮する場合もある．薬物療法により，環境調整や心理社会的治療への導入やさまざまな取り組みがスムーズに進むなどの相乗効果が期待できる場合が多い．

6 専門医に紹介するタイミング

流通規制のある中枢刺激薬（メチルフェニデート徐放錠，リスデキサンフェタミン）の導入を検討する場合，併存症を伴っていたり，他の精神疾患との鑑別が難しい場合などでは専門医に紹介する．

2015年，小児科専門医と精神科専門医の双方を基盤領域とするサブスペシャリティ専門医として，子どものこころ専門医制度が発足した．2022年4月より日本全国における同専門医制度の研修施設群が設置され，研修が

スタートした．紹介する専門医を探す場合は，子どものこころ専門医公式サイトに掲載の，専門医・指導医一覧（都道府県別に参照できる），もしくは精神科医か小児科医に相談するとよい．児童思春期や成人の発達障害を診ている医療機関は，初診の予約日時までの待機時間が長くなることも多いため，できる限り早めに専門医へ相談することが望ましい．

Case Study

症例　仕事を辞めさせられたことを機に受診となった20代男性

　幼少期は明るく活発で，よく迷子になり，知らないうちにアザができていることが多かった．地元の小中高校の普通学級に通い，友人関係は広く浅かった．荷物整理が苦手だったため，教科書などは学校にできる限り置いていた．鉛筆や消しゴムをよく失くし，終わらせた宿題をもっていくのもよく忘れていたが，先生は大目に見てくれていた．

　高校時代に交際していた女性と結婚し，4人の子どもがいる．地元で仕事に就くも続かず，上京した．家族と話しているときもよそ見やうわの空で聞いておらず，子どもの面倒を頼まれてもこなせず妻によく怒られていた．半年前から会社員として働きだしたが，会社の車を運転中に何度も事故を起こし，仕事でもミスが続いたため，辞めさせられた．食事摂取や睡眠は良好．心配した妻とともに当科初診となった．

治療経過

　診察にて，本人，妻や母から，不注意，多動性，衝動性が疑われるライフステージごとのさまざまなエピソードが聴取できた．言動観察では，物がたくさん詰まった大きなカバンをもって来院し，受付時には保険証を探しだすのに時間を要した．待合室や診察室では貧乏ゆすりや姿勢の崩れやすさが目立っていた．愛想よく喋り続けるが，会話内容はまとまりなく，話題が飛びやすかった．

　通知表の生活面の箇所には遅刻日数が多いことが記され，整理整頓と提出物や忘れ物の箇所は，常に「がんばりましょう」と評されていた．

　身体検査や血液検査，脳波，頭部MRIにて特記すべき所見なく，薬物使用や既往歴もなかった．知能／心理検査としては，CAADID™，CAARS™，WAISを施行し，ADHDと診断した．本人と妻へ疾病教育を行い，ネット上でのスケジュール管理やメモ書き，やる事リストなどの習慣化といった生活の工夫や，

家族ガイダンス，家族間調整，就労選択や職場との連携などを相談していった．

　また，家族への影響としては，仕事や就労に向け早急な支援が必要と考えられ，薬物療法の導入となった．朝の起床も苦手で，昼夜問わず子どもの世話などもある生活を考慮し，本人と家族とも相談のうえ，終日効果が持続するアトモキセチンを40 mg/日で開始し，その後漸増し80 mg/日内服継続となった．内服管理や定期内服の確認，そして，通院を継続するために，妻も協力してくれた．治療後は「以前よりも話すことがまとまりやすくて人の話が聞けるようになった」「いろいろ気づけるようになってきて忘れ物も遅刻も減った」などと明るく報告し，家族からの評価もよくなった．もともとの愛嬌のある性格を活かし，決まった仕事内容でミスをすることは減って仕事もはかどり，自信がついてきている．

解説

　職場で適応困難となり，「仕事をしたい，家族に迷惑をかけたくない」という本人の目標に向かって，ADHDの特性を活かせるよう総合的な治療を行った症例である．診断を受け疾病教育を行うことで自身の特性を認識でき，また妻や両親の理解も得られ，家族で前向きに取り組んでいった．また，薬物療法の導入も行い，環境調整もより一層進み相乗効果が得られた．薬物療法に関しては，禁忌である疾患や症状がないか，薬の効果（持続時間や発現時期，内服時間帯や回数など），剤形（錠剤／カプセル／内用液，大きさ，味）などを考慮し，それぞれのライフスタイルにあった薬剤選択が重要である．

　仕事を辞めさせられたことを機に受診となった本症例のように，学生時代は家族や友人関係，学校環境に恵まれ，なんとか本人なりのペースで過ごせてきたが，就労や結婚，子育てなどの成人時期になり，適応困難や併存症の症状を主訴に来院するケースも多く，その背景にあるADHDを見逃さないことが重要である．

　診察では，本人や家族の生きづらさや大変さを労い，支持的に接し，ラポールの形成に努めたい．また，ADHDの特性上，内服や通院の中断が起こりやすいため，具体的な内服時間帯や内服管理体制の説明，内服や通院を忘れた際の対処方法，それらに対する周囲のサポートはどの程度得られるかなどを事前に相談しておくことも役立つと考えられる．

●文　献●

1）「注意欠如・多動症 – ADHD – の診断・治療ガイドライン 第5版」（齊藤万比古，飯田順三／編），じほう，2022
2）「注意欠如・多動症 – ADHD – の診断・治療ガイドライン 第3版」（齊藤万比古，渡部京太／編），じほう，2008

〈河野美帆〉

第 4 部

注意すべき副作用と症候群

1. 悪性症候群 — 302
2. 糖尿病性昏睡 — 304
3. 皮膚症状
   向精神薬による重症薬疹：SJS，TEN，DIHS — 306
4. 薬物誘発性不整脈
   薬剤性QT延長症候群と心室頻拍 — 308
5. 向精神薬によって引き起こされる精神と行動の障害（行動毒性） — 310
6. リチウム中毒 — 312

1 悪性症候群

> **POINT** 悪性症候群でみられる症状・所見と治療法

稀ではあるが，最も重篤な副作用
生命にかかわる

● 症状
— 筋強剛などの錐体外路症状
— 解熱薬に反応の乏しい発熱，発汗，頻脈などの自律神経症状
— 意識障害

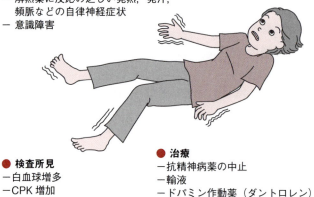

● 検査所見
— 白血球増多
— CPK増加

● 治療
— 抗精神病薬の中止
— 輸液
— ドパミン作動薬（ダントロレン）

CPK：クレアチンホスホキナーゼ

1 病態

悪性症候群（neuroleptic malignant syndrome：NMS）は，抗精神病薬の最も重篤な副作用である．第二世代抗精神病薬の普及により，典型例をみる機会は減少している印象で，発生率は0.2〜1％と低いものの，重症例では死亡に至る．このため，どの抗精神病薬の添付文書でも，重大な副作用として1番目に記載されている．

基本的な病態としては，抗精神病薬のドパミンD_2受容体遮断作用により，著しい錐体外路症状（筋強剛，開口障害，流涎）と自律神経症状（発熱，頻脈，血圧異常，呼吸促迫），意識障害をきたしているものと考えられる．

合併症として，呼吸不全，横紋筋融解症，腎不全，播種性血管内凝固症候群（disseminated intravascular coagulation：DIC）を引き起こし，多臓器不全から死亡に至ることもある．

NMSはドパミンD_2受容体が**急激に遮断された際**に生じやすい．そのため抗精神病薬の投与初期や，高用量の抗パーキンソン病薬が中止された際に発生することが多く，特に興奮，疲労，脱水状態などが基盤にある患者さんに生じることが多い．精神科においては，緊急入院となり薬物療法を開始した患者さんの，入院後2週間ほどが要注意の期間となる．

2 鑑別疾患と対処法

鑑別を要する疾患は，横紋筋融解症，熱中症，水中毒，悪性高熱症，脳炎，甲状腺クリーゼ，褐色細胞腫，薬物中毒（覚醒剤，コカイン，抗コリン薬，その他），けいれん重積発作などさまざまな病態があげられる．

NMSが疑われた場合には，原因となりうる抗精神病薬は直ちに中止する．多くの症例では脱水が存在するため，**十分量の輸液**を行い尿量の確保につとめる．予後を左右するのは，呼吸不全，横紋筋融解症，腎不全，DICなどの合併症であり，これらの管理のためにICU管理を要することもある．薬物療法としては，ダントロレン（ダントリウム®）がNMSの治療薬として保険適用が認められている．一般病院でこの病態に遭遇した際は，救命を優先し，ICUでの管理が可能な総合病院などへの転院も視野に，経過を追う必要がある．

処方例

ダントロレン（ダントリウム®）　1回40 mg　1日1回　点滴静注
以降改善がない場合，20 mg/回ずつ追加投与し，適宜増減（200 mg/日まで）
詰まりやすいので，専用のルートを確保する

●文　献●
1）和田　健：薬剤性悪性症候群．「別冊日本臨牀 新領域別症候群シリーズ No.39　精神医学症候群（第2版）Ⅲ」，pp342-346，日本臨牀社，2017

<河野仁彦>

2 糖尿病性昏睡

POINT 第二世代抗精神病薬は代謝障害を生じやすい

<高血糖症状>
頻度が高いのは口渇，その他多飲・多尿，体重減少
清涼飲料水の多飲は要注意
症状は高血糖の重症度をかならずしも反映しない

- 患者さんの訴え・体重・血糖値や検査所見をモニターし，糖尿病ケトアシドーシスの発生を防ぐ

- オランザピン，クエチアピンは糖尿病の合併・既往のある患者さんに禁忌

　多元受容体作用抗精神病薬（MARTA）に分類される第二世代抗精神病薬で起こりやすい有害事象である．多くは，体重増加に伴うインスリン抵抗性の亢進が，高血糖の発現に関与すると考えられている．しかし，一部では体重増加を伴わない耐糖能障害を生じるものもあり，薬剤がインスリン分泌能や膵島機能に直接作用している可能性がある．**オランザピン，クエチアピンは**，糖尿病性ケトアシドーシスを生じ死亡例が報告されたことから，**糖尿病の患者さんに対しての処方は禁忌**となっている．

　糖尿病性昏睡を防止するためには，表に示すような誘引についてチェックする．自覚症状は，高血糖がかなり進行してから出現することが多いので，症状を認めたら直ちに血糖値検査を施行する．

1 自覚症状

　高血糖が増悪した場合は，口渇，多飲，多尿，夜間尿，体重減少，倦怠

表　患者さん側のリスク因子

①過去に血糖値が高値	⑤40歳以上
②肥満傾向	⑥外食が多い，野菜の摂取量が少ない
③高血圧もしくは降圧薬を内服中	⑦運動量が少ない
④糖尿病の家族歴がある	⑧妊娠糖尿病の既往

感，などの症状が顕在化する．**最も頻度が高いのは口渇**で，**清涼飲料水の多飲**は高血糖の重要な所見である．

2 検査所見

血糖値の測定が必須である．HbA1c値は過去1～2カ月の平均血糖値の指標であり，高血糖が出現した直後では正常範囲内にあることが多いので，必ず血糖値の測定を併用する．

空腹時血糖値126 mg/dL，随時血糖値200 mg/dL，HbA1c 6.5％を超えると糖尿病型の状態である．ケトーシスの合併は，治療の緊急性にかかわるため，尿ケトン体をチェックする．特に多元受容体作用抗精神病薬（MARTA）服用開始後は定期的な血糖値の評価や体重の増加に注意することが大切であり，可能であれば服用開始前にも血液検査にて糖尿病の併発の有無について評価しておくべきである．

3 治療方法

医薬品による高血糖も，通常の糖尿病による高血糖の治療方法と何ら変わるところはない．

糖尿病性ケトアシドーシスの場合，血糖値が500 mg/dL（ただし血糖値は300 mg/dL前後のこともありうる）以上あり，尿ケトン体が強陽性で，嘔吐や腹痛などの消化器症状とともに脱水が加わって起こる意識障害によって診断される．糖尿病の専門医との連携の下，直ちに生理食塩液と速効型インスリンの静注を開始する．

明らかなアシドーシスや脱水などがないこと，あるいは高浸透圧性高血糖状態への移行がないことを確認できた場合は，すみやかに糖尿病専門医を受診させるようにする．当日中に糖尿病専門医を受診できない場合は，糖尿病専門医と連携しながら，インスリン投与を開始する．

<河野仁彦>

3 皮膚症状
向精神薬による重症薬疹：SJS，TEN，DIHS

POINT

Stevens-Johnson症候群：皮膚粘膜眼症候群

初期症状は，
① 発熱（38℃以上）
② 粘膜症状：眼の充血，めやにの増多，眼瞼の腫脹，口唇・外陰部のびらん，排尿・排便時の疼痛，咽頭痛
③ 紅斑
↓
これらを生じたときには，直ちに内服を中止する

あらゆる医薬品は薬疹の原因となりうるが，**一部の向精神薬，抗てんかん薬では少なくない頻度で重症の薬疹を生じる**．重症薬疹は服薬を開始した初期から生じるStevens-Johnson症候群（Stevens-Johnson syndrome：SJS），重症型の中毒性表皮壊死症（toxic epidermal necrolysis：TEN），服薬開始後2週間以上経過してから生じる薬剤性過敏症症候群（drug-induced hypersensitivity syndrome：DIHS）などがあるが，初期対応としては，これらを鑑別することよりも，重症の薬疹を一刻も早く見出し，迅速に最大限の治療を行うことが求められている．被疑薬が抗てんかん薬であっても，すみやかな中止・変更，皮膚科との併診・転医を行う．

1 早期に認められる症状

医薬品服薬後の，①**発熱**（38℃以上），②**粘膜症状**〔眼の充血，めやに（眼分泌物），眼瞼の腫脹，口唇や外陰部のびらん，咽頭痛，排尿時痛など〕，③**多発する紅斑**（病勢が進行すると水疱・びらんを形成）の3つが主要症状である．

2 好発時期

原因医薬品の服薬後2週間以内に発症することが多いが，数日以内の早期，あるいは1カ月以上経ってからのこともある．

3 患者側の危険因子

過去に医薬品により，皮疹や呼吸器症状，肝・腎機能障害を生じた既往がある，または肝機能，腎機能障害のある患者さんは，薬疹を生じた場合に症状が遷延化，重症化しやすい．発症を防ぐために，薬剤の投与前にこれらの危険因子がないか確認しておく．

薬剤によっては特徴的な危険因子がある．ラモトリギンに関連した発疹は斑状・丘疹性の発疹として発現することが多く，その危険因子として以下が知られている．

- バルプロ酸ナトリウム併用例（p27参照）
- 他の抗てんかん薬による皮疹の既往歴
- 13歳以下の小児
- 投与8週間以内

急な増量は危険であり，添付文書に沿って増量していくことが重要である．

4 診断に関連する臨床検査値

CRP増加，白血球増加・もしくは白血球減少を含む骨髄障害，肝機能障害，腎機能障害，血尿・血便がみられる．

5 早期対応

最初に行うべきことは被疑薬の中止である．SJS/TEN/DIHSを疑った場合は早急に，皮膚科や眼科など関連科への併診あるいは転医を行う必要がある．

● 文　献 ●

- 厚生労働省：重篤副作用疾患別対応マニュアル スティーブンス・ジョンソン症候群
  http://www.info.pmda.go.jp/juutoku/file/jfm0611005_01.pdf（2022年11月閲覧）
- 厚生労働省：重篤副作用疾患別対応マニュアル 中毒性表皮壊死症
  http://www.info.pmda.go.jp/juutoku/file/jfm0611006_01.pdf（2022年11月閲覧）
- 厚生労働省：重篤副作用疾患別対応マニュアル 薬剤性過敏症症候群
  http://www.info.pmda.go.jp/juutoku/file/jfm0706001.pdf（2022年11月閲覧）

＜河野仁彦＞

4 薬物誘発性不整脈
薬剤性QT延長症候群と心室頻拍

POINT　薬剤によるQT延長と運動におけるリスク

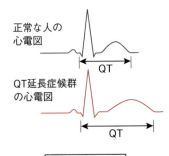

① QT_C の正常値は0.35〜0.44秒である

② 薬剤性QT延長症候群は QT_C が+25%以上増加し0.50秒を超えることが診断基準

③ 薬剤性QT延長症候群の診断がついた場合の対応は
- 原因薬剤の中止
- 修飾因子（表）の検索と除去
- 運動の制限

救急の場合はリドカインやイソプレナリン（イソプロテレノール）静注
徐脈が遷延する場合はペーシングなども考慮

④ 0.45〜0.50秒の場合については，運動を制限しなくともよいが，0.50秒を超えると上記の対応となるため，注意が必要

$$QT_C = \frac{QT}{\sqrt{RR}}$$

QTc：補正QT時間

1 薬剤性QT延長症候群とは

　薬物投与後，不整脈が新たに出現した場合，薬物の催不整脈作用と定義される．抗不整脈薬などは不整脈を生じやすいが，向精神薬では，QT延長と引き続くtorsade de pointes（TdP）とよばれるQT延長に伴う多形性心室頻拍が問題となる．TdPは突然死の危険性が高いため，その予防と早期発見・早期対応はきわめて重要である．

　QT延長はR on T型の心室性期外収縮からQRSの波形，極性が変化するTdPや心室細動を引き起こし，失神や突然死の原因となる．

2 診断と対応

補正QT時間（QTc）の正常値は0.35〜0.44秒である．薬剤の投与により，QTcが＋25％以上増加し0.50秒を超えることが診断基準である．修飾因子には，表にあげたようなものがあり，特に電解質異常は重要な要素となる．そのためQTcの延長を確認した際は，あわせて電解質の評価も行う．薬剤ごとにQT時間に影響を与える度合いは違うが，抗うつ薬や抗精神病薬を投与する際は，可能であれば服薬開始前と，服薬開始後2〜4週目での心電図検査にて評価を行う．

薬剤性QT延長症候群の診断がついた場合の対応は，①原因薬剤の中止，②修飾因子（表）の検索と除去，③運動の制限，④救急の場合はリドカインやイソプレナリン（イソプロテレノール）静注，さらに徐脈が遷延する場合はペーシングなどを考慮する．

表　QT延長→TdPを助長する修飾因子

①高齢者
②女性（月経周期によって，QT延長作用をもつ薬物への反応性も異なる）
③徐脈（完全房室ブロックに伴うものがよく知られている）
④低K血症や低Mg血症などの血清電解質異常
⑤心筋梗塞，心不全や心肥大などの心疾患
⑥糖尿病（K電流が減少することが報告されている）
⑦患者さんの薬物代謝の障害（原因薬剤の血中濃度の上昇）
⑧肝での代謝酵素阻害作用をもつ薬剤の併用（原因薬剤の血中濃度の上昇）
⑨利尿薬の多用，重症の下痢，過度のダイエットなど（低K血症との関連）
⑩患者さんの遺伝的素因（遺伝性QT延長症候群の可能性）

（文献1をもとに作成）

● 文　献
1）厚生労働省：重篤副作用疾患別対応マニュアル 心室頻拍
http://www.info.pmda.go.jp/juutoku/file/jfm0905019.pdf（2022年11月閲覧）

〈河野仁彦〉

5 向精神薬によって引き起こされる精神と行動の障害（行動毒性）

> **POINT　比較的多くみられる行動毒性**
>
> - せん妄
> - 気分症状：抑うつ，躁転
> - 過鎮静
> - 奇異反応
> - 認知機能障害
> - 知覚変容
> - 賦活症候群（activation syndrome）と自殺関連行動
> - 睡眠障害

1 向精神薬による行動毒性とは

　向精神薬はその名の通り，精神に作用する薬剤である．狙い通りの効果を生じることもあるが，予想外の作用（行動毒性）を生じることもある．鎮静作用が強く生じる過鎮静などは想像しやすい．他方，通常であれば抗不安作用を発揮する抗不安薬の投与により，逆に，不安が増悪するといった全く逆の作用を生じることもあり，これは，**奇異反応**とよばれる．さらに，薬剤の作用とは全く異なる（異なったものにみえる）症状もある．

　薬剤によって生じた問題であるのか，もともとの精神症状の増悪であるのかの判断は，①薬剤の投与開始時期，薬剤の増量・減量と症状の生じ方の時間的関係性，②添付文書に記載されるような頻度の多い症状であるのか否か，などの情報を参考に行う．

2 対策

　向精神薬で治療を開始した後に精神症状が悪化した場合には，向精神薬による副作用を念頭に置き，薬剤の減量，中止，変更を考慮する必要があ

る．また，向精神薬を内服中の患者さんが，複雑な精神症状を生じている場合には，まず薬剤の整理と減量を行うことが，正しい診断と治療につながる．向精神薬同士，あるいは他剤との併用による相互作用（向精神薬の血中濃度が低下したり上昇したりすることにつながる）にも注意する．

比較的多くみられる行動毒性の症状を，POINT にまとめた．

3 賦活症候群（activation syndrome）

抗うつ薬の開始初期や用量変更時などに生じる行動毒性のことで，不眠，不安，焦燥，パニック発作，易刺激性，衝動性などの症状を呈する症候群．自殺関連行動との関わりも示唆されている（p66）．多くのSSRIは，18歳未満には慎重投与となっている．

セロトニン選択性の高い抗うつ薬の投与開始・増量時から約1週間以内に生じやすい傾向があり，より注意深い観察が必要である．発現時には，原則原因薬剤を中止する．

<河野仁彦>

6 リチウム中毒

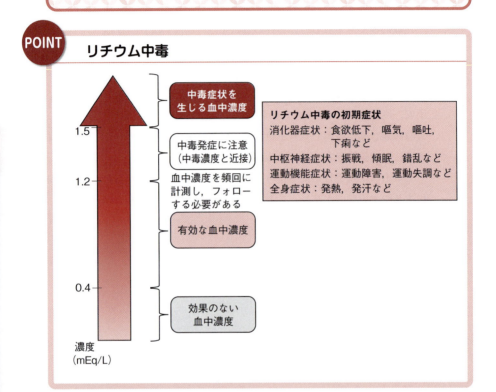

1 リチウム中毒とは

　気分安定薬として最も古典的で効果の高い炭酸リチウムは，有効治療血中濃度：0.4〜1.2 mEq/L，中毒を呈する血中濃度：1.5 mEq/L以上と有効血中濃度と中毒濃度が近接しており，かつ血中濃度が2.0 mEq/L以上で意識障害やけいれんなど重篤な副作用，2.5 mEq/L以上で不可逆的な神経障害・心伝導障害から致死的となることもある（POINT，p136参照）．

　また，自殺のリスク（既遂・未遂ともに）を有意に下げることも知られているが，大量内服時（自殺目的に過量内服した際など）には致死的となりうるというジレンマもある．

　効果発現はややゆっくりである（2〜3週間ほどかかる）．

2 モニタリング

脱水や感染，NSAIDsの併用などを契機に容易に中毒域に達するため，注意が必要である．特に高齢者に使用する場合などは，**定期的な血中濃度のモニタリングが必要**である．

投与初期または用量を増量したときなど，維持用量が決まるまでは1週間に1回をめどに，維持用量の決定後は2〜3カ月に1回をめどに，血中濃度の測定を行う．

また，定期的な測定に加え，以下の場合は血清リチウム濃度を測定すべきである．

- **血清リチウム濃度を上昇させる要因が認められる場合**
  - 食事および水分摂取量の不足
  - 脱水を起こしやすい状態（暑熱，サウナなど）
  - 血中濃度の上昇を起こす可能性がある薬剤（NSAIDs，ACE阻害薬など）の併用開始など
- **リチウム中毒の初期症状が認められる場合**
  - 食欲低下，嘔気，嘔吐，下痢などの消化器症状
  - 振戦，傾眠，錯乱などの中枢神経症状
  - 運動障害，運動失調などの運動機能症状
  - 発熱，発汗などの全身症状

3 対策

- **投与開始時**：患者さんおよびその家族にリチウム中毒の可能性を説明し，中毒の初期症状があらわれた場合には医師の診察を受けるよう，指導する．
- **投与中**：血清リチウム濃度に応じて，以下の処置を行う．
  - 1.5 mEq/L を超えたとき → 必要に応じて減量または休薬
  - 2.0 mEq/L を超えたとき → 減量または休薬

なお，適切な血清リチウム濃度の測定が実施されずに重篤なリチウム中毒に至った症例などは，基本的に医薬品副作用被害救済制度においても，適正な使用とは認められない症例とされ，救済の支給対象とならない．

<河野仁彦>

索引 Index

数字

5-HT$_{1A}$受容体 …… 80
5-HT$_2$受容体 …… 80
5-HT$_3$受容体 …… 80

欧文

A

ABC-J …… 156
AChE阻害薬 …… 143
activation syndrome …… 311
AD（Alzheimer's disease） …… 141, 150, 246
ADHD …… 156, 290
ADHD-RS-Ⅳ（ADHD rating scale-Ⅳ） …… 292, 293
ADHD適正流通管理システム …… 295
ALDH（aldehyde dehydrogenase） …… 178
Alzheimer型認知症 …… 141, 150, 246
AN（anorexia nervosa） …… 274
ATX（アトモキセチン） …… 159, 170, 293, 295
AUDIT（alcohol use disorders identification test） …… 283

B

BN（bulimia nervosa） …… 274
BPRS（brief psychiatric rating scale） …… 201
BPSD（behavioral and psychological symptoms of dementia） …… 244
BZ系 …… 117
BZ系抗不安薬 …… 215
BZ系睡眠薬 …… 110
BZ受容体 …… 88

C 〜 F

CAADID™（Conners' adult ADHD diagnostic interview for DSM-Ⅳ） …… 292, 293, 298
CAARS™（Conners' adult ADHD rating scales） …… 292, 293, 298
Clイオンチャネル …… 88
Conners 3™ …… 292, 293
CYP …… 22
DIHS（drug-induced hypersensitivity syndrome） …… 306
DLB（dementia with lewy bodies） …… 141, 150, 246
DSM-5 …… 155, 230
d-アンフェタミン …… 159
FGA …… 46

G・H

GABA受容体 …… 88
GSK-3β（glycogen synthase kinase-3β）阻害作用 …… 128
GXR（グアンファシン） …… 159, 171, 293
HAM-D …… 234
HDAC（histone deacetylase）阻害作用 …… 128
HDS-R …… 251

K 〜 O

K-ABC心理・教育アセスメントバッテリー …… 291
LDX（リスデキサンフェタミン） …… 159, 169, 295
Lewy小体型認知症 …… 141, 150, 246
MADRS（Montgomery Åsberg depression rating scale） …… 234
NaSSA（noradrenergic and specific serotonergic antidepressant） …… 58, 79
NMDA受容体拮抗薬 …… 144, 151
OROS-MPH …… 169, 293

P 〜 R

PD（pharmacodynamics）相互作用 …… 21
PK（pharmacokinetics）相互作用 …… 21
P糖タンパク質阻害 …… 23
QTc …… 309
QT延長 …… 308
refeeding syndrome …… 277

S

SGA …… 48
SJS（Stevens-Johnson syndrome） …… 138, 306
SNRI（serotonin noradrenaline reuptake inhibitor） …… 57, 58, 73
S-RIM（serotonin reuptake inhibitor and modulator） …… 58, 77

SSRI（selective serotonin reuptake inhibitor） ····· 58, 69, 91, 215, 226
SST（ソーシャルスキルトレーニング）··········· 297
Stevens-Johnson症候群 ···················· 306

T

T$_{1/2}$ ················· 194
TCA（tricyclic antidepressants） ············ 81
TdP（torsade de pointes） ···················· 308
TEN（toxic epidermal necrolysis） ····· 138, 306
T$_{max}$ ················ 194
Tourette症 ············· 163

V・W

VD（vascular dementia） ···················· 246
ω_1受容体 ············ 118
WAIS ············· 292, 298
WISC ················ 292
WPPSI ·············· 292

和文

あ

アカシジア ········ 40, 207
アカンプロサート 182, 289
悪性症候群 ········ 40, 302
アクチベーション症候群 65
アセチルコリンエステラーゼ阻害薬 ············ 143
アセナピン ············· 52
アデュカヌマブ ········ 142
アトモキセチン（ATX） ····· 159, 170, 293, 295
アドレナリン ············ 31
アナフラニール® ······· 83
アミトリプチリン ······· 82
アモバン® ············ 119
アリセプト® ······ 151, 246
アリドネ®パッチ ······ 151
アリピプラゾール ········· 53, 160, 173
アルコール依存症 174, 282
アルコール依存症スクリーニングテスト ········ 283
アルコールと交叉耐性 ·· 91
アルコール離脱症状 ·· 183
アルデヒド脱水素酵素 178
アルプラゾラム ····· 99, 215

い

イクセロン®パッチ ···· 152
易刺激性 ············· 156
依存症治療薬 ········ 174
依存性 ··············· 95
イノシトール系における作用 ··············· 128
イフェクサー®SR ········ 76
イミドール® ············ 82
イミプラミン ············ 82
インヴェガ® ····· 49, 204
インスリン ············ 305
陰性症状（無為，自閉，抑うつ）に対する効果 ·· 37
インチュニブ® ········ 171

う

ウインタミン® ·········· 47
ウェクスラー式知能検査 ···················· 292

ウェクスラー児童用知能検査（WISC） ·········· 292
ウェクスラー成人用知能検査（WAIS） ·········· 292
ウェクスラー幼児用知能検査（WPPSI） ·········· 292
うつ状態 ············· 229
うつ病 ··············· 229
うつ病エピソード ······ 132

え

エクスポージャー法 ··· 225
エスシタロプラム ········ 72
エスゾピクロン ··· 119, 265
エスタゾラム ·········· 121
エチゾラム ········ 98, 119
エバミール® ·········· 120
エビリファイ® ····· 53, 173

お

オキサゾラム ·········· 101
オランザピン ········ 51, 204, 241, 304
オレキシン ············ 108
オレキシン受容体拮抗薬 ················ 113, 122

か

概日リズム睡眠・覚醒障害 ···················· 262
改訂長谷川式簡易知能評価スケール ············· 251
回避行動 ············· 213
過食 ················ 275
過鎮静 ··············· 41
学校 ················ 297
ガランタミン ·········· 152
カルバマゼピン ········ 138

315

簡易精神症状評価尺度　201

き

奇異反応 ………… 95, 310
記憶障害 ………… 95, 114
気分安定薬‥124, 136, 240
気分安定薬の作用機序
　………………………… 128
急性ジストニア ………… 40
強迫観念 ………………… 224
強迫行為 ………………… 224
強迫症 …………………… 224
恐怖 ……………………… 220
恐怖感 …………………… 218
起立性低血圧 …………… 68
筋弛緩作用 ………… 90, 114

く

クアゼパム ……………… 121
グアンファシン（GXR）
　………………… 159, 171, 293
クエチアピン ……… 51, 304
グルクロン酸抱合 ……… 27
グルタミン酸受容体への
　作用 ……………………… 128
クロキサゾラム ………… 100
クロザピン ……………… 52
クロザリル® …………… 52
クロチアゼパム ………… 98
クロナゼパム …………… 100
クロミプラミン ………… 83
クロルジアゼポキシド
　………………………… 100
クロルプロマジン ……… 47

け

経管栄養 ………………… 277
下剤の乱用 ……………… 274

血管性認知症 …………… 246
月経異常 ………………… 275
血中濃度 ………………… 194
血糖値 …………………… 305
潔癖性 …………………… 227
解毒時 …………………… 287
幻聴 ……………………… 206

こ

抗アドレナリン α_1 作用‥ 68
抗うつ薬 ‥56, 91, 226, 235
抗うつ薬が睡眠に及ぼす
　影響 …………………… 265
口渇 ……………………… 305
抗けいれん ……………… 90
抗コリン作用 …………… 68
抗精神病薬 …… 34, 203, 240
抗精神病薬の等価換算表
　………………………… 54
向精神薬 ………… 306, 310
交代勤務障害 …………… 262
抗てんかん薬 …………… 306
行動毒性 ………………… 310
行動療法 ………………… 225
抗認知症薬 ……………… 141
紅斑 ……………………… 306
抗ヒスタミン作用 ……… 68
抗不安薬 ………………… 87
高プロラクチン血症 …… 40
高用量使用 ……………… 103
高齢者 …………………… 253
子どものこころ専門医
　………………………… 297
コレミナール® ………… 98
コンサータ® …………… 169
コンスタン® …………… 99

コントール® …………… 100
コントミン® …………… 47

さ

最高血中濃度到達時間
　………………………… 194
再発 ……………… 205, 233
再発予防 ………………… 37
催眠 ……………………… 90
サイレース® …………… 120
サインバルタ® ………… 75
三環系抗うつ薬 ………… 81

し

ジアゼパム ………… 99, 285
シアナマイド …………… 183
シアナミド ……………… 183
ジェイゾロフト®
　……… 71, 215, 234, 249
シクレスト® …………… 52
自己効力感 ……………… 216
時差障害 ………………… 262
自殺念慮 ………………… 236
ジスルフィラム ………… 183
ジプレキサ®‥51, 204, 241
自閉スペクトラム症 …… 156
社交不安症 ……………… 220
熟眠障害 ………………… 265
術後 ……………………… 253
衝動性 …………… 161, 290
小胞体ストレス系への作用
　………………………… 128
常用量依存 ……………… 115
職場 ……………………… 283
神経性過食症 …………… 274
神経性食欲不振症 ……… 274
心理療法 ………………… 211

す

- 錐体外路症状 …………… 40
- 睡眠維持困難 …………… 264
- 睡眠維持障害 …………… 111
- 睡眠・覚醒相後退障害 … 262
- 睡眠・覚醒相前進障害 … 262
- 睡眠時無呼吸 …………… 263
- 睡眠薬 ………… 106, 107, 265
- スティーヴンス・ジョンソン症候群 ……………… 138
- ストラテラ® …………… 170
- ストレス脆弱性仮説 …… 14
- スボレキサント ………… 122
- スルピリド ……………… 85

せ

- 摂食障害 ………………… 274
- セディール® …………… 105
- セパゾン® ……………… 100
- ゼプリオン® …………… 49
- ゼプリオン TRI® ……… 49
- セリンクロ® ……… 182, 285
- セルシン® ………… 99, 285
- セルトラリン …… 71, 215, 234, 249
- セレナール® …………… 101
- セレネース® …………… 46
- セロクエル® …………… 51
- セロトニン …………… 69, 73
- セロトニン再取り込み阻害・セロトニン受容体調節薬 …………………… 77
- セロトニン・ノルアドレナリン再取り込み阻害薬 … 73
- 洗浄強迫 ………………… 227
- 選択的セロトニン再取り込み阻害薬 ………… 69, 91

そ

- せん妄 …………………… 252

そ

- 双極性障害 … 124, 132, 238
- 相互作用 ………………… 21
- 躁状態 …………………… 238
- 躁病エピソード ………… 132
- ソーシャルスキルトレーニング（SST）………… 297
- ゾテピン ………………… 47
- ゾピクロン ……………… 119
- ソラナックス® …… 99, 215
- ゾルピデム ……………… 119

た

- 第一世代抗精神病薬 …… 46
- 第二世代抗精神病薬 …… 48
- 第1相反応 ……………… 24
- 第2相反応 ……………… 27
- ダイアップ® …………… 99
- 胎児への悪影響 ………… 135
- 代謝障害 ………………… 41
- 体内動態 ………………… 22
- 体内時計 ………………… 107
- 退薬徴候 ………………… 97
- 多飲 ……………………… 305
- 多剤併用 ………………… 103
- 脱水 ……………………… 279
- 多動性 …………… 161, 290
- ダルメート® …………… 122
- 炭酸リチウム …………… 136
- 断酒会 …………………… 284
- タンドスピロン ………… 105
- ダントリウム® ………… 303
- ダントロレン …………… 303
- タンパク結合能 ………… 29

ち

- チック …………………… 163
- チトクローム P450 …… 24
- 知能検査 ………………… 292
- 遅発性ジスキネジア …… 40
- チャンピックス® ……… 184
- 注意欠如・多動性障害（ADHD）……… 156, 290
- 中核症状 …………… 202, 244
- 中心静脈栄養 …………… 277
- 中断症候群 ……………… 67
- 中毒性表皮壊死症 ……………… 138, 306
- 長期使用 ………………… 102
- 鎮静 ……………………… 90
- 鎮静作用 …………… 68, 94

て

- 低体重 …………………… 276
- デエビゴ® ………… 123, 249
- テグレトール® ………… 140
- デジレル® ……………… 85
- テトラミド® …………… 84
- デパケン® … 139, 241, 248
- デパケン®R …………… 137
- デパス® …………… 98, 119
- デプロメール® ………… 71
- デュロキセチン ………… 75
- 電解質異常 ……………… 279
- 転倒 ……………………… 95

と

- 統合失調症 …… 46, 48, 200
- 疼痛緩和 ………………… 74
- 糖尿病性昏睡 …………… 304
- ドグマチール® ………… 85

ドネペジル ……… 151, 246
ドパミンD₂受容体 ……… 35
トフラニール® ……………… 82
ドラール® ………………… 121
トラゾドン ………………… 85
トラフ値 …………………… 194
トリアゾラム ……………… 118
トリプタノール® …………… 82
トリンテリックス® ………… 78
トレドミン® ……………… 75

な・に

ナルメフェン …… 182, 285
ニコチネル®TTS® ……… 185
ニコチン …………………… 185
ニコチン依存症 ………… 174
ニトラゼパム ……………… 121
入眠困難 ………………… 264
入眠障害 ………………… 111
尿閉 ………………………… 67
認知機能障害 ……………… 41
認知機能障害の改善効果
 ……………………………… 37
認知行動療法 211, 221, 225
認知症 …………………… 244
認知症の行動・心理症状
 …………………………… 244

ね・の

眠気 ………………………… 68
ネルボン® ………………… 121
粘膜症状 ………………… 306
脳の機能不全 …………… 252
ノックビン® ……………… 183
ノリトレン® ……………… 82
ノルアドレナリン ………… 73

ノルアドレナリン作動性・
 特異的セロトニン作動性
 抗うつ薬 ……………… 79
ノルトリプチリン ……… 82

は

パーキンソニズム ……… 40
排泄阻害 ………………… 27
パキシル® ………… 70, 222
曝露反応妨害法 ……… 225
発達障害治療薬 ……… 154
発熱 ……………………… 306
パニック症 ……………… 213
ハミルトンうつ病評価尺度
 ……………………………… 234
バランス® ……………… 100
パリペリドン ……… 49, 204
ハルシオン® …………… 118
バルビツール酸系睡眠薬
 ……………………………… 113
バルプロ酸ナトリウム
 …… 137, 241, 248, 307
バレニクリン …………… 184
パロキセチン ……… 70, 222
ハロペリドール ………… 46
ハロマンス®注 ………… 46
半減期 …………………… 194
反跳性不安 ……………… 97
反跳性不眠 …………… 115
反応妨害法 …………… 225

ひ

非BZ系睡眠薬
 …………… 110, 113, 117
ピーク濃度 …………… 194
ひきこもり …………… 220
ヒストン脱アセチル化酵素
 阻害作用 …………… 128

ビバンセ® ……………… 169
皮膚粘膜眼症候群 …… 138
ビプレッソ® …………… 51
広場恐怖 ……………… 213

ふ

不安 ……………………… 220
不安症 ………………… 209
賦活症候群 ……… 65, 311
不合理感 ……………… 224
不食 …………………… 275
不整脈 ………………… 308
不注意 …………… 161, 290
不登校 ………………… 220
不眠症 ………………… 261
ふらつき ………………… 95
フルタゾラム …………… 98
フルニトラゼパム ……… 120
フルボキサミン ………… 71
フルラゼパム ………… 122
ブレクスピプラゾール ‥ 53
ブロチゾラム ………… 120
ブロナンセリン ………… 50
ブロマゼパム …………… 99

へ・ほ

ベルソムラ® …………… 122
ペロスピロン …………… 49
ベンザリン® …………… 121
ベンゾジアゼピン（BZ）系
 抗不安薬 ……………… 88
ベンゾジアゼピン（BZ）系
 睡眠薬 ……………… 113
ベンゾジアゼピン（BZ）受
 容体作動薬 …… 106, 117
ベンラファキシン ……… 76

北大式躁病エピソードスクリーニング質問紙 ‥ 239
補正QT時間 ‥‥‥‥‥ 309
ホリゾン® ‥‥‥‥‥‥ 99
ボルチオキセチン ‥‥ 78

ま・み

マイスリー® ‥‥‥‥ 119
ミアンセリン ‥‥‥‥ 84
ミトコンドリアへの作用
　‥‥‥‥‥‥‥‥‥ 128
ミルタザピン ‥‥ 80, 235
ミルナシプラン ‥‥‥ 75

め

メイラックス® ‥‥‥ 101
メキサゾラム ‥‥‥‥ 99
メダゼパム ‥‥‥‥ 101
メチルフェニデート ‥ 159
メチルフェニデート徐放錠
　‥‥‥‥‥‥ 169, 293
メマリー® ‥‥‥‥‥ 153
メマンチン ‥‥‥‥ 153
メラトニン ‥‥ 107, 173
メラトニン受容体作動薬
　‥‥‥‥‥‥ 113, 122
メラトニン製剤 ‥‥ 267
メラトベル® ‥‥‥‥ 173
メレックス® ‥‥‥‥ 99

も・や

持ち越し効果 ‥‥ 97, 114
モノアミン仮説 ‥‥‥ 57
物忘れ ‥‥‥‥‥‥ 250
モントゴメリー・アスベルグうつ病評価尺度 ‥‥ 234
薬剤過敏症候群 ‥‥ 306
薬剤性QT延長症候群・ 308

薬疹 ‥‥‥‥‥‥‥ 306
薬物動態学的相互作用 ‥ 21
薬力学的相互作用 ‥‥ 21
痩せ願望 ‥‥‥‥‥ 277

ゆ〜ら

ユーロジン® ‥‥‥‥ 121
陽性症状（幻覚，妄想）に対する効果 ‥‥‥‥ 37
予期不安 ‥‥‥‥‥ 213
四環系抗うつ薬 ‥‥‥ 84
ラツーダ® ‥‥‥‥‥ 50
ラピッドサイクラー化 130
ラミクタール® ‥‥‥ 140
ラメルテオン 122, 250, 266
ラモトリギン ‥‥‥ 138
ランドセン® ‥‥‥‥ 100

り

リーゼ® ‥‥‥‥‥‥ 98
リーマス® ‥‥‥‥ 139
リスデキサンフェタミン（LDX）‥ 159, 169, 295
リスパダール®
　‥ 48, 172, 247, 258, 286
リスペリドン
　‥‥ 48, 160, 172, 247, 258, 286
リスミー® ‥‥‥‥‥ 120
離脱症候群 ‥‥‥‥‥ 67
離脱症状 ‥‥‥‥‥ 102
リチウム中毒 ‥‥ 136, 312
リバスタッチ®パッチ ‥ 152
リバスチグミン ‥‥ 152
リフィーディング症候群
　‥‥‥‥‥‥‥‥‥ 277
リフレックス® ‥‥ 80, 235
リボトリール® ‥‥‥ 100

流通規制 ‥‥‥‥‥ 297
リルマザホン ‥‥‥ 120

る

ルーラン® ‥‥‥‥‥ 49
ルネスタ® ‥‥‥‥ 119
ルボックス® ‥‥‥‥ 71
ルラシドン ‥‥‥‥‥ 50

れ

レカネマブ ‥‥‥‥ 142
レキサルティ® ‥‥‥ 53
レキソタン ‥‥‥‥‥ 99
レクサプロ® ‥‥‥‥ 72
レグテクト® ‥‥ 182, 289
レジリアンスモデル ‥ 14
レスミット® ‥‥‥‥ 101
レスリン® ‥‥‥‥‥ 85
レミニール® ‥‥‥ 152
レメロン® ‥‥‥‥‥ 80
レンドルミン® ‥‥‥ 120
レンボレキサント
　‥‥‥‥ 123, 249, 267

ろ・わ

ロゼレム® ‥‥‥ 122, 250
ロドピン® ‥‥‥‥‥ 47
ロナセン® ‥‥‥‥‥ 50
ロフラゼプ酸エチル ‥ 101
ロラゼパム ‥‥‥ 98, 222
ロラメット® ‥‥‥ 120
ロルメタゼパム ‥‥ 120
ワイパックス® ‥ 98, 222

[編者プロフィール]

稲田　健（Ken Inada）

北里大学医学部精神科学　教授

1997年北里大学医学部卒業後，同大学精神科へ入局．2003年同大学大学院修了．2004年米国ノースカロライナ大学留学．大学院から留学中は精神薬理学と神経科学研究に従事しました．2006年帰国後は東京女子医科大学医学部精神医学講座にて，精神科臨床と研究に従事し，2022年母校の北里大学医学部精神科学に赴任しました．現在は母校にて，臨床，研究，教育に励んでいます．
精神科における薬物療法は，薬だけですべてを解決できるわけではありませんが，困りごとを解決していく力強い手段の1つになります．向精神薬の特性と適正な使用について広く知っていただき，困りごとをもつ方々の手助けになりたいと考えています．

本当にわかる精神科の薬はじめの一歩 改訂第3版

具体的な処方例で経過に応じた薬物療法の考え方が身につく！

2013年10月20日　第1版 第1刷発行	編　集	稲田　健
2016年 8月 1日　第1版 第4刷発行	発行人	一戸裕子
2018年 3月25日　第2版 第1刷発行	発行所	株式会社 羊 土 社
2022年 4月 1日　第2版 第5刷発行		〒101-0052
2023年 4月 5日　第3版 第1刷発行		東京都千代田区神田小川町2-5-1
2025年 3月15日　第3版 第2刷発行		TEL　03（5282）1211
		FAX　03（5282）1212
ⓒ YODOSHA CO., LTD. 2023		E-mail　eigyo@yodosha.co.jp
Printed in Japan		URL　　https://www.yodosha.co.jp/
	装　幀	ペドロ山下
ISBN978-4-7581-2401-0	印刷所	日経印刷株式会社

本書に掲載する著作物の複製権，上映権，譲渡権，公衆送信権（送信可能化権を含む）は（株）羊土社が保有します．
本書を無断で複製する行為（コピー，スキャン，デジタルデータ化など）は，著作権法上での限られた例外（「私的使用のための複製」など）を除き禁じられています．研究活動，診療を含み業務上使用する目的で上記の行為を行うことは大学，病院，企業などにおける内部的な利用であっても，私的使用には該当せず，違法です．また私的使用のためであっても，代行業者等の第三者に依頼して上記の行為を行うことは違法となります．

JCOPY ＜（社）出版者著作権管理機構　委託出版物＞
本書の無断複写は著作権法上での例外を除き禁じられています．複写される場合は，そのつど事前に，（社）出版者著作権管理機構（TEL 03-5244-5088，FAX 03-5244-5089，e-mail：info@jcopy.or.jp）の許諾を得てください．

乱丁，落丁，印刷の不具合はお取り替えいたします．小社までご連絡ください．